HEAVY

AN AMERICAN MEMOIR
KIESE LAYMON

ヘヴィ

あるアメリカ人の回想録

キエセ・レイモン

山田 文 訳

里山社
SATOYAMA
SHA

ヘヴィ

あるアメリカ人の回想録

キエセ・レイモン

山田 文 訳

里 山 社

HEAVY by Kiese Laymon

Japanese translation rights arranged with
JANKLOW & NESBIT (UK) LIMITED
through Japan UNI Agency, Inc., Tokyo

ばあちゃんがつくったポーチに

HEAVY　目次

……健康でいるのは取るに足らないことじゃないのよ。
元気になると、たくさんの重みがかかってくるんだから。
——トニ・ケイド・バンバーラ『塩を食う者たち』

BEEN ビーン

母さん、あなたに向けて書くつもりはなかった。ぼくは嘘を書きたかった。正直に書きたくはなかった——黒人の嘘、黒人の腿《もも》、黒人の愛、黒人の笑い、黒人の食べ物、黒人の依存症、黒人の肉割れ、黒人のドル、黒人の言葉、黒人の虐待、黒人のブルース、黒人のへそ、黒人の勝利、黒人のビーン（been）（アフリカ系アメリカ人の英語では、have beenやhad beenの省略形としてbeenが多用される）、黒人の歪み、黒人の同意、黒人の親、黒人の子どもについて。ぼくらのことは書きたくなかった。アメリカらしい回想録を書きたかった。

ぼくは嘘を書きたかった。

黒人のおきまりの仕事をしたかった。いつもぼくらに金を払って媚《こ》びさせて嘘をつかせているやつらに、媚びて嘘をつきたかった。ぼくらを太らせる炭水化物、フライの肉、ぶどう糖果糖液糖について書きたかった。一四五キロあったぼくの体重が七五キロになる本を書きたかった。ディープサウスで暮らすぼくら太った黒人への苦い警告と、ばあちゃんから学んだ甘く感傷的な教訓をちりばめた本にしたかった。母さんに笑われるものは書きたくはなかった。

ぼくは嘘を書きたかった。

家にいる黒人の父親、責任ある黒人の母親、魅力的な黒人の祖母、完璧に躾《しつ》けられた黒人の子どもが、ぼくらの解放にどれだけ欠かせないかを書きたかった。ぼくらの死や不誠実を望む何かや誰かを中心に据えて書きたかった。自分たちの嘘と向き合おうとしないアメリカの白人に対して、その欺瞞《ぎまん》のせいでぼくらが人をよく愛し、健康に暮らし、人生をやり直すのが難しくなっていることを改めて考えさせたかった。アメリカ白人がアメリカ黒人の苦しみを貪欲に求めて、ぼくらが不健康な食べ物を貪欲に求めるのならば、黒人が虐げられてアメリカが繁栄する時代が繰り返されかねない、そういう考えで始まって終わる本を書きたかった。目を瞠《みは》るような文学作品を書きたかった。その作品では、母さんとばあちゃんとぼく自身に多くのものを求める気はなかった。求めるのは、低炭水化物の食事、糖質制限、ウェイトリフティング、一日一万二〇〇〇歩、何リットルもの水、深夜零時以降にものを食べないことだけにしておくつもりだった。母さんには未来の約束をしてほしかった。過去を思い出してほしくはなかった。

ぼくは嘘を書きたかった。

心地のいい嘘を書きたかった。

嘘を書いてみた。

心地のいい嘘になった。

母さんは喜んだだろう。

でもぼくはそこに何も見出せなかった。

母さんは喜んだだろう。

ぼくは最初から書き直して、ぼくらが忘れたいと思っていたことを書いた。


ぼくが一一歳、一八〇センチ、九四キロのとき、母さんはぼくに、おとなしくしてわたしの夫のふりをしていなさいと命じた。じいちゃんの古臭い茶色い帽子と五ドルをぼくに渡して、自分のスロットマシンの隣のマシンで遊んでいろと言う。ぼくらはラスヴェガス・ストリップ（ネバダ州クラーク郡の南ラスヴェガスにある、リゾートホテルやカジノが密集する地域）の星の下でクリスマスを祝っていた――ミシシッピ州フォレストのばあちゃんのショットガンハウス（部屋が一列に並ぶ縦長の平屋）から離れて過ごした一度きりのクリスマスだ。ぼくはその五ドルをマシンに入れずに、レイダースのジャンパーのポケットにしまった。レバーを四回引いたあと、母さんのマシンからブリキの受け皿に二五セント硬貨が二六〇枚はき出された。ぼくらは右の後ろを振り返り、左の後ろを振り返って、ひざまずいた。見たこともないほどたくさんの二五セント硬貨を、ひん曲がった白いカップにかき集める。

「かき集めて、キー」母さんは言った。「かき集めるの」

ぼくらがやっていることを言い表すのに「かき集める《レイク》」という言葉を母さんが使ったのを、ぼくはとても気に入った。母さんに両手を包まれて、カップをしっかり持っていなさいと言われたとき、ぼくらはラスヴェガスでいちばんラッキーな黒人カップルだと思った。勝っていたのに、大当たりを出したばかりだったのに、母さんはぼくのほうを見なかった。ハンドルを引き続けて、しきりに後ろを振り返る。「あと一分だけ。また当たると思うの。約束する。あと一分だけね」

　母さんが約束するたびに、ぼくは信じた。

　その夜、リンダおばさんのアパートに戻った後、ぼくらがかき集めたたくさんの二五セント硬貨のことをばあちゃんに話した。ばあちゃんは何も言わない。引きつった目でぼくの向こうを見て、母さんの目を捉えて言った。

「へえ、そうかい。やつらが自分の金でつくったカジノなんて、ひとつもありやしないじゃないか。みんなどこかのバカの金でつくってんだ」

　その夜ラスヴェガスで、母さんは細長い簡易ベッドで寝た。ぼくは隣で寝ているはずだったけれど、なかなか眠れなかった。とても幸せだったからだ。いびきが聞こえて、母さんが生きているのを実感した。母さんが生きて隣にいてくれさえすれば、ほかに何もいらなかった。

　ラスヴェガスから帰ってきたら、母さんはひん曲がった白いカップに入っていた二五セント硬貨でテニス・ラケットをもう一本買った。キャロウェイ高校で初めて二人でテニスをしたとき、ボールを打ちあっていたら、M-80の爆竹の音が耳に飛び込んできた。校舎のほうを見ると、色褪せたデニムジャケットを着た黒人の女が地面に片膝をついている。鼻血を拭う彼女の前には、ほっそりした黒人の男が〈メンバーズ・オンリー〉の短い青のジャケットを着て立っていた。

「手を下げろ」男が言うのが聞こえた。色褪せたデニムジャケットの女がゆっくり両手を下ろすと、男が女の顔面を殴る。覇気のない緩い拳で殴ったような音がする。女は地面に倒れ、小さな声で男に何か言って顔を覆った。

ぼくらは何も言わずにラケットを振りかざして、カップルのほうに全力疾走した。

「このクソ男」母さんが大声をあげる。男は女を引っぱって立ち上がらせようとしていた。

「その子をまた殴ってごらん、ただじゃおかないよ、このクソ男」

ぼくらがあとを追ってくるのを見て、男は女を引きずりながら、舗装されていない小道を進んだ。

「このクソ男」ぼくもわめいて、母さんの前で悪態をついても大丈夫か母さんの顔色をうかがった。建物の向こう側で、男と、男に顔を潰された色褪せたデニムジャケットの女が、ぼろぼろの黒いマツダに乗り込む。女がシートベルトを締めると、車は猛スピードで走り去った。ぼくらは警察に通報しなかった。ぼくらのシボレー・ノヴァに向かって走りもしなかった。

ぼくらはひと息ついた。

手を取り合った。

ひざまずいた。

あれだけの怒りや恐怖の真っ只中で祈ったのは初めてだった。ぼくらはデニムジャケットの女の安全を祈っていた。それに、おそらくぼくら自身のためにも祈っていた。ぼくらがあの男に触れていたら、男を酷い目に遭わせていただろう。

ぼくらは男を殺したはずだ。

その日、ぼくは気づいた。ぼくらはただお互いのことを愛しているだけではない。ぼくらは世代の大きく異なる黒人だが、ぼくは母さんの子だ。同じがっしりした腿、短い腕、ふっくらした頬、やわらかな内面、細やかな想像力をもっている。ぼくらは身体が疲れ果てるまで働いて、笑って笑って笑い疲れるまで笑った。ぼくらは隠れるのとごまかすのがうまくて、服をちゃんと着ているのに裸だと言い張るのがうまい。ぼくらの心臓の肉はとても厚い。でも穴を空けられたら、ぼくらは逃げる計画すら立てずにその心臓を戦争に駆りたてる。どれだけ怖くても痛くても、誰の助けも求めなかった。ぼくらは苦しんだ。忘れなかった。ぼくらは二人の巨人のように喘《あえ》いだ。ぼくらが苦しむのを見ているやつらをみんな恨んだ。ぼくらは次の災難に向けて準備を整えた。根拠はなかったけれど、かならず立ち直るとわかっていた。

子どものとき、一緒に寝ない夜には、母さんの子じゃなかったらと想像して震えた。白人や警官と話すときには、短縮形の言葉を使ったらいけないと母さんに叱られた。母さんがつく嘘はみんな母さんの思い違いだと信じていて、ぼくらがぴったり寄り添って目を覚ましたときには、そういった思い違いのことは忘れていた。ぼくの独特の頑固さと、黒人が苦しむのを望むミシシッピの残酷な白人のせいで、ぼくは早死に、施設行き、監獄行きに追いやられると母さんに言われるたびに、ぼくはそのとおりだとわかっていた。

でも、そんなことは気にしていなかった。

気にしていたのは、ぼくが完璧でないからと殴ってくるときに歯を食いしばる母さんの顔だ。鞭で打たれた痕を学校の女の子たちに見られることだ。気にしていたのは母さんのことだ。ぼくを殴ってくる前は、何日も、何時間も、とても優しく触れてくれていた。愛していると言ってくれた。いちばんの友だちだと言ってくれた。家の鍵を失くしても許してくれた。ヴァセリンのついた手のひらで、顔のひび割れを覆ってくれた。ごつごつした親指につばをつけて、目やにをとってくれた。ミシシッピ史上でいちばん素敵な黒人少年のように感じさせてくれていた――殴られてそう感じられなくなるまで。

「傷つけようとしたわけじゃないの」最後に会って話したときに母さんは言った。「あなたが傷ついたと思ってるほど、あなたのことを傷つけた憶えはないの、キー。そんなことがなかったとは言わない。ただ、ぜんぶあなたの記憶どおりだとは思わないってこと」

いまでも母さんのことを信じている。

この夏、ばあちゃんと最後に一度話して、ようやくわかった。うちの家族は誰も――それにこの国の人はほとんど――自分たちの経験の重さと向き合う気がない。つまり、うちの家族は誰も――それにこの国の人はほとんど――自由になりたくないのだ。ぼくはばあちゃんに尋ねた。白人にうんざりしていたのなら、どうして家族を連れて中西部に逃げないでミシシッピにとどまったのか（一九一〇年代半ばから一九七〇年あたりにかけて、南部から北部の大都市へ黒人の多くが自由を求めて移住した。一六頁〝黒人の大移動〟参照）。どうしてそんなにたくさんの自分の体験を現在形で語るのか。

「土地さ、キー。この土地で身を粉にして働いてきたからね、逃げるわけにはいかないのさ。あたしらのなかには、この土地がいつか自由になるって信じてるのもいる。あたしは生まれてこのかたずっとこの土地で食ってきたんだ。野菜。トマト。きゅうり。コラード（アブラ菜科の野菜）。

わかるかい？　あたしに言えるのはそれだけさ。たいへんなことはありったけの勇気を集めて乗り切って、そのうち神さまのとこにもってくんだ。あと、子どもたちに話すときは、あたしがいたところをお前たちに伝えようとしてる」

　ぼくはどうして、「あたしのいたところ」と伝えようと「してる」（I just be trying）（am / is / are を be に置き換えるのもアフリカ系アメリカ人英語の特徴）が、普通の表現である伝えようと「する」（I try）と「あたしが経験したこと」よりもずっと重たく感じられるのだろうと思った。ぼくは、もうひとつ難しい質問をしてもいいかと尋ねた。ばあちゃんは怯えたような顔でぼくを見た。そんなばあちゃんを見るのは初めてだった。ばあちゃんは鍵を手に取り、ぼくに車椅子を押させて、濃厚な香りがするピーカンの木の下に行った。そこに着くとぼくは膝をついて、うちの家族の言葉、記憶、緊急事態、体重、性暴力のことを話してもいいかと尋ねた。

　ばあちゃんは、かつらの下からはみ出た白髪をよじって、両手を額の皺にあてた。ぼくはばあちゃんに、どうして不安なときや笑うときに顔を覆うのか、どうして見るからにつくり物っぽいかつらをいつも被っているのか尋ねた。

「好きでやってんだ」ばあちゃんは小声で答えた。「さっきも言っただろ。好きでやってることに、誰にも口出しはさせないよ。孫にだってね」

　ばあちゃんは林の向こうに目をやる。

「キー、今日はもう思い出話はたくさんしただろ。お前はこの三〇年のことを話したいんだね。でも、まずは別のことから話さなきゃいけない」

その場所、昔、物干しロープへの洗濯物の干し方を教えてくれたのと同じ場所で、ばあちゃんはぼくに語った。投票できなかったこと、したいときにおしっこをできなかったこと、必要なものを食べられなかったこと、自分が歩きたいように歩けなかったこと、必要なときに車を運転できなかったこと。ミシシッピ州スコット郡で貧しい黒人の女として生まれたがゆえにできなかったこと。ばあちゃんは、黒人が求めることをいつも踏みにじろうとする恥さらしな白人について語った。自分の土地で採れた野菜を食べるのが大好きだということ、〝黒人の大移動〟のときに家族と北に行くのが怖かったこと。オフィス、洗濯室、日曜学校の教室、駐車場、キッチン、野原、寝室で生き抜いたこと。鶏肉加工場でのばあちゃんと白人の職長たちのこと、マムフォード氏、教会の執事たち、一緒に働いた男たちのこと、自分の父親、おじ、従兄弟、夫のことを語った。

「たぶん男たちは忘れてたんだ」話が終わりに近づいたところで、ばあちゃんは言った。「あたしも人の子だってことをね」

ばあちゃんが笑いだして、ぼくも笑った。

「あたしは黒人で、あたしは女だ」最後にばあちゃんは言った。「あたしはジーザスを愛してる。ずっとね。それに人を撃つのだって怖くない。あたしや家族を傷つけようとするやつがいたらね。わかるかい？　あたしは平気だ、毎日祈ってるからね。ときどき涙が溢れてくることはあるさ、キー。でもばあちゃんは重たいから、吹き飛ばされやしない。尊敬に値する人間として扱われなくたって、涙に溺れたりしない。わかるかい？　自分の子が溺れてるときにさ、助けようとしたら泳げないのがバレるかもしれないと思って何もしないだなんて、そんな酷いことはないさ。あたしは平気だ。わかるかい？」

ばあちゃんの言うことの意味はわかった。ただ、糖尿病がばあちゃんの右足に残したものが見えて臭った。もう一〇年以上、ばあちゃんは足に感覚がなくて、腸をコントロールできず、食べ物の味もわからなかった。この日曜も、いつもの日曜と同じようにばあちゃんは、すべてもっと酷いことになっていてもおかしくなかったとぼくに伝えようとした。母さんと同じようにばあちゃんも、生きているあいだは毎日、白人の最悪の部分と男たちの卑劣なたくらみを打ち負かした。ただ、二人が間接的に教えてくれたことがある。勝った戦いで知らず知らずのうちに積み重ねた傷のほうが、戦いで負けるよりも痛むということだ。

「ばあちゃんの言うことは信じてるよ」ぼくは言った。「これからもずっと信じてる。嘘をついてるってわかってるときでもね」

ぼくはばあちゃんに、この日一日〝歪む（bend）〟と言っていたのか〝ビーン（been）〟と言っていたのか尋ねた。

「ビーンさ」とばあちゃんは言った。「B‐E‐E‐N。お前たちがいたところ（where you been）っていうときのね。お前と母さんがあちこちで暮らしたあと、お前たちはただの母親と息子じゃなくなった。二人ともたくさん溺れた。お前たちはどっちも認めたくないほどたくさんね」

ばあちゃんは正しかったし、間違ってもいた。

母さんとぼくは、バンドエイド、アルコール、過酸化水素水でいっぱいの戸棚がある家で暮らしていたわけではない。おとぎ話を読んで寝かしつけられていたわけでもなかったし、生活費、食料貯蔵室《パントリー》、食べ物でいっぱいの冷蔵庫、洗濯機と乾燥機もなかった。ぼくらは南部の歪んだ黒人家族で、そこにはいつも笑いと、とんでもない嘘と、本があった。たくさんの本と笑いと嘘があり、その本を読み、再読して、ものを書き、推敲《すいこう》するように母さんにしきりに言われたことで、ぼくは言葉、句読点、文、段落、章、余白に怖じ気づいたり簡単に感心したりしなくなった。母さんはぼくに南部黒人の言葉の実験室を与えてくれた。その空間でぼくは、死にたくてたまらないときに記憶と想像を組み立てる方法を学んだ。

読み、再読して、書き、推敲するという母さんからの贈り物のおかげで、ぼくは三〇年前にばあちゃんの家のポーチでこの本を書きだした。こんな贈り物をもらったにもかかわらず、あるいはこんな贈り物をもらったからこそかもしれない、ぼくにとって大切なことがある。それは、アメリカの子どももみんなと同じように、ぼくも母さんにひどく不誠実だったと認めることだ。それに、アメリカの親みんなと同じように、母さんもぼくにひどく不誠実だった。

いまから数カ月前、ぼくは一〇ドルを手に、母さんの後ろに立っていた。その一〇ドルは、ぼくから一〇ドルを盗むことは決してない、怯えた黒人の女性から盗んだ金だった。母さんはスロットマシンの前に座っていて、不安そうに左右を見ながら、最後の金をマシンに入れた。ぼくらがいたのは地元から二六〇〇キロメートルの場所だ。母さんは、ぼくがいるのに気づいていなかった。もし振り返ってこちらを見ていたら、母さんはぼくがとても太ったと言ったはずだ。最後に会ったときからぼくらが何をしていたか、それを話すことはなかったはずだ。

母さんの肩をつついて、うちに帰ろうと言いたかった。帰り道で、母さんに尋ねたかった。ぼくらにもっとふさわしい別のかたちの解放が、記憶が、政策が、行動が、誠実さとの関係があるのではないかと。母さんに尋ねたかった。ぼくらにふさわしい別の本があるのではないかと。ぼくは母さんに向けてその本を書いている。良くも悪くも、ぼくらは本のおかげでここまできたからだ。それに、ここに書くことを面と向かって母さんに話すのは恐ろしいからだ。

母さんのことを傷つけたり悪く言ったりするやつがいたら、ぼくはそいつを殺そうとするだろう。ぼくのことを傷つけたり悪く言ったりするやつがいたら、母さんはそいつを殺そうとするはずだ。でもぼくらは、どんな状況のもとでも、過去に正直になることはない。アメリカでは、そのように人を愛するよう教えられる。太っていたり痩せていたりすることよりずっと、ぼくらは自分たちの不誠実さ、臆病さ、見当違いの独善のために苦しんでいる。その意味で、またほかのありとあらゆる意味でも、ぼくらはこの国の優等生だ。でも、そうである必要はない。

ぼくは嘘を書きたかった。

母さんはその嘘を読みたかった。

でもぼくはこれを書いた。

I. BOY MAN.

ボーイ・マン

　母さん、あなたがウェスト・ジャクソンの教壇に立って、〝ビー（be）〟を正しく使うことで白人から身を守ることができると黒人の学生たちに教えているとき、ぼくはノース・ジャクソンでひざまずいて、レイラ・ウェザーズビーという一五歳の黒人少女のIDカードを盗もうとしていた。ぼくは一二歳で、レイラより三歳年下だった。レイラはビューラー・ビューフォードの家にいたやつらのなかで、いちばん肘がぴかぴかで、いちばん目が潤んでいて、いちばん白いFILAのスニーカーを履いていた。ダギーやぼくや男子たちと同じく、レイラもただプールに浮かびたいだけだった。

　ビューラー・ビューフォードの家は、ノース・ジャクソンでぼくらが暮らす隣の地区の奥にあり、新しい百科事典と、有名ブランドのストロベリー・ポップタルトでいっぱいの食料貯蔵室《パントリー》が二つと、備えつけのプールがあった。そんな家はほかに一軒しか行ったことがなかった。賃貸の家に数千冊の本とネズミ二家族と住んでいるぼくらとは違って、ビューラー・

ビューフォードとその夫は自分たちの家を持っていた。ぼくらはウェスト・ジャクソンのアパートメントからクイーンズの小さな家に移り、最終的にノース・ジャクソンに引っ越してきた。みんながビューラー・ビューフォードの家をぼくらのうちだと思ってくれたらいいのにと思った。うちには、ぼくが行ったことのあるどの家よりもたくさん本があった。ビューラー・ビューフォードの家よりもずっとたくさん本があったが、ぼくの知り合いには、本のなかで泳いだり本を食べたりしたがるのは母さんしかいなかった。

ぼくを車から降ろす前に母さんは、ビューラー・ビューフォードの家の百科事典を使ってベンジャミン・フランクリン・ウェイド（一八〇〇～一八七八年、奴隷制に反対した共和党上院議員）とタデウス・スティーヴンズ（一七九二年～一八六八年、奴隷制に反対した共和党下院議員）という二人の政治家についてレポートを書きなさいと言った。公民権についての二人の考えをロナルド・レーガンのこんな主張と比べろという――「法が犯されるのは法律違反者のせいではなく社会のせいだという考えは斥《しりぞ》けなければならない。一人ひとりの個人が自分の行動に責任をもつというアメリカの教えを復活させるときがきた」。

それに、ウィリアム・フォークナー（一八九七～一九六二年、ミシシッピ州を拠点に米国南部の問題を書いた作家。一九四九年にノーベル文学賞を受賞）『アブサロム、アブサロム！』（藤年育子訳、岩波文庫ほか。原書は一九三六年刊）の第一章を読んで、フォークナーの文体を真似してジャクソンを舞台にした短篇小説を書きなさいと命じた。その本の書き出しの一文は延々と続いていてかっこよかったし、その本では〝藤の花《ウィステリア》〟や〝格子状の《ラティスト》〟といった一風変わった言葉も使われていた。でも、どうすればフォークナーのように書けるのかわからず、どうすればぼくらについて正直なことを書けるのかもわからなかった。ロナルド・レーガンのせいで腹の具合が悪くなったし、ウィリアム・フォークナーのせいで白人男よりも酔っぱらいみたいな気分になったから、うちに帰って母さんに鞭で打たれるか反省文を書かされるほうがましだと心に決めた。

レイラと、ビューラー・ビューフォードの息子ダギーのほかに、その家にはたいてい一七歳の男が最低でも二人いた。ダギーの従兄ダリルの友だちだ。ダリルは一年前にミネソタからビューラー・ビューフォードの家に引っ越してきた。ダリルの部屋はヴァニティ（一九五九～二〇一六年、カナダ人女性歌手）、アポロニア・コテロ（一九五九年～、アメリカ人女性歌手）、プリンス・ロジャーズ・ネルソン（一九五八～二〇一六年、ミュージシャン、通称プリンス）のまさに殿堂だ。ダリルと連れの男たちは、煙草を巻いたりマリファナを吸ったりノース・ジャクソンの人たちが生きやすくなるちょっとしたものを売ったりしていた。吸ったり、売ったりする合間に、泳いだりポルノを見たり、〈ニーハイ〉の炭酸飲料を飲んだり、沸騰したお湯にレッド・ホッツ（シナモン味のキャディ）を入れて溶かしたり、ほうれん草を食べたり、酔っぱらったり、ハイになったり、マイク・タイソンの声真似をしたり、〝列車を走らせる〟ことについて話したりしていた。それに、一九八七年のその夏には、ビューラー・ビューフォードの家で泳ぐときのルールを二週間に一度変えた。

ある週のルールでは、ダギーやレイラやぼくが泳ぐには、きれいに砕いた氷を入れた、とびきり甘いクールエイド（粉末ジュース）をつくって年上の男たちに飲ませなければいけなかった。二週間後のルールでは、ダギーとぼくが手に靴下を五枚ずつはめて、どちらかが鼻血を出すまで殴り合わなければいけなかった。ぼくがビューラー・ビューフォードの家で過ごした最後から二日目、ルールはシンプルだった。プールに浮かびたければ、レイラは年上の男たちみんなとダリルの部屋に一五分間行かなければならず、ダギーとぼくはレイラのハンドバッグから金を全部盗んで部屋から出てきた男たちに渡さなければいけなかった。

レイラはアップル味のナウ・アンド・レイター（ソフトキャンディ）とシアバターと漂白剤の匂いがして、いつも皺の寄った空色の水着をつけてその上にGUESSのアシッド・ウォッシュのオーバーオールを着ていた。レイラは、ダリル、ウェッジ、近所でいちばんふくらはぎのでかいデラニーという男のあとについて、廊下を歩いて行った。デラニーはその前の週末にストリート・ギャング〈ヴァイス・ローズ〉のメンバーになったと豪語していた。

ぼくらはみんなデラニーの話を信じた。

ダリルの寝室の扉が閉まると、ダギーとぼくはレイラのハンドバッグの中を探り始めた。ものを盗んだり、ドンキーコングで最後のレベルまでいったり、喧嘩でほとんど負けなかったり、「硬くなる」とか「ぶちこむ」とか「おっきくなる」とか言ったりするのがダギーの得意分野だ。どれもうまくはなかったけれど、この四つすべてを、ぼくが知るジャクソンのみんなの一〇倍やっていた。

レイラのハンドバッグには盗める金がなかったから、その日ダギーはレイラのコンパクトを盗んだ。ダリルに巻きかたを教えてもらったマリファナをそこに詰めるらしい。ぼくは、くしゃくしゃになったナウ・アンド・レイターのアップル味のミニパックを見つけて盗んだ。そのすぐ横に、封を切っていない白の靴クリームがあった。

ハンドバッグのいちばん小さなポケットには、黄色いリーガルパッドの紙に包まれた手づくりのＩＤカードが入っていた。縁がすべてがたがたで、写真のレイラは〈パナマ・ジャック〉の赤いシャツを着て下の歯に矯正器具をつけている。ＩＤカードにはレイラの誕生日と学校と体重と身長が書いてあり、教会で家族と一緒にキリスト十字架像の前に立つレイラの写真がついているが、名前は書かれていない。レイラはぼくより少なくとも一五センチ背が低く、二二キロは軽かった。ＩＤカードの裏には、真ん中に太い黒のマジックで〝緊急時にはこれを使ってください〟と大きく書かれている。

そのときまで、レイラに緊急時があるなんて考えたことがなかった。それはひとつには、レイラが黒人の女の子で、ぼくは年上の男たちから、黒人の女の子には何をしてもいいと教わっていたからだ。その年上の男たちはそのまた年上の男たちから、そのまた年上の男たちはそのまたまた年上の男たちから、同じことを教わっていた。それにレイラはぼくより三つも年上で、九秒以上話したことがなかった。レイラはノース・ジャクソンでいちばんスタイリッシュな女の子とはいえなかったが、ビューラー・ビューフォードの家で間違いなくいちばんおもしろい子だった。それに、ぼくらをみんな合わせても足りないぐらい、いろいろなことが得意だった。偽物のジョーダンごしに足が臭うといってダリルをからかったり、デラニーの平泳ぎはいつも〝溺死泳ぎ〟だと言ったりして、ほかのやつが何かを言ってもなかなか笑わなかった。ぼくは素敵な黒人の女子に自分から話しかけるタイプの黒人男子ではなく、レイラは、邪魔だからどいてとか、もっと速く歩いてとか、クールエイドを持ってきてとか言う以外に、ぼくみたいな太った黒人男子に話しかけるようなタイプの素敵な黒人の女の子ではなかった。

ぼくはＩＤカードは持っていなかったが、色褪せたトラのマークが表についたジャクソン州立大学の青いマジックテープ式の財布を持っていた。母さんがクリスマスにくれたやつだ。そのなかには、ばあちゃんが誕生日にくれた二ドル札を入れていた。カードポケットに入ったばあちゃんの白黒写真のうしろには、母さんの昔の免許証がある。自分の免許をとるまで、家を出るときは必ずそれを持っていきなさいと母さんに言われていたからだ。本物の免許証があっても、ぼくが大人だということにはならないと母さんは何度も言っていた。ただ、〈ヴァイス・ローズ〉や〈フォークス〉といったストリート・ギャングや、ロナルド・レーガンと悪魔のために働いていると母さんが言うジャクソン警察から理屈のうえで守られるだけだ。

「みんな、なかで何してるんだろ」ぼくはダギーに尋ねた。ダギーはダリルの部屋の扉に耳をあてている。

「バカ、わかるだろ。〝列車を走らせて〟んだ」

ぼくは、列車を走らせるという意味を知っているかのようにつくり笑いをした。本当は、身体の面でも言葉の面でも、それがどういうことか何も知らなかった。列車を走らせるというのは、ぼくの想像のなかでは朱色だった。列車を走らせるというのは、ぼくのなかでは固有名詞だったが、このうえなく活発な動作動詞のように動いた。列車に加わるやつでも列車のことに詳しいやつでも、ただ「列車を走らせる」と口にするだけでジャクソンの黒人少年みんなの尊敬を集める輝きと引力を獲得する。ほかに同じような輝きと引力がある言葉は「ギャングに入った」ぐらいだ。

「あいつら、今朝もあの部屋で列車を走らせてたんだぜ」とダギーが言う。

「レイラは今朝もここにいたのか?」

「いや。ほかの子だ」

「誰?」

「名前は忘れちゃったよ。ラ・ウォンとかラ・ドンとかなんとかいったかな。その子で二回列車を走らせてた。バカ、静かにしろ。聞こえるか?」

ぼくはそこに立ち、ダリルの部屋から漏れる浅い呻き声とベッドが軋《きし》む小さな音を聞きながら、どうして自分は死にたい気持ちになるのだろうと思った。よくわからないが、何かのセックスが進行中なのだろう。でも、ケーブルテレビの映画専門チャンネル〈シネマックス〉やテレビドラマ《ザ・ヤング・アンド・ザ・レストレス》に出てくる白人の女たちよりレイラの息づかいがずっとおとなしいのがなぜかはわからなかった。レイラは短い指を丸めて白目を剝いているのだろう。部屋のみんなは裸なのか。みんなの手は何をしていて、どんなふうにお互いの腿の毛を見ているのだろう。泣いているやつはいるだろうか。

一五分後に寝室の扉がひらいた。

「お前らどっちもおっ立ててんだろ」デラニーが言う。そのあとすぐに、ダリルとウェッジがターバンのようにシャツを頭に巻いて部屋から出てきた。ダギーがダリルの部屋に入ろうとする。

「おい、どこに行く気だ」ダリルがダギーに言った。

「お前、このあいだキエセにガキみたいにノックアウトされたじゃねえか。キエセ、お前のフットボール選手みたいなでかいケツで部屋に入って、やりたきゃやれ。そもそもあいつ、お前のこと好きみたいだしな」

ダギーに目をやると、やつは床を見ていた。

「おれはいいや」ダリルに言って、ぼくは年上の男たちのあとについていった。「いまはしたくない」

バスルームに誰もいないのを見て、ぼくは小便をしに行くふりをした。家の外に出る扉が閉まる音を聞いたあと、廊下に戻ってダリルの部屋の入り口に立った。

「ビッグ・キエセ」とレイラが部屋のなかから言った。「あんたのこと、ずっと見てたんだよ」

レイラが何を見ていたのかわからなかった。ぼくはなんの取り柄もない一二歳、九七キロの黒人男子で、髪は生え際があやしくてウェーブもかかっていない。ただ、塩素消毒の匂いがするダリルの部屋でヴァニティ6（一九八一～八三年にプリンスがプロデュースして活動した女性三人組グループ）の傾いたポスター三枚の下にいるレイラは、ＦＩＬＡを履いていて、腿の裏に走る長い肉割れの線は、ぼくの上腕と尻にあるひん曲がった肉割れの線よりずっときれいだった。

「ビッグ・キエセ」レイラはまた言った。「黄色のクールエイドを持ってきてくれない？」

「わかった」ぼくは答えた。「待った。そのＦＩＬＡ、どうやったらそんなに真っ白になるの？」

「どうしてそんなにひそひそ話すの？」

「ああ」ぼくは声を大きくした。「どうやったらFILAをそんなに真っ白にできるのかなと思っただけ」

「漂白剤と靴クリームよ」レイラは言って、マットレスにかぶせたシーツを整えた。

「漂白剤と靴クリーム?」

「そう。まず白いとこに漂白剤をつけるの。歯ブラシとかでね。あんた、どうしてここに来たらいつも本ばっか読んでるの?」

「えっと、そうしなきゃ母さんにケツをぶたれるから」

「おもしろいね」レイラは笑いに笑った。「うちのママもどっちかっていうと真面目なんだけど、あんたのママ、ほんとうに真面目なんだってね」

「たしかに」

ぼくは、ストロベリー味のポップタルトを取りにキッチンに向かった。ビューラー・ビューフォードのパントリーでうずまく赤、黄、深緑を見る。うちにはパントリーなんてない。うちにある食べ物といったら、だめになったピメントチーズと、黴《かび》の生えた全粒粉パンと、半分空になった箱ワインと、ふやけたグリーンオリーブぐらいだ。でも、うちの冷蔵庫が恋しかった。うちのキッチンが恋しかった。

母さんが恋しかった。

未開封のブルーチーズ・ドレッシングの瓶をあけて、どろどろの中身を飲めるだけ飲んだ。それから、砕いた氷を大きな赤いプラスチック・カップに入れ、レモネード・ミックスをそこに注ぐ。プラスチックのバターナイフでかき混ぜて、それを持ってダリルの部屋に戻った。

入り口の外から、レイラが立ち上がって水着を着ているのが見えた。そんなに近くで裸を見た女の人は、それまで三人だけだった。母さん、ばあちゃん、レナータだ。

「飲み物、持ってきてくれた？　ビッグ・キエセ」

「言われたとおりレモネードを持ってきた」部屋にまだ入りきっていない状態でぼくは返事をした。「あとストロベリー味のポップタルトも。もし半分食べたければ」

「半分ちょうだい」

ぼくは同じ年頃の子とはキスをしたことがなかった。レイラがキスしようとしてきたら、唇がひびだらけだと思われるんじゃないか、息がブルーチーズ臭いんじゃないか、どこかの時点で肉割れと左の尻の大きなほくろを見られるんじゃないかと不安だった。

ぼくはレイラのIDカードをポケットから取り出し、アップル味のナウ・アンド・レイターをもう片方のポケットから摑み出して、その二つを扉の左の床に置いた。それから〝クールエイド〟のカップとストロベリー味のポップタルトをIDカードの上にのせた。

「プールまで一緒に行ってくれない？」レイラが言う。「ひとりで行きたくないの」

「どうして？　ダリルたちに笑われると思ってるの？」

レイラは左肩のストラップを摑んで、〝クールエイド〟に目を落とした。「笑われるなんて思わない。プールで泳ぎたければ寝室に行かなきゃいけないって言われて、その通りにしただけだもん」

「ああ、たしかにね」

「あんたは?」

「おれが何?」

「あんたは、あの子たちがあたしのこと笑うと思うの?」

「たぶん。ていうかあいつら、不安なときは笑うから。どうしてレモネードじゃなくて黄色のクールエイドって呼ぶの?」

「あたしにとってはそうだから。黄色いしクールエイドみたいだし。レモンなんて入ってないし。ねえ、一緒にプールに行ってくれる?」

ぼくはダリルの部屋の奥に背を向けて、最初は幸せだったのに悲しい状態になってしまう人たちの物語にぴったりの言葉がないか考えた。スペースなしハイフンなしの〝ハッピーサッド〟という言葉が頭に浮かんだ。ビューラー・ビューフォードの家にいる年上の男たちはみんな、いま起こったばかりのことについてハッピーサッドの物語を語るのがうまかった。真実か嘘かは問題ではない。大切なのは、いい物語かどうかだ。いい物語は正直に聞こえる。いい物語は、見たはずのことをすべて見なかった気にさせる。ぼくにはわかっていた。年上の男たちがダリルの部屋での出来事について語る物語は、三人にとっては良くてもレイラにとっては三人三様に悲しい物語になる。ぼくはレイラに、うちの寝室のハッピーサッド物語を語りたかった。だけど、どんな言葉で語り始めればいいかわからなかった。「ぼくが」か、「彼女が」か、「彼が」か、「ぼくらが」か、「あるとき」か、「誰にも言わないでほしいんだけど」か、「嫌な話だと思うかもしれないけど……」か。

「気分が悪くなってきちゃった」背後からレイラの声が聞こえた。

「どうしたの？」

「わかんない」

背を向けたまま、ぼくはひそひそ声で言った。「おれも」

ぼくはビューラー・ビューフォードの家を出て、残ったレイラはひとりでプールに行った。家まで一・六キロちょっと走った。バスケットボールとフットボールの練習で短距離はよく走っていたし、身体の大きさのわりには足が速いといつも思っていたけれど、一・六キロもぶっ通しで走ったことはなかった。ぼくみたいな重たい子が一・六キロも走っていると、脳も心臓も一・六キロ走っていることを忘れる。ダギーとレイラとぼくがプールを大好きだったのも同じ理由からだ。年上の男たちに笑われても、そこにいるしばしのあいだ、身体はぼくらの重さを忘れられた。

でも、プールを出たらまた思い出す。


ぼくらがロビンソン通りのはずれのアパートメントで暮らしていたとき、母さんの教え子のレナータが週に何度かベビーシッターをしにきた。レナータは片脚が膝のところで外に曲がっていて、いつもポークチョップとライスとグレイビーソースをつくった。土曜の夜には、一緒にテレビでミッドサウス・レスリングを見た。レナータは四の地固めをかけたいと言い、ぼくを母さんの寝室に誘った。ぼくが仰向けになって身構えていると、レナータは、スウェットのショートパンツを穿いたぼくの腿とふくらはぎが大好きだと言う。ふくらはぎや腿を好きだなんて言われたことは、それまでなかった。

粉ジュース〈タン〉の濃いやつをひと口飲まないかと勧められて、ぼくはレナータが口をつけていないところから飲もうとした。人が口をつけたものを飲むなと母さんに注意されていたからだ。どうして口をつけたところから飲まないのかと尋ねられて、ぼくは、ひびだらけの唇でほかの人のあとにものを飲んだら、ヘルペスがうつるかもしれないと母さんに言われたと答えた。

「あんたの母さんほど、賢くておもしろい人っていないと思う」

「ならよかった」ぼくはそう言って、レナータが指差したところに唇をあてた。タンは溶けたアイスキャンディより甘く、ピクルスよりずっと酸っぱかった。

「おいしいでしょう？　あたしとキスしたくなった？」

いままさに初めて本物の彼女ができるんだと思って、ぼくはただ怯《おび》えていた。つくり笑いをして、間をもたすためにまたタンを口にはこんだ。

ぼくがタンを飲み終わると、レナータは着ていたシャツを引っぱり上げてブラのホックをはずし、左胸をぼくの口に含ませた。右手でぼくの鼻をつまんできたから、ぼくは口の端からしか息ができなくなった。

がたがたの前歯でレナータの胸を傷つけないように、できるだけ大きく口を開ける。ポークチョップとライスとグレイビーソースの息の臭いをタンが掻き消してくれているように神さまに祈った。乳首にポークチョップとライスとグレイビーソースの臭いをつけてしまったら、レナータはもう彼女でいてくれないだろうと思ったからだ。レナータの胸で息を詰まらせていると、頭がクラクラしてきた。そんなにクラクラしたのは生まれて初めてだ。数分後、レナータはぼくのペニスを摑んで繰り返し言った。

「真っすぐ立てといて、キー。真っすぐ立てておける？」

レナータの息の音からは、身体が感じているものをとても喜んでいるのが伝わってきた。その息の音を聞いて、ぼくは人生で二度目のセクシーな気分になった。

レナータは、ぼくの世話をしにきたときはほとんど毎回、四の地固めをかけて、息をつまらせて、真っすぐ立てておけるか尋ねた。レナータが来た日に、息を詰まらされなかったり、真っすぐ立てておけるか尋ねられなかったりしたら、何がいけなかったのだろうと思った。ぼくの腿やふくらはぎの筋肉が足りないからではないかといつも思った。レナータに触れられなかった日には、ぼくは飲み食いをしないで痙攣《けいれん》を起こすまでバスルームでカーフ・レイズとスクワットをした。

数カ月経った頃から、レナータがベビーシッターをしているときにレナータの本物の彼氏がうちに来るようになった。二人は濃いタンを一緒に飲んだ。ぼくが寝ていると思ったのだろう、ある日、クローゼットでレナータが大声を上げて、ぼくと一緒のときに出す音を出しているのが聞こえた。

レナータの本物の彼氏が「イヤって言うなよ」と言うのが聞こえる。それから、レナータが彼氏を罵りだした。ぼくがクローゼットの扉を開けると、二人がそこに立っていた。汗まみれで裸だ。レナータの本物の彼氏は、映画『ロッキー』のアポロ・クリードのような身体をしていたけれど、首がもっと長かった。全裸のレナータをそんなに近くで見たのは初めてだ。レナータのようなきれいな身体をもつ人と、アポロ・クリードのようなきれいな身体をもつ本物の彼氏が、ぼくのような大きくてむさくるしいやつと関わろうとするのが驚きだった。

「ドアを閉めろ、このデブの覗き見野郎」レナータの本物の彼氏が言った。「なに見てやがんだ」

母さんの銃を持ってきて額をぶち抜いてやるとぼくが言うと、二人は服もろくすっぽ着ないで家の外に駆け出て行った。レナータはぼくの彼氏でいるのをやめた。レナータに会うことは二度となかった。ぼくの脚が太くて、初めてレナータの胸を口に押しこまれたときにポークチョップとライスとグレイビーソースの臭いをつけたのがいけなかったんだと思った。その晩、ぼくは母さんに怒られた。母さんのベッドに、人が二人入ったような跡があったからだ。ぼくはレナータとベッドに入ってなんかいないと答えた。そうしたかったとは言わなかった。

ビューラー・ビューフォードの家から走って逃げた日、ぼくはうちの玄関前に座って、ダリルの寝室の外で聞いた音のことと、母さんの寝室で感じたことを、ずっと考えていた。友だちの親の誰よりも、母さんはぼくにたくさん本を読ませて、読んだ本をもとにたくさん文章を書かせたが、ぼくが読んだ本はどれもセックス、音、空間、暴力、恐怖の記憶について書いたり語ったりするのにはまったく役に立たなかった。

記憶から逃げたいときは、たいていラップの歌詞を書いたり、二階建ての家の絵を描いたり、レイラへの詩を書いたり、黒人のコメディ・ドラマを見たり、クラスでどうやってふざけようかと考えたり、バスケのミドル・ジャンプ・シュートを打ったり、手に取れるものを片っ端から飲み食いしたりした。玄関先で母さんの帰りを待つあいだは、そういうことはどれもできなかった。

ぼくがビューラー・ビューフォードの家から逃げた日の夕方、母さんがうちに帰ってきたとき、ぼくは母さんをハグして、ありがとう、愛していると言った。母さんの身体のそばで自分の身体をとても柔らかく感じるのを、生まれて初めて嫌だと思った。やれと指示されていた課題をやらなかったので、鞭《むち》で打たれるか反省文を書かされるのはわかっていた。反省文では、振る舞いをどう改めるのかを説明する「～します」で終わる長い文を何行も繰り返し書く。ぼくは反省文を書くのが大嫌いで、いつも命じられた行数よりも半行少なく書いたけれど、母さんに殴られるのはもっと嫌だった。

家に入ると、母さんは明かりをつけて本棚の前に立った。

「何か見えない、キー？」

ぼくはまず母さんのゆったりした青いダーシーキー（西アフリカの衣装を模した上着）を見て、ビューラー・ビューフォードの靴にねじこんだ母さんの幅の広い足を見て、母さんの腕のてかてかのケロイドを見て、ほんの少し左に傾いた母さんのミニアフロの頭を見た。

「わたしのことじゃなくて。わたしのうしろに何か見えない？」

答えを考えていると、母さんはもうすぐウィスコンシンで博士論文の審査を受けると言った。ぼくは母さんの首に抱きついて自慢の母さんだと言い、母さんは正真正銘の博士になるということか、博士になるということはお金をたくさん稼ぐようになるということかと尋ねた。

「見て」母さんはそう言って本棚のいちばん下の段を指差した。見たこともないほど真っ青な本が並んでいる。ぼくはどうやって本代を払うのかと尋ねた。電気代や家賃を払う金すらなかったからだ。

「キエセ・レイモン、百科事典は好きなの？　好きじゃないの？」

ぼくは立ち上がって、本の背を撫でた。母さんにフルネームで呼ばれた後は、たいてい鞭で打たれる。

「てことは、もうビューラー・ビューフォードの家には行かねえでいいってこと？」

「本の匂いを嗅いでごらん」母さんは言って、棚のいちばん左にあった百科事典の巻を開いた。

「落ちつきなさい。あと、〝行かねえで〟って言わないの。〝行かないで〟って言いなさい」

「行かないで」ぼくは言って、本の背に目いっぱい鼻を近づけた。うちの百科事典を使ってやる最初の課題は、ジム・クロウ法（人種隔離にもとづいた黒人差別法）とリコンストラクション（南北戦争が終結した一八六五年からヘイズ大統領が就任する一八七七年までの、南部諸州が連邦に再度組みこまれていった時期）後にミシシッピの黒人政治家がとった解放戦略についての二ページのレポートだと母さんは言った。

「ねえ」母さんがマラカイ・ハンターに電話をかけに部屋に行く前に、ぼくは声を掛けた。

「痩せたいと思うんだけど。どうしたらいい？　すごく汗をかいちゃうんだ、汗まみれのところを見られたくない相手と話そうとすると」

「女の子とってこと、キー？」

「まあ女の子とってこととかも」

「ありのままのあなたが好きじゃないっていうんなら、そんな人のために汗をかくのはもったいないじゃない。あなたの汗を大切にしてくれる人のためにとっておきなさい。あなたが落としたい分のお肉、わたしの腿にぜんぶついちゃってるんじゃないかしら」

　母さんの腿は昔から太かったけれど、その数カ月で頬骨も前よりもっと目立たなくなっていた。首はずいぶん短くなったようだ。へろへろになった大きなジャクソン州立大学のTシャツを着て家のなかを歩きまわっていると、胸が前よりずっと重たそうだった。ぼくには、母さんは以前にもましてきれいに見えた。

　その夜はスクラブル（アルファベットのコマを並べて単語をつくるゲーム）をやって母さんを負かした。勝ったのは人生で二度目だ。もう一度やろうと言われて、次もぼくが母さんを負かした。

「びっくり。〝ビー（be）〟とか〝フィナ（finna）〟（fixing toの省略形で、未来形のgoing toと同義）とか簡単な言葉を綴ってすませられるときでも、そうしなかったわね」そう言いながら母さんは新しい百科事典のほうに歩いていった。スウェットパンツとジャクソン州立大学のTシャツを着た母さんが百科事典の前に立つ。母さんは満面の笑みを浮かべて、百科事典の巻を半分までそっと指で撫でていった。

「あなたのおばあちゃんが家に百科事典のセットを持って帰ってきてくれたことがあったんだけど、わたしの子ども時代でいちばん幸せな日だった」

「うちに百科事典があるってことは、ビューラー・ビューフォードの家にはもう行かなくていいってこと？」

母さんはぼくの質問に質問で答えた。うちではそれは禁止だと自分で言っていたにもかかわらずだ。母さんはぼくに、ビューラー・ビューフォードの家の百科事典を使ってレポートと短篇小説を書いたのかと尋ねた。

「レポートと短篇小説を書かなかったのなら、いったい何をしていたの？」百科事典を持って立ったまま、母さんはぼくの答えを待った。「答えなさい、キー。つくり話をするんじゃないわよ」

ぼくは自分が何をしたか、何を書いたか、何を見て聞いたか、どうやって逃げだしたかを思い浮かべた。レイラがその日の話を語るのを想像した。年上の男たちよりもぼくのほうがいいやつのようにレイラが話すのが聞こえる。ぼくのほうが悪いやつのようにレイラが話すのが聞こえる。ただ、もっぱら聞こえたのはレイラを中心にした物語で、そこでは年上の男たちもダギーもぼくもみんな酷くてとんでもないいやつだった。

ぼくが質問に答えずにいると母さんは、レポートを書かなかったのも、ぼくが優秀さと教育と責任感を身につける努力を怠っているいつもの証拠だと言った——ミシシッピの黒人少年の内面を白人から守り、健康で安全に保っておくには、優秀さと教育と責任感が必要なのにと。

ぼくは立ったまま母さんを見ていた。健康で安全に暮らすミシシッピの黒人少年でいることの意味を噛み締めながら、どうして黒人少女を健康で安全に保っておくのに必要なことは誰も語らないのだろうと思っていた。ぼくの口と心が表現できないこと、あるいはおそらく表現しないことを、ぼくの身体は知っていた。うちの近所ではどこでも、男子は女子が男子に対して出来ないやりかたで女子を傷つけるように教え込まれている。ストレートの子はクィアの子がストレートの子に対して出来ないやりかたでクィアの子を、男は女が男に対してできないやりかたで女を、親は子どもが親に対してできないやりかたで子どもを、ベビーシッターは子どもがベビーシッターに対してできないやりかたで子どもを傷つけるように教え込まれている。ぼくの身体はそれを知っていた。やつらは黒人が白人に対してできないやりかたでぼくらを傷つけるように教え込まれているのを、ぼくの身体は知っていた。ぼくは自分の身体が語る物語をどうやって母さんやほかの人に語ればいいのかわからなかったが、母さんと同じようにぼくも、逃げたりはぐらかしたり身をかわしたりする方法は知っていた。

「キエセ・レイモン、レポートを書かないで何をしていたの？」母さんはまた尋ねた。「もう一度だけ訊いて、あとはベルトを持ってくるわよ。やりなさいと言った課題をどうしてやらなかったの？（Why did you not do the work I told you to do?）」

母さんが短縮形を使わないときはすごく嫌だと言いたかった。でもそのかわりにぼくは言った。

「ごめんなさい。ビューラー・ビューフォードの家のプールで泳いでたら疲れて、うちに帰りたくなっちゃって。もうそんなことはしない。新しい百科事典ありがとう。これが白人からぼくの内面を守ってくれんだよね」

「〃くれるんだよね〃でしょう。〃くれんだよね〃とか〃くれんだな〃とか言わないのよ、キー。〃これが白人からあなたの内面を守ってくれる〃。ちゃんとわかっているのなら、ちゃんとやりなさい。ちゃんとするって約束して」

「いま？」

「そう、いま。約束する？」

「うん」

「ちゃんと言いなさい」

「約束する」ぼくは言った。「約束します」

母さんはぼくを殴らなかった。そのかわりに反省文を一〇行書かせた。頑固なぼくは九行半しか書かなかった。

ビューラー・ビューフォードの家に行くように言われたときには、本を読んで文章を書くことを約束します。

ビューラー・ビューフォードの家に行くように言われたときには、本を読んで文章を書くことを約束します。

ビューラー・ビューフォードの家に行くように言われたときには、本を読んで文章を書くことを約束します。

ビューラー・ビューフォードの家に行くように言われたときには、本を読んで文章を書くことを約束します。

ビューラー・ビューフォードの家に行くように言われたときには、本を読んで文章を書くことを約束します。

ビューラー・ビューフォードの家に行くように言われたときには、本を読んで文章を書くことを約束します。

ビューラー・ビューフォードの家に行くように言われたときには、本を読んで文章を書くことを約束します。

ビューラー・ビューフォードの家に行くように言われたときには、本を読んで文章を書くことを約束します。

ビューラー・ビューフォードの家に行くように言われたときには、本を読んで文章を書くことを約束します。

ビューラー・ビューフォードの家に行くように言われた。

NAN　ナン

その夜、スーパーマーケット〈ジットニー・ジャングル〉で母さんはカートいっぱいにクリーム・マッシュルーム・スープ、ツナ缶、有名ブランドの白パン、無名ブランドの大きなクランベリー・ジュースのボトルを入れていた。ぼくは『ライト・オン！』誌の最新号を買ってもいいか尋ねた。ソルト・ン・ペパ（一九八五年結成のヒップホップ・グループ）が表紙を飾っていたからだ。母さんは、レジに並んでいるあいだに読むだけにしておきなさいと答えた。レジに近づくと、ぼくはカートの食べ物をぜんぶコンベア・ベルトにのせて、それが遠ざかっていくのを見ていた。レジの後ろのボードに、小切手と免許証のコピーがたくさん押しピンでとめられていて、すべて大文字でこう書いてある。〝これらの客から小切手を受け取らないこと（DO NOT ACCEPT NAN CHECK FROM THESE CUSTOMERS）〟。母さんの免許証のコピーとトラストマーク・ナショナル銀行の小切手がボードの真ん中に留められている。母さんの小切手は、ジットニー・ジャングルの不渡り小切手の紛うかたなきチャンピオンのように見えた。

「帰ろうよ」母さんがハンドバッグに手を入れて小切手帳を出すのを見て、ぼくは言った。

「腹も減ってねえし」

「キー、〝ねえ〟って言うんじゃありません」

「わかった。〝ねえ〟はもう使わない。だから帰ろう」

母さんはレジ係の年配黒人女性のほうを見た。その人はテレビドラマ《アリス》に出てくるヴェラの黒人版みたいな見た目だったけれど、もっと唇がぶ厚くて歯が小さかった。

「この人たち、〝ナン（nan）〟はいつ使って〝エニー（any）〟はいつ使うのかすら知らないんだから」母さんは言った。写真を見たのかはわからなかったけれど、母さんの胸から息が出ていって肩が下がる。「あなたの言うとおりね、キー。帰りましょう。うちにツナ缶とクラッカーがあるし」

あの注意書きを書いた人は、ばあちゃんみたいに〝nan〟を〝not any〟や〝not one〟という意味で使ったんじゃないかとぼくは母さんに言った。

「勉強不足を許したらだめ」

「ばあちゃんは勉強不足ってこと？」

「おばあちゃんは高校に行かないで白人のために一生懸命働かなければいけなかったのよ。だから通信教育で高校を卒業したの。ああいう言葉を使う理由《わけ》がある。でもあの人たちの理由《わけ》って何なの？」

「わかんないよ。そもそも知らない人だし」

「勉強不足を許したらだめ、キー」母さんはもう一度言って、ぼくらは手をつないで店を出た。母さんは空を見あげる。「おばあちゃん、今晩ポーチに出て空を見ているといいんだけど。とってもきれいに晴れている」

ときどきばあちゃんは、メイソンジャーに入れたピクルスや梨のジャムをうちに送ってきた。月の真ん中辺りには政府配給のチーズやピーナッツバターやクラッカーをくれた。ぼくがそのチーズを〝グルメなアフリカ系アメリカ人〟チーズと呼ぶと、ばあちゃんは笑いに笑った。母さんはグルメなアフリカ系アメリカ人チーズなんて自分は食べないというふりをしていたけれど、ときどきプンパニッケル（ライ麦パン）のような、いかにも中流黒人的な食べ物にバターをたっぷり塗って焼いたグルメなアフリカ系アメリカ人チーズのサンドイッチをつくっていた。金がない家のような食事をすることや、養育費を払うように父さんに求めることを母さんがどうしてそれほど恥ずかしがるのか、ぼくにはわからなかった。

車まで歩きながら考えた。実際にはない金が銀行にあるふりをしたせいで、母さんの顔が、ぼくらの世界でもっとも有名な美しい顔がノース・ジャクソン最大のスーパーマーケットの壁に貼りだされるのは、どんな気持ちがするものだろう。母さんは、選挙のときにテレビで政治について語る、地域でただひとりの黒人政治学者だった。言葉を気どって発音し、白人から敵意を向けられながら貧しい黒人コミュニティを擁護して、誰かの言葉の主語と動詞が一致していなかったらいつもそれを正す、そんな母さんを見てジャクソンの黒人は、うちには昼食代やガス代や家賃や電気代がたっぷりあると思っていた。

そんなものは、うちにはなかった。

「どうしてあの店、母さんの免許証の写真をあんなふうに貼り出すの？　銀行強盗でもしたみたいにさ」ぼくは駐車場で尋ねた。「ねえどうして？」

「わたし疲れているの、キー」と母さんは答えた。「おばあちゃんが鶏肉加工場で仕事をもらうのに、どれだけ一生懸命闘わなくちゃいけなかったか、わかっているでしょう」

「わかってると思う」とぼくは答えた。「おれが運転しようか？」

家までは三キロちょっとあって、母さんは訳のわからないことを口走っていた。その数年前に倒れる前も、そんな喋り方をしていた。

「すごく疲れているの」助手席で母さんは繰り返し口にした。「一生懸命働いているのよ、キー。本当に。とても一生懸命働いているの。でもわたしたちの値打ちに合ったお金なんて貰えやしない。わたし、母さんにも同じことを言っているの。ゆっくり運転しなさい、キー」

ぼくは腕を伸ばして、母さんの曲げた膝の下の暖かい窪《くぼ》みに手を当てた。ぼくが悲しい気分のとき、母さんはいつもそうしてくれたからだ。

うちに着いたときには、母さんはいびきをかいていた。起こしたくなかったから、ぼくは家の前でシボレー・ノヴァのエンジンを切って運転席のシートを後ろにずらした。そこに座ったまま、母さんが左肩に顎をうずめて息をするのを見ていた。

寝ている母さんを見ながら、その数週間前に母さんが教え子を集めてうちでパーティをしたときのことを思い出した。母さんは一晩中ずっとアニタ・ベイカー（一九五八年生まれ、R&Bシンガー）、シャーデー（一九八二年結成、イギリスのバンド）、パトリース・ラッシェン（一九五四年生まれ、R&Bシンガー）、フィル・コリンズ（一九五一年生まれ、イギリスのミュージシャン）をごちゃまぜにかけていた。マラカイ・ハンターもいたけれど、ほとんどバーボンを飲んで母さんを見ているだけだ。家は学生でいっぱいで、みんな母さんのことが大好きだった。シャリースは母さんが笑うのを、コーネルは母さんが踊るのを、カールトンは母さんが話すのを、ジュディは母さんが話を聞くのを見たがった。

　パーティの終わり近くに、母さんはビューラー・ビューフォードとテーブルの前に座っていた。デンゼル・ワシントン（一九五四年生まれ、アフリカ系アメリカ人の俳優、映画監督）がブライアント・ガンベル（一九四八年まれ、テレビジャーナリスト、スポーツキャスター）やドクター・J（ジュリアス・アーヴィング、一九五〇年生まれ、元プロバスケットボール選手）よりも「無限に素晴らしい」とかなんとか言って、テーブルを囲むみんなをどっと笑わせる。母さんは顔を上げてマラカイ・ハンターのほうを見て、マラカイ・ハンターはキッチンで満面の笑みを浮かべていた。それにふさわしいかどうかは別にして、マラカイ・ハンターは自分が世界一かっこいい女に選ばれたのだとわかっていた。

　ノヴァの座席でぼくは財布を取り出し、母さんの昔の免許証を出してダッシュボードに乗せた。その夏の日、ダギーが〝列車を走らせる〟と言った日、ぼくがビューラー・ビューフォードの家にレイラをひとり置き去りにした日、うちの寝室でレナータとのあいだにあったことを知らず知らずのうちに思いだしていた日、ぼくの内面を白人から守るはずの新しい百科事典を母さんが買ってくれた日、母さんとぼくは、互いにしっかりと抱き合っていた。まるで銀河の橙赤色《とうせきしょく》の星々の上、下、まわりを世界で初めて浮遊する人間のように。

その二日後、母さんがマラカイ・ハンターに金を払わせて、ぼくは冴えないカウンセラーに会った。そのカウンセラーがあれほど一生懸命正しい話し方をしようとしなければ、親や食べ物や教会についてあれこれ尋ねてこなければ、母さんがずっと同じ部屋にいなければ、ぼくはその人のことを嫌いにはならなかったかもしれない。最初に、親の離婚についてどう感じたかと尋ねられた。

「あんまり考えることはありません」ぼくは答えた。

そのカウンセラーは、母さんと父さんが一緒だったときのことで憶えていることをすべて話すようにと言った。母さんと父さんは一九七三年にジャクソン州立大学の二年生と一年生のときに出会ったとぼくは答えた。その一〇カ月後に母さんはぼくを身ごもる。妊娠中、父さんはずっとザイールにいた。ただ、三二時間のお産と帝王切開のあいだ、母さんはひとりではなかった。ばあちゃんが一緒だったからだ。父さんはぼくが生まれる数週間前に手紙で「キエセ」という名を母さんに送った。母さんは父さんに、ファーストネームは「シトワイヤン」、ミドルネームは「マケバ」にしたいと言った。南アフリカの歌手で自由の闘士、ミリアム・マケバにちなんだ名前だ。

ミシシッピにいたときの父さんの記憶はないと話すと、カウンセラーはぼくが嘘をついているのだと決めつけた。ぼくは、父さんがミシシッピでぼくらと一緒にいたのは写真で知ったと答えた。写真からは、父さんが細身のショートパンツと赤と黒と緑のニット帽が大好きで、難しい問題をじっくり考えるのと、歯を食いしばって人差し指を突き出したマルコムXの下でハイになるのが好きだということがわかった。父さんについての最初の記憶は、母さんと父さんがマディソンで会うのをやめた後のものだ。ある土曜日、ぼくを車から降ろすときに、母さんはばあちゃんが送ってくれた金をぼくに渡した。食費として父さんに渡す金だ。いくらだったかは憶えていないが、ぼくは一ドル抜いてポケットに入れてから、残りを父さんに渡した。うちの冷蔵庫に食べ物がないのに、ばあちゃんからもらった金を父さんにあげるのをぼくは理解できなかった。

父さんのウィスコンシンのアパートメントでの暮らしは、ぼくらの暮らしと違った。音楽とお香がたくさんあるのは同じだったけれど、父さんのアパートメントにはルールが山ほどあった。部屋に入るときには靴を脱がなければいけない。壁に触れることすら許されない。ある日、父さんと一緒にコインランドリーに洗濯をしに行くと、ぼくの下着が汚れていた。父さんは、母さんがぼくにちゃんと尻の拭きかたを教えていないせいだと罵った。父さんのアパートメントで尻を拭くときは、トイレットペーパーは四枚までしか使ったらいけなくて、トイレットペーパーは丸めずにきちんと折り畳まなければいけない。食事のときには、父さんは食べ物をすべて念入りに準備した。そして皿に載せられた食べ物のあいだには、いつもたっぷりスペースがとってあった。

「盛りつけが大切なんだ」父さんはそう言った。「我慢と規律も大切だ。時間をかけてゆっくり食べろ」

その日、父さんは、夏に雪合戦ができるように冬に凍らせておいた雪玉を出してきた。雪合戦のあと、アパートメントの近くのごみ収集箱に行くと、アライグマの赤ん坊がいた。そんなに間近でアライグマの赤ん坊やオポッサム（アメリカ大陸に分布する有袋類の哺乳動物。コモリネズミなどとも呼ばれる）を見るのは初めてだった。触れるのが怖いだけでなく、それが生きようとしているのを見るだけで恐ろしくて仕方なかった。ごみ収集箱の奥まで覗けるように、父さんはぼくを抱き上げた。アライグマの赤ん坊はバカみたいに短い前肢でごみをあさっていて、ぼくらのほうを見あげた。ぼくは必死で身を引いた。

ぼくは腕を組んで唇をとんがらせて、父さんが死ぬほど笑うのを見ていた。父さんのことを普通のへんてこな人として見たのは、そのときが初めてだ。その後は、父さんのあとについてごみ収集箱からメンドータ湖に行った。父さんは太陽に向かって石をいくつも投げたけれど、太陽は落ちてこなかった。

これがカウンセラーにぼくが語った父さんの記憶だ。母さんは、なぜかこれを聞いて泣いた。「暴力のことについて、もう少し話してくれる？」ぼくの話を聞いたあと、カウンセラーが言った。

母さんのほうを見ると、脚を組んで目に涙を浮かべながらこちらを見ている。

「どういうこと？」ぼくは尋ねた。

「つまりね、学校で暴力の問題はない？　おうちでの暴力はどう？」

「学校で暴力の問題はありません」ぼくは答えた。「うちでも暴力の問題はないです」

カウンセラーが言うには、ぼくには暴力の問題があると母さんが話していたらしい。母さんはいつカウンセラーと会ったのだろう。どうしてぼくは母さんがぼくを見ているように同じ部屋で二人を見ていさせてもらえなかったのか。

「怒っているとき、あなたは飲み食いしたらいけないものを飲み食いしているってお母さんはおっしゃるの。お酒を飲んでいるらしいじゃない。おうちや学校でのお酒と暴力について話してくれないかな」

ぼくはまた母さんのほうを見た。「箱ワインをメイソンジャーに入れて飲んだことが三回あります。ほかに食べたり飲んだりするものが何もないときに。水より甘いから」

「一〇まで数えて」カウンセラーが唐突に言った。

「どういうこと?」

「あなたは、お父さんとお母さんが別れたことに怒っているのよ。そして、数を数えるのが役に立つかもしれないと思うの。どこにいるときでも、離婚のことに怒りを感じたときにはこのテクニックを使うといい。ワインを飲みたくなったときとか、甘いものを食べたくなったときにも。トイレに行って一〇まで数えるの」

「テクニックって、方法みたいなものですか?」

「ええ」

「でも、父さんと母さんが一緒にいないからって、まったく怒ってなんかいません」ぼくは言った。「ばあちゃんだっているし。二人が離婚したことにはなんも怒ってないんです。父さんがもっと養育費を払ってくれたらって思うけど、でも平気です」

「〝けど〟って言わないの」部屋の隅から母さんの声が飛んできた。「あと〝なんも〟も使わないの。この子、いまはかっこつけようとしているだけなんです」

「父さんが期限どおりに養育費を払ってくれたらいいなと思います」ぼくは言った。「でも平気です」

「お願いしていい？」ドアまでぼくらと一緒に歩きながら、カウンセラーが言った。

「憶えておいてね。非常事態のときには、二人ともお互いから離れた静かな場所を見つけて、一〇まで数えてほしいの。夜だったら外に出て星を最低でも一〇個数えてみて。そうすれば、おかしいと思っていたことがすべて問題なくなるかも。あとは二人とも砂糖と炭水化物を控えてもっと運動すれば、それも役に立つと思う」


うちに帰ると、母さんとぼくは家の前でバスケットボールの最後の一対一の勝負をした。母さんの教え子カールトン・リーヴズが、その一年前にうちの前庭にゴールをつくってくれていて、ぼくらは月に何度か〝トゥエンティワン〟（少人数でプレイするバスケットボールのゲーム。二一点先取した人が勝ち）をしていた。初めてプレイしたとき、オフェンスでもディフェンスでも母さんはとても荒っぽくて、ぼくは怯えた。ぼくは母さんより背が高くて重たくて技術があって強かったけれど、そんなことは関係なかった。オフェンスのときには、右の腰から高いアーチのワンハンド・ジャンプシュートを打つか、そうでなければ尻をこちらの腿のあいだに突っこんできてぼくを押しのけた。ゴールの近くにいるときは、へんてこなフックシュートを打つかポンプフェイクをした。

でもその日、ぼくはポンプフェイクされるには背が高すぎたし、ぼくのふくらはぎは母さんに押しのけられるには強すぎた。ぼくは母さんの最初の三本のシュートをブロックして、ボールを隣の家のアザレアの茂みにはじき飛ばした。オフェンスのとき、ぼくは母さんの頭の上を越えてシュートを打ったり、左にジャブステップを踏んで母さんの横をすり抜けたりした。その日ぼくは、一年前にはもう母さんに勝てたはずだと気づく。母さんも一年前にはもうぼくが母さんに勝てたはずだと気づく。母さんにとってもぼくにとっても、それは嬉しいことではなかった。ぼくは二〇点に迫っていたけれど、わざとフリースローをはずして母さんが点差を詰めるのを待った。

どこかの時点で、ぼくが勝つかどうか決めなければいけない。母さんの首が汗で光っている。なぜかわからないが、母さんを負かすのは悪いことのような気がした。母さんを傷つけたくなかった。母さんを負かすことができるとわかっただけで、あるいはそれを受け入れただけで十分だった。二人ともスコアとは関係なくこの対戦が最後になるとわかっていた。口には出さなかったけれど、ぼくが勝つ必要よりも母さんが負けない必要のほうがずっと大きかったからだ。母さんは最後のシュートを決めて喜び、ぼくの首に抱きついて、いい試合だったといってぼくの手を握った。

「勝たせてくれてありがとうね、キー」母さんは言った。「勝たなきゃいけなかった。あと、今日はカウンセラーのオフィスでもあんなふうに振る舞ってくれてありがとう」

母さんを見ながら、ぼくらの関係は新しいページに入ったのだと思った。ぼくらは砂糖と炭水化物を控える。もっと運動をする。そして次に何か起こっても、外に出て星を最低でも一〇個数えたら、やがておかしなことはすべて丸く収まる。

WET ウエット

「キー、これ以上言わせないで」翌朝、母さんは声を上げた。ぼくらはビューラー・ビューフォードの家の車寄せでシボレー・ノヴァの座席にいた。

「車を降りなさい」

ぼくはなぜビューラー・ビューフォードの家にいるのが嫌なのか、母さんに話せなかった。母さんはジェシー・ジャクソン（一九四一年生まれ、公民権運動活動家、牧師。八四年と八八年に民主党の大統領候補選に出馬した）の出馬する大統領候補の予備選挙戦のためにサンフラワー郡で準備と調査をしなければならず、ぼくをひとりで家に残しておきたくないという。数カ月前に空き巣が入ったからだ。ぼくは母さんに、嘘をついているのはわかっている、本当はハンター・マラカイに会うんだろうと言った。

「キエセ・レイモン、これ以上言わせないで。しっかりしてちょうだい。そしてあなたのデブなお尻を車から降ろしなさい」

ぼくはノヴァの外に立って、腕を組んで腹と胸を覆った。母さんにデブと呼ばれたのは初めてだった。見たわけでもないのにと思った。

「迎えにくるときにはレポートも終わらせておくのよ。おふざけに付き合うのはもううんざり」

ドアの外でぼくは財布をひらいて母さんの昔の免許証を出し、それを窓から車のなかに放りこんだ。母さんは助手席の窓から免許証を放り返して、バックして車寄せから出ていった。

その日曜、レイラはビューラー・ビューフォードの家に来なかったが、ダリルとデラニーとウェッジはいた。ぼくは前に自分が家を出たあとに何があったのか、ダギーに尋ねた。みんなでハンバーガーを食べてフォーティー（四〇オンス瓶に入ったモルトリカー）を飲み、マリファナを吸って、また女の子たちが来たという。女の子たちはレイラより年上で、そのうち二人がレイラと同じように年上の男たちみんなとダリルの部屋に行かされたらしい。

その日曜の夕方前、ほとんどみんながプールにいるのに、ダギーだけ見当たらないのに気づいた。ときどきダギーがいなくなるときは、みんなにチーズバーガーをつくりに行っているのだが、しばらく姿が見えないからぼくもプールを出た。

ダギーの寝室に戻った。誰もいない。

廊下のバスルームに入ったけれど、そこにも誰もいなかった。ダギーの部屋から廊下を少し先に行ったところで、ダリルの寝室の扉がほんの少しあいていた。

扉に近づくと、デラニーが部屋の真ん中に立っているのが見えた。びしょ濡れの栗色の水泳パンツがふくらはぎのところにある。ダギーが両手を自分の背中にまわして、デラニーの前にひざまずいている。舌が出ていて、デラニーのペニスの先を舐めていた。

ぼくに気づくと、デラニーは慌てて水泳パンツを引っぱり上げた。ダギーはピッツバーグ・スティーラーズのTシャツで手の埃を払い、俯いたままぼくのすぐ横を通って部屋を出ていった。ぼくは踵《きびす》を返して廊下を歩きながら心の準備をしていた。喧嘩するか、ビューラー・ビューフォードの家の玄関から飛び出すか。すると、デラニーに腕を摑まれて、リビングに座れと言われた。

ビューラー・ビューフォードのピアノの前のスツールに座ると、デラニーも隣に腰をかける。さっき見たことを誰にも言わないと約束すれば〈チョップスティックス〉の弾き方を教えてくれるという。

ぼくは腿の上で両手の拳を握って座っていた。ぼくのなかには、デラニーがまたぼくに触れたらいいのにと思う気持ちもあった。そうすればデラニーを半殺しにできる。でもぼくはもっぱら、デラニーにひざまずかされて両手を背中にまわされ、やめろと言うまでペニスの先を舐めさせられるんじゃないかと恐れていた。

ぼくはそこに座って鍵盤を見ながら、デラニーがピアノを弾いて、どうやって〈チョップスティックス〉を憶えたのかをゆっくり話すのをうわの空で聞いていた。

話が終わるとデラニーは立ち上がってもう一度ぼくを見おろした。

「誰にも言うなよ、わかったか。まじで。遊んでただけなんだ。ただのゲームだ。わかるか」

人を殴るときはポケットを空にしておけとばあちゃんにいつも言われていたので、ぼくはポケットに手を突っこんで濡れた財布を出し、母さんの免許証を叩きつけるようにピアノの上に置いた。

デラニーは免許証に目をやった。

「これ、お前の母さんか？ うちの親父と一緒に働いてる。お願いだからお前の母さんには何も言わないでくれよ。お前の母さん真面目だし。親父に知られたらボコボコにされちまう。嘘じゃない。おれとDはあんなふうに遊んでただけなんだ。嘘じゃない」

ぼくはデラニーのあとについてビューラー・ビューフォードの家の玄関から外に出た。デラニーはまるで誰かに追いかけられているかのように道路を全力疾走していった。息が切れると歩きだして後ろを振り返り、手を銃の形にしてこちらを指差した。

数秒後、デラニーの姿は見えなくなった。

ぼくはビューラー・ビューフォードの家の砂利が敷かれた車寄せに座りこみ、石を使ってぶ厚い唇のスマイリーフェイスをつくり始めた。頭が痛む。どうして〈チョップスティックス〉を教えれば自分がしたことが帳消しになるとデラニーが考えていたのかわからなかったし、どうしてダギーがひざまずいているときに手を背中にまわしていたのかもわからなかった。どうしてデラニーは列車のなかにいてとても嬉しそうだったのに、ダギーにしたことをぼくに知られてとても怯えていたのか、それも理解できなかった。ぼくのなかには、どうして年上の男たちがぼくではなくダギーやレイラと一緒に部屋にいたがるのか理解できない気持ちがあった。ただ、それはぼくがビューラー・ビューフォードの家でいちばんデブでいちばん汗っかきだからだと、どこかでわかってもいた。

　ある程度の年になって夜や昼間に友だちの家で過ごせるようになると、ぼくらはみんな〝ハイド・アンド・ゴー・ゲット・イット〟という遊びをするようになった。ひとりが三五まで数えるうちに、ほかのみんなは隠れる。隠れ場所はたいてい真っ暗なクローゼットや廊下だ。男子とも女子とも遊んだけれど、廊下やクローゼットの暗闇のなかでは、明かりがついているときにはしないような触れかたでお互いに触れることもあった。ぼくは気がひけて人に触れることができなかったけれど、人からは触れられたかった。ぼくに触れるのが男子でも女子でも、ぼくの身体は気にしなかった。誰からでも優しく触れられると、ぼくの身体は喜んだ。

　その頃、女子と女子の身体や尻に接したり、女子に触れられたりすると、男子の尻に接したり男子に触れられたりするより特別な気持ちになって、自分のことをもっとセクシーでもっと素敵だと感じた。なぜかはわからず、言葉でどう説明すればいいのかもわからなかった。言葉を見つけられたとしても、そんなに恐ろしいことを説明するのを聞いてくれそうな人は思いあたらなかった。母さんにすべて話すべきだと何度も思った。読むことと書くことをぼくに教えてくれたのは母さんだったからだ。でも、セクシュアリティ、身体と気持ち良さ、痛み、優しい触れ合い、尻については、ぼくらが話すことは一度もなかった。

　ぼくの身体は、母さんとレナータについて、それぞれ別の物語を語っていた。レナータの触れ方は荒っぽくて母さんのは優しかったけれど、どちらに触れられていても愛のようなものを感じて、それから死にたい気持ちになった。ダリルの寝室に入るとき、レイラとダギーの頭と身体が何を感じていたのかわからないが、レイラもダギーも年上の男たちと部屋にいるあいだは愛を感じたのだろうか。

ぼくだったら感じたはずだ。

三〇分おきにビューラー・ビューフォードの家に戻り、母さんを探してマラカイ・ハンターの家に電話をかけた。マラカイ・ハンターの電話番号を忘れられないのが嫌でたまらなかったし、留守番電話メッセージを一語一語はっきりと頭のなかでなぞれるのも嫌でたまらなかった。「こちら、ニュー・サウスのアルファ&オメガ不動産、マラカイ・J・ハンターの自宅です。電話に出られません。詳しいメッセージを残してくれれば折り返します。よろしく」

マラカイ・ハンターは、「あのクソ白人男」と言って話しだすのがお決まりだった。マラカイ・ハンターによると、そのクソ白人男のいちばんの問題は、自分を過大評価して「ミシシッピの革命的な黒人男」の覚悟を見くびっていることにある。政治に関するマラカイ・ハンターの想像力のなかには、黒人の女も白人の女もメキシコ人の女も入っていなかった。マラカイ・ハンターは自分のことを「ミシシッピの革命的な黒人男」だと思っていて、「ミシシッピの革命的な黒人男」であるということは、すなわちミシシッピの金持ちの急進派白人男のように振る舞うことだと思いこんでいた。マラカイ・ハンターについては、それだけ知ればぼくには十分だった。

母さんとマラカイ・ハンターは、ミシシッピの黒人について同じ政治観をもっていたわけではない。母さんは組織化、教育、草の根の政治運動に力を注いでいて、ミシシッピの田舎に暮らす黒人が貧困から抜け出して白人の怠慢から身を守れるように手助けしていた。マラカイ・ハンターが力を注いでいたのは、五〇歳になる前に南部黒人の富とブラック・パワーのシンボルになることだった。ただ、子どものことでは、二人とも〝欠点を補う価値〟と呼ぶものに力を注いでいて、そのことで頭がいっぱいだった。二人とも、黒人の子どもは暴力、裸、アダルトな場面、汚い言葉が出てくるテレビを見たり音楽を聴いたり本を読んだりすべきではないと思っていた。暴力、裸、アダルトな場面、汚い言葉には〝欠点を補う価値〟がないからだ。

ぼくはずっと、その考えはおかしいと思っていた。

「キーです」マラカイ・ハンターの留守番電話にまたメッセージを残す。「迎えに来て。勝手に家に帰ったら殴るって言うから、ビューラー・ビューフォードの家の前で待ってる。お願いだから迎えに来てほしい。ビューラー・ビューフォードの家にいると頭が痛くなるんだ。ここにいるとすごく悲しくなる」

一時間後に母さんの車が停まった。ぼくがどこにいても、母さんがどれだけ遅くなっても、互いにどれだけ怒っていても、母さんがぼくをどこかに降ろしていったときには、迎えに来た母さんのノヴァが停まるのを見ることほど嬉しいことはなかった。

「母さん大好き」ノヴァに乗りながらぼくは言った。母さんは何も喋らない。

「母さん大好きだよ」もう一度言った。母さんの右の頬が震えている。「メッセージを残したの聞かなかった？」

「シートベルトを締めなさい」それまで聞いたことがないほど強ばった声で母さんは言った。

その一週間前から、母さんはぼくにシートベルトを締めさせるようになっていた。ぼくがシートベルトを締めると、真ん丸で透明な涙が母さんの頰を伝って落ちた。涙は速度を落としたあとスピードを上げて、母さんの薄い上唇を通って黒い口角に入っていく。母さんが泣くのはそれまでにも見たことがあった。ぼくの成績のことを話すとき。実際よりもたくさん金があると嘘をつくとき。父さんが養育費を送ってこないことについて、おかしな嘘を考えだすとき。

ノヴァのハンドルを握る母さんの右手に、ぼくは自分の左手を重ねた。

「どうしてこっちを見ないの？」

ビーズリー通りとハンギング・モス通りの交差点の一時停止標識で、母さんはノヴァを停めて、ゆっくりぼくのほうに顔を向けた。

左目の白い部分が血で濁っていた。目のまわりの茶色い肉は色が濃くなっていて、いつもの倍の大きさに膨れ上がっている。まるで瞼の下に小さなプラムを入れられたみたいだ。

家につくと、母さんはぼくが何を取りにいくかわかっていた。母さんはぼくを押しのけて自分の部屋に駆けこみ、枕を持ち上げた。母さんはそこに銃をしまっていた。先にそれを手にしていたら、ぼくはそれを使っただろう。母さんもそれをわかっていた。

ぼくは自分の部屋には戻らずに、氷、ナプキン、梨のジャムが入った瓶、スプーン、肉切り包丁を持ってきた。

「じっとしてなきゃ、まじで」そう母さんに言って、つばで濡らした親指で母さんの顔についた乾いた血を拭った。

「なくては」母さんは言った。「〝なきゃ〟って言わないの」

「なきゃ」ぼくは言った。「なきゃ。ビューラー・ビューフォードの家にはノミがいなきゃ。あそこのノミは世界一凶暴で、頭のあちこちを食われんだ。なきゃ」

母さんはめちゃくちゃ笑って、〝食われんだ〟とか言うんじゃありませんと言った。母さんがずっと笑ってくれていたらいいのにと思った。

「梨のジャムはいらないよ、キー。いまはね」

「どうして?」

「甘すぎるから」

ようやく母さんはぼくの首に腕をまわしてきて、ぼくは母さんの重みをすべて感じた。

「ぎゅっとして、キー」ベッドから母さんは言った。「あなたは、わたしのいちばんの友だちよ。ごめんね」そう言って、顔の膨れ上がったてかてかの部分を上掛けで覆って眠りに落ちた。

「いろいろごめんね」

「母さんもぼくのいちばんの友だちだよ。いつだっていちばんの友だちだ」

ベッドで母さんの隣に横たわっていると、初めて母さんにいちばんの友だちだと言われたときのことを思い出した。ぼくはわかっていた。両頬にキスしてくれたのは、ぼくのことを愛しているからだ。ぎゅっとしてと言ったのは、ぼくのことを愛しているからだ。母さんはとても優しかった。一年以上、ぼくらはときどきそうやってぼくや母さんの部屋で朝を過ごした。その後、母さんはマラカイ・ハンターと出会う。数週間経つと、母さんはぼくが口答えするから、成績が良くないからと言って殴ってくるようになった。頭のてっぺんを殴ることもあれば、手を殴ることもあった。ベルト、靴、拳、ハンガーで口許を思いきりひっぱたくこともあった。

服を脱がされて、昔二人で寝ていたベッドに横たえられたこともあった。あんなに泣きわめいたことはほかにないと思う。ベッドにうつ伏せにさせられたから、ぼくは身構えることができなかった。鞭で打たれるのも痛かったけれど、母さんが九歳のぼくを思いきり叩きながら、太った黒い裸の身体を見ていると思うと、それよりずっと痛みを覚えた。肉を裂かれること自体は、痛いはずなのにそこまで痛くなかった。おそらく母さんが本気でぼくを傷つけたぼくを傷つけたいわけではないとわかっていたからだ。それをわかっていたのは、母さんはときどきいわけではなく、ぼくを愛しているようにぼくに触れてくれたからだ。母さんがどちらかひとつの触れかただけを選んでくれたらいいのにと思った。毎日一〇回殴られるのでも構わない。

そうすれば、ぼくの混乱はずっと少なかったと思う。


マラカイ・ハンターが黒のボルボをうちの前に停めたとき、母さんはまだいびきをかいていた。その夜、母さんを傷つけたミシシッピの革命的な黒人男をぼくが殺そうとしたときに、母さんは目を覚ました。

二時間後、母さんとマラカイ・ハンターはグラスに入れたワインを持って母さんの寝室に行った。ぼくのベッドからは、尻尾の長いネズミたちが壁を這いまわる音と、窓の外を滑るように走っていく濡れたタイヤの音と、ジョニー・カーソン（一九二五〜二〇〇五年、NBCのテレビ番組《トゥナイト・ショー》の司会者）の鼻にかかったひとり語りが聞こえた。母さんの声は聞こえない。朝起きたときに聞きたいただひとつの声、夜寝る前に最後に聞きたい声。

ぼくは寝室の扉を開けて廊下を歩き、母さんの寝室から数十センチのところまで行った。鍵のかかった扉の向こうから、マラカイ・ハンターの声が聞こえる。顔を殴って、血を流させて悪かった。息子と喧嘩して悪かった。お前が本当のことを知りたがったがために酷い目に遭わせて悪かった。母さんは、娘がほしいとマラカイ・ハンターに言って、逃げてごめんなさいと謝った。

ぼくが自分の部屋に戻ると、母さんの部屋の扉の錠が開《あ》いてまた閉まる音が聞こえた。母さんのベッドが軋む小さな音がどんどん大きくなる。ぼくはひざまずいて、ミシシッピの革命的な黒人男の重さの下で母さんがあげる大声が聞こえないように神さまに祈った。

自分の身体が嫌でたまらなかった。

キッチンに行って、そこにあったいちばん大きなスプーンを手に取り、ばあちゃんがくれたピーナッツバターの瓶と梨のジャムの瓶にそれを半分の深さまで突っこんだ。大声はキッチンまで聞こえてくる。同じスプーンをばあちゃんの梨のジャムのさらに四分の一の深さまで突っこんで、スプーンを丸ごと口に入れた。何度もそれを繰り返して、やがてピーナッツバターの瓶は空になった。

大声は止まらない。ぼくは自分の身体が嫌でたまらなかった。

キッチンを出る前に箱ワインをメイソンジャーに何杯か飲んで、ぼくがそこから逃げようとしていた音の形を忘れた。母さんに出すファニー・ルー・ヘイマー（一九一七〜一九七七年。公民権運動活動家）についてのレポートを書いていなければいけなかったのに、そのかわりにぼくは、一二歳の黒くて重たい身体を緊急事態のせいで失ったことを書いた。悲しすぎて酔っぱらいすぎて——それにあまりにも恐ろしすぎて——、何がなんだかわからなかった緊急事態のせいで。

　翌日の早朝、ぼくは初めて夢精した。母さんがマラカイ・ハンターと一緒のときにぼくの身体がしたこと、それを母さんに話すのは恐ろしかった。どうしてそんなことをしたのかと尋ねられるのに違いなかったからだ。母さんにはもう二度と触れられたくなかったけれど、母さんに嘘はつきたくなかった。母さんに嘘をつくのは裏切りだと思った。いちばんの友だちを裏切りたくはなかった。

BE ビー

夏に入って数週間、一〇まで数えても、砂糖や炭水化物を控えても、ぼくらにはなんの効果もなく、ぼくはミシシッピ州フォレストのばあちゃんの家に数日預けられた。ばあちゃんのことは大好きだったけれど、金曜以外にばあちゃんの家に行くのはあまり好きではなかった。毎週金曜には、ばあちゃんはテレビドラマ《爆発！デューク》を見せてくれた。母さんに言わせれば、「わたしたちの世界よりさらに人種差別的な世界で繰り広げられる話で、麻薬売人の白人二人が保護観察期間中に違反ばかりして、南部連合（南北戦争のときに合衆国を脱退した南部の一一州がつくった国）の旗をつけた〝リー将軍（一八〇七～一八七〇年、南部連合の司令官）〟なんて名前の赤のダッジ・チャージャーに乗って警察をおちょくってばかりいるのに、ぜんぜん刑務所行きにならない」番組だ。

ばあちゃんの家で過ごした金曜の夜に、ぼくらみたいな黒人でも《爆発！デューク》のボー・デュークやルーク・デュークみたいに警察から逃げられるか、ばあちゃんに尋ねた。

「無理だね」質問を最後まで口にする前にばあちゃんは即答した。「無理だ。ありえない。絶対にないね。そんな無茶なことしようなんて思うんじゃないよ、キー」

一度か二度、《爆発！デューク》に黒人の登場人物が出てきたときには、ばあちゃんと彼氏のオーファ・Dは画面に向かって身を乗り出し、ジョージタウン・ホヤスが試合をしているときやジャクソン州立大学が勝ったときに、クイズ番組《ホイール・オブ・フォーチュン》に黒人の出演者がいたときのように、その黒人を応援した。

フォレストの黒人女性の多くと同じで、ばあちゃんも鶏肉加工場で働くほかに数多くの副業をしていた。自分の菜園でつくった野菜を売ったり、毎週土曜にフライドフィッシュやパウンドケーキやスイートポテトパイを売ったりするのもその一部だった。ばあちゃんのいちばん重要な副業は、マムフォードという白人一家のために洗濯をしたり、アイロンをかけたり、料理をしたり、皿を洗ったりすることだった。

その週の日曜、教会のあとにマムフォードの家に向かいながら、ぼくはスラックスがきつすぎてファスナーをあけないと息ができないとばあちゃんにぼやいた。ばあちゃんは笑いに笑った。マムフォードのところでは長くはかからないとばあちゃんは言う。ばあちゃんの家の洗濯機の横にマムフォード一家の汚らしい服があって、家の裏の物干しロープにマムフォード一家のきれいになった服が干してあるのをぼくはいつも見ていた。

ぼくはそれを見るのが大嫌いだった。

マムフォード一家は州道三五号線のすぐそばに住んでいた。ぼくは州道三五号線のまわりの家を見て驚いた。フォレストのなかでは、その辺りの家だけがテレビドラマ《ビーバーちゃん》、《フーズ・ザ・ボス?》、《ミスター・ベルヴェデーレ》に出てくる家みたいだった。金持ちの白人の家にいるところを思い浮かべるとき、ぼくはみんなが寝ているあいだに食べ物を根こそぎ盗むことを想像した。両手いっぱいのクランチ・ン・マンチ（味つきのポップコーン）を貪《むさぼ》り食って、九五〇ミリリットルのグラスを有名ブランドのジンジャーエールと銀色の冷蔵庫から転がり出る氷で満たしたかった。空になったグラスとクランチ・ン・マンチの屑《くず》をカウンターに残して立ち去り、ぼくがいたことを白人にわかるようにして、あと片づけをさせたかった。

　ばあちゃんは鍵を差したまま車を降りて、二〇分ぐらいで戻って来ると言った。

「マムフォードんとこの悪ガキが出てきても何も話すんじゃないよ、キー。まったく躾がなっちゃいないんだから。わかったかい？　万が一のとき以外はこの車から出ちゃだめだ」

　ぼくは頷いて、インパラのフロント・シートに大きく手足を投げ出した。ばあちゃんが家に入るやいなや、ビースティ・ボーイズ（一九七八年結成の白人ヒップホップグループ）のマイク・Dを九歳にしたような男の子が出てきた。そのマムフォード家の子は、骨みたいに真っ白でやせこけていて、ばあちゃんが「貧相《ポー》」と呼ぶ見た目をしていた。ばあちゃんにはあまり金がなくて、ばあちゃんの五五平米のショットガンハウスは、中はクロロックスで漂白したようにきれいなのに、外はゴキブリみたいにみすぼらしかった。ぼくらよりものを持っていない人のことを、ばあちゃんがどうして「貧乏《ポー》」と呼ばないのか、ぼくはいつも不思議だった。ばあちゃんはそういう人を「小便する壺がない人」とか「金のことがうまくいかない人」とか「ダイム一枚もない人」とか呼ぶ。「プア」や「ポー」という言葉は、身体のことを話すときにしか使わなかった。

ノックもせずに、その貧相な白人の男の子は、ばあちゃんのインパラの運転席側のドアをあけた。

「リノの孫?」その子は尋ねた。

「リノって誰だよ」

「知ってるだろ。うちを掃除する黒人のおばあさん」

ぼくはこの貧相な白人の子に会ったことはなかったけれど、その子が身につけているてかてかしたジャムズのグレーの水泳パンツと、線が二本入った長い靴下と、ルーク・スカイウォーカーのグレーのTシャツは、ばあちゃんの家の洗濯物かごと物干しロープで見たことがあった。貧相な白人の子と会う前に貧相な白人の子の服を知っているのは嫌な感じがした。それに、この貧相な白人の子がばあちゃんを「リノ、うちを掃除する黒人のおばあさん」と呼ぶのも嫌でたまらなかった。

ぼくはインパラから降りて両手をポケットに突っこんだ。

「リノの孫なの?」男の子が尋ねる。「ジャクソンから来たの?」

ぼくがうんと答える間もなく、その子は家の中はだめだけれど裏庭でなら遊べると言った。「おれはいいや」というフレーズはジャクソンでいつも口にしていたけれど、その日ほど本気で言ったことはない。

ただ、マムフォード家のガレージの大きさを見て、左隅の小部屋に続く扉があいているのが目に入ると、そんな気持ちは消えた。その扉に近づいて中を覗くと、洗濯機と乾燥機と体重計が見えた。

「この部屋はなんて言うんだ？」ぼくは尋ねた。

「洗濯室さ」その子は答えた。「どうしてジャクソンじゃみんな人を撃ってばかりいるの？聞いていい？」

ぼくは貧相な白人の子の質問を無視した。ばあちゃんの家では、洗濯機はダイニングルームにある。乾燥機はなくて、洗濯物はすべて物干しロープに吊るす。

「ちょっと待て。なんで体重計がここにあるんだよ」

「じいちゃんがここで体重を量るんだ」

「あの洗濯機、動くのか？」

「ちゃんと動くよ。新品みたいに」

「乾燥機も？」

棚の上にはアイロンが二つのっかっていて、その下には新品のアイロン台もある。何か言いたかったけれど、それをどんな言葉にすればいいのかわからなかった。ぼくは部屋の隅の体重計に乗った。

「この体重計、あってるのか？」

「ぼくに聞くなよ。使ったことないんだから。じいちゃんの体重計だって言っただろ」

ぼくはばあちゃんのインパラに戻って運転席に座り、ドアをすべてロックした。片手でハンドルを摑み、もう片方の手の爪を膝に深く食い込ませる。一二歳で九九キロというのは、どれだけ太っているんだろうと思った。

　車に戻って一分もたたないうちに、マムフォード家の子が外に出てきた。ノックもせずに、またインパラの運転席側のドアをあけようとした。

「うちのなかで遊ぼうよ、ジャクソン」車の外からまた誘ってくる。

「いや、おれはいいや」そう言ってぼくは窓を下げた。

「裏庭に行ってペレット銃でリスの頭を撃たない？」

「いや。リスの頭を撃つなんて、母さんに許してもらえない。銃は使っちゃだめなんだ。おれはいいや」

「でもジャクソンじゃみんな銃を撃ってるだろ」

　ぼくはばあちゃんのインパラのシートに腰かけたまま、胸にもやもやが広がっていくのを感じた。数秒後、ばあちゃんが洗濯物の入ったかごを持って家から出てきた。洗濯物の上には封筒がのっかっている。

　マムフォード家の子に言われたことをばあちゃんに話すと、そんなやつらとは関わるなと言われた。

「あいつらがどういうやつか、わかってるのかい。白人のやつらは、あたしらを牢屋にぶちこもうとするんだ、キー」

　帰りの車で、ぼくは何度もばあちゃんのほうを見た。尋ねるべきか迷っていた。マムフォードの家にはもっといい洗濯機とちゃんと動く乾燥機ともっと新しいアイロンとアイロン台があるのに、どうしてばあちゃんはマムフォード家の汚らしい服を洗って干してアイロンがけして畳まなければならないのか。汚らしい白人の服を週末に洗濯するより、もっといい副業があるんじゃないかと尋ねたかった。でも、途中までは何も言わなかった。ただばあちゃんの顔に目をやって、見たこともないほど深い皺が口のまわりに広がっているのを見ていた。

ぼくは縮んで、ばあちゃんの皺のなかに滑り降りていきたかった。

その日、母さんとばあちゃんが、どれだけ些細なものであれ黒人の勝利をしきりに求めていた理由がわかった。ばあちゃんにとってそうした勝利はつねに個人的なもので、母さんにとっては常に政治的なものだった。ぼくらが勝たなくても、どのみち白人はぼくらを酷い目に遭わせる。ばあちゃんも母さんもそれを知っていて、ぼくに教えてくれた。ぼくらに必要なのは、やつらの望みどおりに負けないようにすることだ。

ぼくはずっと、マムフォードの家に行って食べ物をすべて盗めたらいいのにと考えていた。腹のなかのもやもやを追い払うには、あの家の食べ物を盗むしかないと思った。

家に戻る前にばあちゃんは、マムフォードからもらった封筒を手に取り、母さんの名前と住所を書いて、ダウンタウンの郵便ポストに入れた。

「ばあちゃん」角を曲がってオールド・モートン通りに入ったときに、ぼくは声をかけた。「あの白人たち、ばあちゃんの名前がキャサリンだって知ってるの？　それともリノだと思ってるの？」

「あたしは自分の名前くらいちゃんとわかってるさ。それに、あの白人たちが毎週いくらくれるのかもね」

「マムフォードの家にいるとき、あの家族には本当のことを話してるの？」

「いいや。話すわけないじゃないか」

「じゃあ何を話してんの？」

「ちょっとした金をもらって家族の面倒を見られるように、必要なことをなんでも言うだけさ」

「でもあそこんちの食べ物、盗みたくならない？」

「ならないね、キー」とばあちゃんは言う。「やつらはいつだって、そんなふうにあたしのことを試すんだ。何か盗もうもんなら、何もかも失っちまう。わかるかい？　何もかもだ。いま話してるのは、あたしがよく知ってることなんだからね。白人からは何も盗んじゃいけない。絶対にだ。じゃなきゃ、お前もそのうちあいつらと一緒に地獄行きだよ」

　ばあちゃんの世界では、ほとんどの白人は地獄行きを宿命づけられていた。白人だからではなく、聖書の教えを守らない偽者のクリスチャンだからだ。白人が否応《いやおう》なく地獄へ向かうのを止められるのは、二つの方法しかないとばあちゃんは本気で信じていた。ジーザスを適量投与することと、コンコード宣教バプテスト教会（バプテスト教会はプロテスタントの一派。自覚的な信仰告白を重視し、幼児洗礼を認めない）ですぐに浸礼《しんれい》（全身を水に浸すバプテスト教会の入信儀式）を受けること。ぼくは地獄や悪魔のことはわからなかったけれど、コンコード宣教バプテスト教会のことは知っていた。

　そしてそれが何より大嫌いだった。

日曜学校で穿《は》くスラックスはきつすぎて、いつも足首が覗いていた。シャツは食道を締め上げてくる。クリップで留めるネクタイは、いかにもクリップで留めるネクタイみたいな見た目だった。どれだけ暑くても、ポリエステルのベストを着せられた。足はどんどん大きくなったから、ペニー・ローファーはいつもきつかった。それに、ダイムやニッケルをペニー・ローファーに挟んでいたら、そんなことをするのは大人ぶった子だけだといってばあちゃんにやめさせられた。

コンコード宣教バプテスト教会では、太った黒人少年のぼくが年上の黒人女性たちからかまってもらえるのがとても嬉しかった。みんなぼくになれなれしく接してきて、たいていの太った黒人少年と同じように、なれなれしくされるとぼくは恋に落ちた。オルガンの歪《ひず》んだ音、グレープジュースの後味、蒸し暑いなか回り続ける扇風機、誰かに聖霊が降りてくるんじゃないかという期待、字がうまく読めないうぬぼれ屋の小さな男の子が会衆への挨拶を無理やり読まされたあとの「主よ《ロード》、あわれみたまえ《ハブ・マーシー》」の手拍子、そういったものも大好きだった。

教会には大好きなところもあったけれども、どれだけ好きになろうと頑張ってみても、説教壇からのありがたい言葉は好きになれなかった。その言葉を運んでくる声は滑らかで自信満々で、ぼくにはどうも信じられなかった。コンコード教会では、その言葉はいつも牧師や執事やゲスト説教師の口から運ばれてきたけれど、その人たちは、ばあちゃんやばあちゃんの友だちのことをたいして知りもしないのに、あたかもよく知っているかのように振る舞った。

教会では、聴衆の大半は年配の黒人女性だった。しかし、その人たちの声と言葉が聞こえるのは、歌、説教師へのアドリブの応答、教会の告知のあいだだけだ。ばあちゃんたちがずっと〝アーメン〟と唱えたり合いの手を入れたりしながら、輝かしくも中身が空っぽの説教を聞いているあいだ、ぼくはたいてい信徒席の端に座って歯の隙間から息を吸いこんでいた。とても暑くて、とても退屈で、とてもむかついていた。ばあちゃんとばあちゃんの友だちが、くだらない説教師に黙って座っていろと言わなかったからだ。

ぼくが教会を嫌いだったのは、教会がこれとは別のものでもありうることを知っていたからだ。隔週水曜日に教会の年配女性たちは、〝ホーム・ミッション〟というものをひらいていた。代わる代わる誰かの家に集まって、得意料理と聖書とノートと告白すべき体験を持ち寄る。ホーム・ミッションでは奏楽はなかったけれど、この女性たち、つまりばあちゃんの友だちは、自分たちの人生と朝の／哀悼の歌（mo(u)rning song）と聖書を第一の教科書にして、自慢し、告白し、評価し合い、毎回涙ながら沈黙に向かうのだった。

ぼくは地獄を理解できなかった。ひとつには八月のミシシッピよりも暑い場所があるなんて信じられなかったからだ。ただぼくは、気分がいいのがどういうことかは知っていた。コンコード宣教バプテスト教会では気分が良くなかった。でもホーム・ミッションの最中にばあちゃんと友だちが愛し合っているのを見るのは気分が良かった。

家の前に車を停めると、ばあちゃんはぼくに、汚らしい服が入ったかごを洗濯機の横まで持っていくように言った。ぼくは服を持ち、洗濯機の前で止まらずにキッチンに入って、冷蔵庫とオーブンのあいだに洗濯物かごを置いた。

あたりを見まわしてばあちゃんが来ないのをたしかめてから、ペニー・ローファーを履いた両足でマムフォード家の洗濯物を思いきり踏みつけた。そして、バスケットボールやフットボールの練習の初めにするような〝クイック・フィート〟（小刻みに両足を上下させる運動）をした。

「お前らの銃なんてこうやってぶっ壊してやる、白人め《ホワイト・ニガ》」そう言ってぼくは、両足で白人の服を全速力で力の限り踏みつけた。「お前らはなんにもわかっちゃいない。お前らの銃なんてこうやってぶっ壊してやる、白人め《ホワイト・ニガ》」

ぼくがマムフォード家の服の上でたっぷり三〇秒はクイック・フィートをしていると、ばあちゃんがどこからともなくやってきて、合成皮革《ブレザー》の青いベルトで両脚を思いきりひっぱたかれた。青いブレザーでちょっとひっぱたかれたぐらいでは、ぼくはやめなかった。わけがわからなくなるまで、そのままクイック・フィートを続けた。「キー、すっとぼけた（starnated）バカみたいな真似はやめて、キッチンから出ていきな」ばあちゃんが言う。

ぼくは足を止めて鞭を受けた。それから、ばあちゃんに尋ねた。ばあちゃんは〝すっとぼけた（star-nated）〟と言ったのか、それとも〝すっ裸（stark naked）〟と言ったのか。ぼくは、〝すっとぼけた（star-nated）〟バカのほうがいいとばあちゃんに言った。〝star-nated〟がちゃんとした言葉だとは思わなかったけれど、ぼくは星《スター》が大好きだったからだ。ばあちゃんとぼくは、言葉について話すのが大好きだった。ばあちゃんは言葉を歪《ゆが》めたり、崩したり、辞書にない言葉をつくったりするのが誰よりもうまかった。ぼくらの気持ちをあのマムフォード家の子に感じさせるにはどんな言葉を使えばいいのか、ばあちゃんに尋ねた。

「もうある言葉をわざわざつくる必要はないさ、キー。今日お前があの貧相な子のなかに見た白人らしさがまさにそれさ。白人らしさなんて感じるのは嫌なもんさ。あいつらが可哀想だね」

ぼくはばあちゃんを見て言った。ぼくは自分が黒人《ニガ》だと感じて、そう感じると、心臓と肺と腎臓と脳が溶けて爪先からしたたり落ちていくみたいだと。

「お前がどう感じるかを白人に感じさせる必要なんてないさ。大事なのは、あいつらがこっちに感じさせたいことを感じないようにすることだ。わかるかい？ 自分のことをちゃんとわきまえて、あいつらのことは忘れるんだね」ばあちゃんは笑いだした。「キー、お前があいつらの服にしてたやつ、あれはなんていうんだい」

「ああ」ぼくはそう言ってまたやり始めた。「練習じゃ〝クイック・フィート〟って呼んでるけど」

「お前は白人の服にクイック・フィーツしてたわけだ」

「フィーツじゃないよ」ぼくは笑って言った。「フィートはフットの複数形だから。クイック・フィート」

「クイック・フィーツ？」ばあちゃんはまた言って、椅子から転げ落ちそうになるまで笑った。

「クイック・フッツ？」

「ばあちゃん」ばあちゃんの脚の横に座って、ぼくは言った。「白人の服なんて大嫌いだ。マジで」

「わかってる」ばあちゃんは笑うのをやめた。「あたしだって、あいつらやあいつらの服が好きなわけじゃないさ。でもあいつらの汚らしい服を洗濯することであたしらは食べてけるし、お前の母さんたちを学校にやれたんだ。知ってるかい、あいつらの服はもう何年も洗濯してきたけど、フェイスタオルは一枚も見たことがない」

「どういうこと？　ばあちゃん」

「そのまんまさ。あいつらはフェイスタオルを使わないんだ」

ぼくは、ばあちゃんがまばたきをしたり、にやりと笑ったり、ゆっくり目玉をまわしたりするのを待った。何も起こらない。

「お前にちょっかいを出してたあの貧相な子がね、フェイスタオルはどうやって使うんだって訊いてきたことがあったのさ。〝そのタオルでお尻を拭いたあとに顔を拭いたら、神さまとのあいだの秘密にしとくんだね〟て答えてやったんだ。あの子は突っ立って笑ってた。あたしが冗談でも言ってるみたいにね。こっちは大真面目なのにさ」

ぼくが死ぬほど笑っていると、ばあちゃんは、ぼくをひっぱたいたのはキッチンでふざけていたからで、あいつらの服をめちゃくちゃにしていたからではないという。ばあちゃんは白人のキッチンでうんざりするほど時間を過ごしたから、家では子どもや孫が自分のキッチンを大切にしてほしいのだと。

ぼくはばあちゃんに尋ねた。クイック・フィートをしているとき、どうして母さんのようにぼくの頭や首や背中をひっぱたくのではなく脚をひっぱたいたのか。

「お前を傷つけたくないからだよ。分別をもって振る舞ってはほしいけど、お前を傷つけたいなんて絶対に思わないからね」

ばあちゃんは立ち上がり、ついておいでと言って菜園に出た。ぼくらはライマメ、紫のエンドウ豆、コラード、緑のトマト、黄色いカボチャを収穫した。

「あたしがうちの菜園を大好きなの、なぜだかわかるかい、キー」

「白人に頼らなくても、ものを食べられるから？」

「トウガラシも採っておくれ」ポーチに向かって歩きながら、ばあちゃんは言った。

「自分のうちにいるときは、あいつらのことなんてまったく気にしちゃいないさ。身体に入る食べ物がどうやってできたか、じかにわかるのが好きなんだ。わかるかい？」

「わかると思う」

ぼくらはポーチに腰かけて、エンドウ豆のさやを剝《む》きながらクイック・フィートについてさらに話した。剝いた豆を両脚のあいだに置いたバケツに入れていると、ばあちゃんが腰を上げてそのバケツの上にまたがって立った。

「キー、こんなふうに剝いてみな」

ぼくは目を上げて、ばあちゃんの手が紫のエンドウ豆をさばくのを見た。ばあちゃんがぼくの顔に手を伸ばしてきて、ぼくはうしろに飛びのいた。

「お前のことを傷つけたりなんてしないよ。どうして飛びのいたりするのさ」

なんて答えればいいのかわからなかった。

ばあちゃんは、ぼくの脚のあいだからバケツを取ってキッチンに持っていった。ぼくは座ったまま、自分の両手を見ていた。震えが止まらない。腿のあいだに汗がたまるのを感じる。ぼくの身体は昨日のことを憶えていて、不思議なことに明日何が起こるのかも知っていた。

夕食のとき、ばあちゃんはぼくの脚をひっぱたいたことをまた謝って、その日の夜に聖書の詩篇についてレポートを書くときには、ぼくらが喋るときのように書いてもいいと言った。母さんと同じように、ばあちゃんも毎晩ぼくにレポート課題を出した。母さんの課題とは違い、ばあちゃんの課題はいつも聖書についてだった。

その夜、ぼくはこんなふうに書いた。「ばあちゃんが『詩篇』について書かせたいのはわかってるけど、もし許してもらえるのなら、ずっと悩んでる秘密について書きたい。ぼくはジャクソンでむちゃ食いして、夜更かしして、みんなとケンカしてる。母さんはぼくの目が充血してるのを嫌がる。朝、母さんを起こすと、学校に行く前に母さんはぼくにバイシンの目薬を差す。何がおかしいのか、母さんに話そうとするけど話せない。ばあちゃんに話してもいい？　どんな言葉を使えばいいのか教えてくれる？　母さんがぼくに使わせる言葉じゃうまくいかなくて」

ぼくはこんな言葉を書いた。「朝、ぼくにキスする」「ぼくの息を詰まらせる」「列車を走らせる」「ぼくの背中をぶつ」「彼女の鼓動を聞く」「ぼくとスローダンスをする」「彼女の胸をぼくの口にこすりつける」「彼女を捨てる」「恐ろしいもののせいで夢精する」「人を見ている」

「殴られる」「列車の音を聞く」「ぼくの上に乗っかる」「ひざまずく」「朝、ぼくにキスする」

「ぼくの息を詰まらせる」「夜、彼にキスをする」「思いきり叩く」「白人が思いきりぶっ叩く」

「痛みを感じないように笑う」「お腹がいっぱいなのに食べる」「ぼくにキスする」「ぼくの息を詰まらせる」「ぼくを混乱させる」

最後にこう書いた。

「ばあちゃん、お願いだからどんな言葉を使えばいいのか教えてくれる？」

一緒に過ごすいつもの日曜の夜と同じように、書き終えるとぼくはノートをばあちゃんに渡した。ほかの夜とは違い、ぼくが書いたことについてばあちゃんは何も言わなかった。ぼくの横を歩いていったときには、息の音すら聞こえなかった。

その夜、ベッドに入る前に、ばあちゃんはひざまずいて明かりを消し、愛しているとぼくに言った。明日はもっといい日になると言う。いつものようにぼくと一緒にベッドに入る前に、ばあちゃんはアドレス帳だという古くてぼろぼろの金と銀の代物《しろもの》を見ていた。ばあちゃんは母さん、スーおばさん、ジミーおじさん、リンダおばさんの名前と電話番号を調べていた。

眠りにつく前に、ぼくはばあちゃんに、一二歳で九九キロは太りすぎかと尋ねた。

「そもそも、なんのために体重なんて量るのさ」ばあちゃんは言った。「九九キロでちょうどいいさ、キー。十分な重さだ」

「十分な重さって、何に十分なの？」

「必要なものなんにでも十分な重さだ」

ぼくはばあちゃんと一緒に寝るのが大好きだった。一度も目を覚まさないで朝まで眠れるのは、世界でそこだけだったからだ。でもその夜は違った。

「寝る前にもうひとつ質問してもいい？」

「ああいいよ、ベイビー」ばあちゃんはそう答えて、ノートを渡してから初めてぼくのほうを向いた。

「非常事態のときに一〇まで数えるのってどう思う？」

「非常事態はぜんぶ神さまが忘れさせてくれるさ。悪いことは起こるもんだ、キー」

「でも、愛してるって言ってくれる人のせいで起きる非常事態は？」

「ぜんぶ忘れちまうんだ。とくにそのたぐいの非常事態はね。そうじゃなきゃすっかり頭がおかしくなっちまう。あたしの人生じゃ、夏の日曜の夜にはいつも頭がおかしくなることが起きるみたいだよ」

その夜、ばあちゃんに言われてもう一度祈りを捧げさせられた。ぼくは、マラカイ・ハンターが部屋にいるときに母さんが扉を閉めないように、レイラとダギーがもうダリルの部屋に行かなくてもいいように、ばあちゃんがもっと金持ちになって、あの大きな部屋で血まみれのはらわたをニワトリからもぎ取ったあと、あの小さな部屋で漂白剤と白人のクソまみれの下着の臭いを嗅がなくてもよくなるように、世界のどの部屋でも、ぼくらを死にたい気持ちにさせることが何も起こらないように祈った。

立ち上がると、ベッドで眠りに落ちたばあちゃんの背中が波打っていた。ばあちゃんは、またひとつ夏の日曜の夜を忘れようと必死だった。ほんの一瞬、ばあちゃんの動きが止まった。息をする音も聞こえない。ぼくはベッドに入って、左の親指でばあちゃんの腰のくびれをそっと覆った。ばあちゃんはびくりと背中を丸めて、上掛けをつかんで身体にしっかり巻きつけた。

「ごめん、ばあちゃん。大丈夫かなと思って」

「じっとしてるんだよ、キー」背中を向けたまま、ばあちゃんは口のなかでつぶやいた。「ただじっとしてるんだ。目を閉じてね。忘れたほうがいいことだってあるんだ。じっとして、いいことだけ考えるんだね。クイック・フッツのこととかね」

「クイック・フィートだよ。フィートはフットの複数形だから。知ってるくせに。クイック・フィートだよ、ばあちゃん」

II. BLACK ABUNDANCE.

黒人の豊かさ

MEAGER 貧しさ

母さんがマラカイ・ハンターとハワイからうちに向かっていた日、ラソーン・シモンズとぼくは、白人のカトリック・スクールで白人の八年生の教室に初めて座っていた。まわりは知らない白人でいっぱいだ。その日、白人たちは下校時間までずっと、ぼくらが黒人の言葉でやりとりしたり、刃が鈍いバターナイフを使ったり、ピンク・グレープフルーツのスライスを分け合ったりするのを見ていた。

ぼくらは、ミシシッピ州ジャクソンの聖リチャード・カトリック・スクールで八年生になった。仲間のほとんどがずっと通っていた黒人だけの貧しいカトリック・スクール、ホーリー・ファミリーが資金不足で突然閉校になったからだ。ホーリー・ファミリーに通っていた四人の黒人女子は、聖リチャードの同じクラスに入れられた。ホーリー・ファミリーにいたぼくら三人の黒人男子は、女子とは別の同じクラスに入れられた。ホーリー・ファミリーでは服装は自由だったのに、聖リチャードではカーキか青のズボンかスカートを穿いて、水色か白かピンクのシャツを着なければいけない。

ラソーンは、ジョデシィ（男性四人組のR&Bグループ）のケイシーをがに股にしたみたいな見た目だと本人もぼくも思っていた。登校初日、ぼくは教室の後ろに座って、いつもと同じように振る舞っていた。ぼくらは前の年に習った単語をわざとおかしく使い、ラソーンは刃の鈍いべたついたバターナイフでピンク・グレープフルーツを切っていた。

「ここの白人たちは、おれらがイヤイヤここにいるのはわかってる」ラソーンが言う。「でも何もわかっちゃいない」

「だな」ぼくは返事した。「ここの白人たち、お前がアホみたいにグレープフルーツを食うニガだなんて知らねえもんな。そのグレープフルーツ、ちょっとくれよ。〝つましい〟ことすんなって」

「ニガ、お前グレープフルーツなんて食わねえだろ」ラソーンが答える。「実際お前が食うもんでバターが入ってないものをひとつでも言ってみろ。自分で攪拌《かくはん》してバターつくってんだろ、ニガ」

ぼくは死ぬほど笑った。

「それにお前、おれがグレープフルーツを〝ガーロウ《たくさん》（gal-low）〟持ってるみたいに言うけどな、あるのは一個だけだ」

セス・ドナルドという名字も名前もファーストネームみたいな白人男子がいた。《スクービー・ドゥー》（アニメ番組。日本では当初『弱虫クルッパー』というタイトルでも放映）のシャギーをみすぼらしくしたみたいなやつで、さらに歯列矯正器をつけていた。セスは学校初日の最初の数分間、すかしっ屁をしたり瞼《まぶた》を裏返したりしていた。セスはぼくらに、〝ガーロウ〟というのはどういう意味かと尋ねてきた。

「〝ガロア《たくさん》(galore)〟、みたいなもんだ」ぼくはそう言ってラソーンを見た。「たくさんのグレープフルーツ、みたいな」

ラソーンは歯の隙間から息を吸いこんで目をぐるりとまわした。

「セス、名字はなんでもいいんだけど、まずお前のファーストネームは、これからf二つで終わることにする。お前の新しい名前はセフ(Seff)・シックス・ツーだ。お前の身長はファイブ・フォー(約一六二センチ)だけど、アタマの中身はおれらの知ってるシックス・ツー(約一八八センチ)のニガと一緒だからな」

ラソーンはぼくの腕をつついた。

「なあこいつ、ダチのS・スロウターみたいなアタマしてねえか?」

ぼくが大きく頷くと、ラソーンは身体の向きを変えてセフ・シックス・ツーの目を真っすぐ見た。

「お前らは何もかもが〝過《あやま》ち〟だ。何も。かも。これが〝ブラック・アバンダンス《黒人の豊かさ》〟だ。お前らはそんなこともわかっちゃねんだ」

七年生のときに習った単語のなかでラソーンが気に入っていたのが〝アバンダンス《豊かさ》(abundance)〟だったが、〝ブラック〟をその前につけるのは聖リチャードに来るまで聞いたことがなかった。

ラソーンは半分に切ったグレープフルーツをさらに小さく切り分けながらこっちを見て、セス・シックス・ツーたちは、この切り分け方の〝シュタイル〟すらわかってないと言った。

ぼくとラソーンが拳をぶつけあっていると、担任の白人教師ミズ・リーヴズがラソーンとぼくを指差した。ミズ・リーヴズはハンバーガーチェーン〈ウェンディーズ〉のウェンディをずっと老けさせたみたいな人だった。ラソーンとぼくは目を合わせて首を振り、グレープフルーツのスライスを続けた。

「ナイフをしまいなさい、ラソーン」ミズ・リーヴズが言った。「ナイフを置きなさい。いますぐ！」

「ミーガ（Mee-guh）」ラソーンとぼくは互いに言った。七年生の終わりの時点でぼくが好きだった単語が、ラソーンが好きな単語と反対の〝ミーガー《貧しい》（meager）〟だ。ぼくらは〝ミーガー〟をいろいろな発音で口にして、ゼロより最低でも八はレベルの低い〝シュタイル〟の人や場所や物を言い表すのに使った。

「ミーガ」ぼくはもう一度ミズ・リーヴズに言って、ぼろぼろのトラッパー・キーパー（バインダー）を取り出した。「ミーガ」

ミズ・リーヴズがまだ喋っているのに、ぼくはノートパッドに「ナンバー・ワンのグループのナンバー・ワンのテープは？」と書いてラソーンに渡した。ラソーンは前のめりになって、「EPMD（二人組のラップ、ヒップホップグループ）の《ストリクトリー・ビジネス》（一九八八年のデビューアルバム）」と書いた。ぼくは「結婚したい女の子ナンバー・ワンは？」と書いた。ラソーンは「スピンダレラ（一九七〇年あるいは七一年生まれ、本名デイドラ・ローパー。ヒップホップ・グループ、〈ソルト・ン・ペパ〉のメンバーでDJ、ラッパー、プロデューサー）＋トゥーティー（テレビアニメ《Ｏｏｐｓ！フェアリー・ペアレンツ》に登場するメガネをかけて歯列矯正器をつけた女の子）」と書いた。ぼくは「なんにもわかってない白人ナンバー・ワンは？」と書いた。ラソーンは下を向いて、履いていた新しい赤とグレーのエア・マックスを見てから天井を見あげた。それからようやく首を横に振ってこう書いた。「ミズ・リーヴズ＋ロナルド・レーガン。同点。どっちもミーガなやつだ」

ぼくは紙を丸めて、カーキ色のきついズボンのポケットに突っこんだ。ミズ・リーヴズは、そのあいだもずっとぼくらに向かって喋っていた。それは母さんの言う、ぼくらが完璧な人間として振る舞っていないときの白人の話し方で、ショッピング・センターで白人の女と警官が母さんに法を犯したのではないかと詰め寄っていたときの喋り方だった。

ミズ・リーヴズは、ぼくが箱ワインをメイソンジャーに半分飲んでから登校する汗っかきで目の充血した成績不良児だと思っていて、そう思われるのにはちゃんと理由があった。ぼくはほぼそのとおりの人間だったからだ。しかしラソーンは、このうえなくアバンダンドな八年生だった。

ラソーンは「シュリンプ《えび》」と言う代わりに、かっこよく「スクリンプス」と言った。そのほうが響きがいいからだ。ラソーンはどこでも「マイン（mine）」にsを三つつけて「マインズズズ（minesss）」というように発音した。あるときは白黒テレビを解体して、《フロッガー》（ビデオゲーム）の海賊版と、彼女にプレゼントするミニチュアのボックス扇風機をつくった。それに七年生のときのある金曜には、ジャクソンの紙飛行機史上でいちばんの紙飛行機をつくった。

その飛行機は五分四六秒ものあいだ空を飛び、回転し、高度を下げていって、ラソーンとぼくは紙飛行機の下をビーヴァーブルック通り三ブロック分走った。飛行機がようやく着地すると、ラソーンは空を何度も見あげて、飛行機をそこまで運んだ風のポケットが、ジャクソンみたいな街までどのようにしてやってきたのかと不思議がった。ラソーンはなんでもできたが、相手から先に傷つけられていないのに誰かを傷つけようとすることは決してしなかった。ナイフでも、手でも、言葉でも。

「それ、ナイフじゃないっすよ。バターナイフだし」ぼくはミズ・リーヴズに言った。「それにぜんぜん切れない。どうしてこの人、ここでニガが立派な〝カトラリー〟を持ってるみたいに振る舞うんだ？」

「わかってるだろ」ラソーンが言う。「この学校のやつらは〝不条理〟だからだ」

「チンピラよりもっと〝不条理〟だ」ぼくはジャバリを真っすぐ見ながらミズ・リーヴズに言った。ジャバリもホーリー・ファミリーから同じクラスに来た黒人男子だ。ラソーンもぼくも、学校で問題を起こすのはウェスト・ジャクソンの掟に反するとわかっていたから、ジャバリがぼくらに加勢しなくても悪くは思わなかった。ラソーンはばあちゃんから鞭で打たれる。ぼくは母さんに殴られる。ジャバリは家に帰ったら父さんにボコボコにされるかもしれない。ジャクソンでは、鞭で打たれるのは殴られるよりずっとましで、殴られるのはボコボコにされるのと比べたらくすぐられるも同然だ。

ミズ・リーヴズは教室からずんずん出ていって、ミズ・ストッカードを呼んできた。ミズ・

ストッカードは、ホーリー・ファミリーで何度か代替教員を務めた白人教師だ。ラソーンとジャバリとぼくがホーリー・ファミリーで本物の銀のナイフを使ってグレープフルーツを食べるのを何度も見ていたのに、そのときは何も言わなかった。

でも、そんなことは関係なかった。

「こんなふうに一年を始めてほしくはないわね」ミズ・ストッカードはそう言いながら、ぼくらを校長室に連れていって、母さんとラソーンのじいちゃんばあちゃんに電話した。

ぼくは校長室の椅子に腰かけて、聖リチャードに通いだす前日に母さんに言われたことを思いだしていた。

「これからは今までの倍、優秀になって、今までの倍、気をつけなさい」母さんは言った。「知っていると思っていたことは、明日になったら全部変わってしまうんだから。白人の倍、優秀だったら、白人の半分は手に入れられる。それ以下なら地獄行きよ」

ぼくらはすでに聖リチャードの白人の子たちの倍は優秀だ、そう思った。やつらの図書館は大聖堂みたいで、ぼくらのはコンクリート・ブロックにのっかったおんぼろトレイラーみたいだったからだ。それを言うなら、母さんやばあちゃんの倍、優秀でいろと母さんは言うべきだ。二人は、ぼくが知る人のなかでいちばん優秀だった。

ラソーンは、家に帰ったらラソーンを愛する黒人女性に鞭で打たれた。ぼくも翌朝、ぼくを愛する黒人女性に鞭で打たれた。身体に鞭を振り下ろされるたびに、目に見えるところにみみず腫れをつくって学校に行ったら母さんが白人にあれこれ勘ぐられるのだと思った。母さんはそれを嫌がった。だからこそ母さんは、ホーリー・ファミリーにいたときのようにぼくの腕や首や手や顔を叩くのではなく、背中や尻やずんぐりした腿を叩くのだとぼくは知っていた。白人のクラスメイトが家で親に叩かれていても、黒人にどう思われるかなんて考えながら叩かれてはいない。それもぼくはわかっていた。

翌日から聖リチャードの教師たちは、ラソーンとぼくが二度と教室で一緒にならないようにした。聖リチャードでぼくらが顔を合わせるのは、休み時間と昼休みと放課後だけになった。会うとぼくらは拳をぶつけ合い、抱き合っていられるだけずっと抱き合っていた。

「まだ〝ブラック・アバンダンス〟か？」と尋ねると、ラソーンは「きまってんだろ」と一つひとつの音節をそれまで聞いたことのなかった声で発音して、自分の教室に入っていった。

放課後、愛車ノヴァのフロント・シートで母さんはぼくに言い聞かせた。白人がぼくらに求めることはまったく公平ではないが、白人のルールに従うほうが時には安全だ。関係する黒人たちにとっても、ぼくらのあとにつづく黒人たちにとっても。母さんは、ウィリアム・ウィンター（一九二三年生まれ。民主党の政治家で、一九八〇年から一九八四年までミシシッピ州知事を務めた）以来初めての革新派知事がミシシッピ州で当選したことが、いかに素晴らしいことかを繰り返し口にした。母さんはレイ・メイバス知事（一九四八年生まれ。民主党の政治家で、一九八八年から一九九二年までミシシッピ州知事を務めた）の選挙戦に協力していて、ミシシッピがアメリカでいちばん黒い州だからこそ政治的に可能なことがあるのだとしきりに語った。

「ミシシッピの白人有権者の三分の一が正しい行動をしたの。それだけで十分。有権者の三三パーセントが黒人の州で、黒人に投票に行かせることができればね。ここで実際に有能な革新派の政治家が当選したら、何ができるかわかる？」

「今はわかるよ。この一年、毎日同じこと聞かされてきたからね。メイバスが当選して良かったけど、毎日そのことを聞かされるのは、ちょっとミーガだな」

「ミー、なんですって？」母さんは片手をうしろに引きながら尋ねた。「わたしになんて言ったの、キー？」

「なんにも。なんにも言ってないよ」


春学期あたりに、ミズ・ストッカードはぼくらにウィリアム・フォークナーとユードラ・ウェルティ（一九〇九～二〇〇一年。ミシシッピ州ジャクソンを拠点に南部を書いた白人女性作家。フォークナーとよく比較される）の短篇小説を読ませて、黒人歴史月間（アフリカ系アメリカ人の重要人物や歴史的出来事を記念する月。アメリカでは二月）に合わせて《ルーツ》（黒人奴隷の問題を扱った一九七七年のテレビドラマ）を見せた。文学のクラスにいたホーリー・ファミリー出身の生徒はぼくだけだった。ミズ・ストッカードは、年中ユードラ・ウェルティの作品についてあれこれ語っていた。「歴史的コンテクスト」にしきりに触れながらウェルティの登場人物たちの「南部固有のレイシズム」について話し、その特殊なレイシズムを、《ルーツ》の白人登場人物たちの「悪い本物のレイシズム」と対比させた。ぼくは、文学の授業で「歴史的コンテクスト」と「南部固有のレイシズム」によって白人が許されるのが嫌だった。歴史的コンテクストを理解できるのなら、ウェルティが完璧に造形された信頼できない白人主人公をつくり上げ、その主人公たちに人物造形が不十分な黒人登場人物たちを〝ニガー〟扱いさせることができた理由も理解できるはずだ。ぼくは八年生の教室で「歴史的コンテクスト」と「南部固有のレイシズム」と「悪い本物のレイシズム」の重みを実感した。しかし感じていたことはほかにもあって、それを認めるのはきまりが悪かった。ウェルティの物語の中身に強く惹かれてもいたのだ。

たしかに、ぼくの想像の世界とウェルティの想像の世界のあいだには、はっきりとした境界線があった。ただ、ウェルティは短篇「郵便局に住んでるわけ」を「妹のステラ=ロンドが夫と別れて家に戻って来るまでは、あたしはママとおじいさんと、ロンド叔父さんと仲好く暮らしていたんです」（田辺五十鈴訳、『現代アメリカ文学全集一五』荒地出版社、二九三頁）という一文で始めていて、ぼくはウェルティのテキストと深いつながりを感じただけではなく、ジャクソンのすべてと、母さんから恐れるように教わったミシシッピのすべてをそこに感じた。

ウェルティはミシシッピの黒人のことをこれっぽっちも知らなかったけれど、自分自身のことはよくわかっていて、ぼくが読んだことのあるもののなかでもっとも容赦なく白人のことを嘲《あざけ》っていた。母さんとばあちゃんからは、白人はなんでもできるから刺激したらいけないと教わっていたけれど、ウェルティの描く白人は、ぼくが自分の目と耳を通して知っていた白人の姿と重なった。白人は怯えていて心底びびっているのだ。あまりにも怯えてびびっているから、〝怯えている〟と〝びびっている〟という言葉では、それを十分に言い表すことができない。

ぼくは白人を憎んではいなかった。白人を恐れてもいなかった。容易に白人に感心することもなかったし、イラつかされることもなかった。実際の白人に会う前に、一年生、二年生、三年生、四年生、五年生、六年生、七年生、八年生のときに授業で読んだありとあらゆる物語の白人の主人公、敵、作者に出会っていたからだ。また、テレビでスーパーヒーローの〈ワンダーウーマン〉、ドラマ《素晴らしき日々》のナレーター、コメディドラマ《シルヴァー・スプーンズ》のリッキー、コメディ映画《ナーズの復讐》のブーガー、《スタートレック》のスポック、ドラマ《ファミリータイズ》のマロリーとも出会っていた。それから、ほぼ全員が白人だった、好きなチームのコーチやオーナーとも出会っていた。キャプテン・アメリカ、ミス・アメリカ、プロレスラーの〝アメリカン・ドリーム〟ことダスティ・ローデスにも出会っていた。ルーク・スカイウォーカーとその白人の父親とも出会っていた——白人の父親の声と服装とマスクは暗闇よりも真っ黒だったけれど。貧しい白人にも金持ちの白人にも中流階級の白人にも出会っていた。アニメ《宇宙家族ジェットソン》の一家全員、アニメ《原始家族フリントストーン》の一家全員、コメディドラマ《じゃじゃ馬億万長者》のみんな、コメディドラマ《フルハウス》のみんな、子ども向けテレビ番組《ピー・ウィーのプレイハウス》のほとんどみんな、アメリカの全大統領、イエスやアダムだという男たち、聖母マリアやイヴだという女たち、ばあちゃんから聞くおとぎ話の登場人物全員とも出会っていた。ドラマ《オール・マイ・チルドレン》のアンジーとジェシーは別だったけれど。つまり、実物の白人は知らなくても、白人がこうありたいと望むキャラクターはたくさん知っていて、そういうキャラクターにとってぼくらがどのような存在なのかも知っていた。

ぼくらは白人のことを知っていた。

白人はぼくらのことを知らなかった。

次の日、文学の授業で、《ルーツ》のクンタ・キンテの娘キジーがトム・モーという白人男にレイプされる場面を見た。レイプされたあとの朝、コメディドラマ《ザ・ジェファーソンズ》のヘレン役の黒人女（ロキシー・ローカー）がやってきて、キジーの傷口を洗った。

ヘレン（《ルーツ》ではマライジー役）はキジーに語りかける。

「トム・モーの旦那のことは知っとかなきゃ……あの人は黒人女が好きな白人なんだよ……これから毎晩あんたにちょっかいを出してくるに違いないね。昔はあたしにちょっかいを出してきたけど、今はなくなった」

ぼくは今聞いたばかりのことについて、どうすればいいのかわからなかった。《ルーツ》のその場面を初めて見たのは八歳のときだ。キジーの身に何が起こったのか母さんに尋ねたとき、「レイプ」ではなく「熊手《レイク》」と聞こえた。「熊手で引っかかれる」なんて、人間の身に降りかかることのなかでいちばん恐ろしいことのように聞こえた。どうしてヘレン（マライジー）はトム・モーに熊手で引っかかれなくなって悲しそうなのか、ぼくには理解できなかった。ぼくは母さんに、どうしてほかの人を「熊手で引っかく」やつがいるのか尋ねた。

「男のなかには、ほかの人の身体を傷つけても平気なやつがいるのよ。自分が感じたいことを自分が感じたいときに感じたいやつがいるの。人が傷つくのに、ではなくて、人が、傷つくからこそね」

トム・モーは白人だが、大人の男だ。ぼくは黒人だが、まだほかの黒人の男たちに〝坊や《リル・マン》〟

と呼ばれる少年だ。トム・モーがしたことを自分がキジーにすることは絶対にないと思った。でも、大きくなったときに、そうするプレッシャーを感じることになるのだろうか。そして、もしトム・モーがしたことを自分もしたら、キジーにとってトム・モーとぼくは違う存在になるのだろうか。あの日、もしぼくらの知り合いの黒人男三人ではなくて、どこかの白人男三人がレイラをダリルの寝室に連れていっていたら、レイラはどう感じたのだろう。どう考えたらいいのかわからない。どう考えたらいいのかわからなくなると頭が痛くなって、安物のストロベリー・ポップタルトを何箱も食べたくなる。

その日の休み時間、聖リチャードの白人男子たちは、いつもの休み時間と同じようにぎこちなくいそいそと移動した。聖リチャードの白人女子の多くと、ぼくらホーリー・ファミリーから来た子みんなは、重大な秘密を耳に吹きこまれたあとのように移動した。

ラソーンとぼくは、シャラヤ・オドム、マドラ、バラカ、ハサナティが輪になって座り、黙ってお互いの足を見つめているところに出くわした。ホーリー・ファミリーでは、その子たちが黙って座っているところを見たことなんてなかった。シャラヤ・オドムは、いつもはあまり悪態をつくことがないのに、どうしたのかと尋ねると答えた。

「あの《ルーツ》、クソだわ。ずっと耳をふさいでたんだから」

ジャバリが大丈夫か探しにいこうとラソーンが言った。ジャバリはホーリー・ファミリーでいちばんの文章の書き手だった。ホーリー・ファミリーから転校したぼくらのなかで、ジャバリがいちばんスムーズに聖リチャードに馴染んだ。ジャバリは心の底から白人の家に泊まりたがり、白人の車に乗りたがって、白人の食べ物を食べたがった。

ぼくらは校舎に入った。ひょっとしたらジャバリはミズ・ストッカードと小説の執筆について話しているのかもしれない。休み時間によくそうしていたからだ。ミズ・ストッカードの部屋に入ると、ミズ・ストッカードはちょうど良かったと言う。数週間前から話したいことがあったらしい。

「失礼にならないようにしたいんだけど」ミズ・ストッカードはそう言って、ぬるいタブ・コーラを一口飲んだ。「ジャバリの調子はどう？」

ラソーンとぼくは、まばたきもせずに互いに見つめ合った。

「あのね、ジャバリにシャワーを浴びるかお風呂に入るかしてから学校に来るように、あなたたちから言ってもらいたいの。夜にお風呂に入って、朝にシャワーを浴びるか身体を洗うのがいいかも。一部の生徒と先生がわたしのところに来て、あの子の、ほら、体臭のことを言っていてね。みんな気持ち悪がっているの」

ぼくらはまずげらげら笑った。白人教師が友だちのことを臭いと言うのを聞くことほど、おかしなことはない。

「ミズ・ストッカード、ジャバリが臭いって言いたいわけ？」ぼくは尋ねた。「白人はタオルを使わないって噂で聞いたけど」

ラソーンは大笑いした。

「わたしは」ミズ・ストッカードは指で空中にクォーテーション・マークを書いた。「〝臭い〟

とかタオルのこととかは何も言ってません。ジャバリのことを気持ち悪いと思っている人がいるって話。誰にとってもいいことじゃないってわかるでしょう?」

ラソーンとぼくは隣合わせで黙って突っ立っていた。気持ち悪いと思う子を教師がどうやって教えられるのか、ぼくにはわからなかった。

ジャバリの臭いはホーリー・ファミリーではなんの問題もなかったのに、聖リチャードではどういうわけか気持ち悪いものになった。ぼくにはそれがなぜかわからなかった。たしかにジャバリは、聖リチャードでもホーリー・ファミリーのときと同じように臭った。ジャバリの母さんが死んでからずっと同じ臭いだった。その臭いはジャバリの体臭ではなく、ジャバリがシャワーを浴びないとかタオルを使わないとかいう話でもない。ジャバリの母さんが死んでからは、ジャバリの家に入るとすぐに前とは違う臭いがした。そしてそこに三〇分以上いると、みんなジャバリの家の臭いになった。でも、ぼくらはみんなどこかの時点で臭った。シャラヤ・オドムだって臭った。臭うときはそれを笑い飛ばして、シャワーを浴びたり、デオドラントやコロンや香水をつけて前にすすんだ。

ミズ・ストッカードの前で身体を揺らしながら理解した。ホーリー・ファミリーでは、ぼくらはみんな安心できる単語、言葉のパターン、声の抑揚、それに身体を使って物語をわかち合っていた。ホーリー・ファミリーでは、誰も「すごい(awesome)」とか「そのとおり(totally)」とか「びっくり(amazing)」とか「めちゃくちゃ(FUBAR)」とか「みたい(like)」とかを一日五〇回も必要以上に口にしたりはしなかった。ぼくらの物語の語り手は、「カッコいい(fly)」

と「キマってる（all that）」と「イケてる（fresh）」と「サイコーのもの（the shit）」と「すげー（sheiiit）」と「当然（shole）」と「みごと（shining）」と「カッカする（trippin）」と「すげえ（all-world）」と「さんざんに暮らす（living foul）」と「かび臭い（musty）」と「ひでえ（sorry-ass）」と「つまんねえ（stale）」と「かさかさ（ashy）」と「フラフラになる（getting full）」と「アタマおかしい（cuhrazee）」と「ニガ（nigga）」と「わかるだろ（you know what I'm saying）」を一日五〇回も必要以上に口にした。

「気持ち悪い」とか、それに類する言葉は、ぼくらの語彙《ごい》にもぼくらの物語にもなかった。ホーリー・ファミリーでの身体は聖リチャードでの身体よりも重たくて、その重たい身体はどれも気持ち悪くなんてなかった。七年生のとき、ぼくら男子は、こっちを見向きもしない女子のことを陰で「変態《フリーク》」などと呼ぶようになった。そして、その子たちに思いっきりひっぱたかれて謝った。ただ、どれだけこっそり話しているときでも、ぼくらは女の子の身体を「気持ち悪い」と思ったり、そう口にしたりすることはなかった。ひょっとしたら、そんなことはないとぼくが思いたかっただけかもしれないが。七年生の終わりに、老人ホームにクラブ・ヌーヴォー（一九八六年結成のR&Bグループ）の歌を歌いに行ったとき、シャラヤ・オドムが立ち上がって部屋を出ていった。デニムスカートのうしろに暗褐色の染みがついていた。ぼくらはシャラヤ・オドムがうんこを漏らしたのだと思ったが、ラソーンは、ひょっとしたら生理が始まったんじゃないかと言う。ぼくらはシャラヤ・オドムのことを気持ち悪いとは言わず笑った。ホーリー・ファミリーの女子は、ぼくらが不意にうんこを漏らしてそれが脚をつたっていっても、そんなふうに笑わなかっただろう。

〝気持ち悪い〟という言葉は、ぼくらが想像できるどんな罵り言葉よりも酷く、ぼくらが豊かだと考えるものの対極にあった。そしてぼくらが暮らし愛する世界では、黒人は誰もがどこか豊かだった。金曜には大人たちがセッションをする音を聴いた。土曜にはめかしこんで、フットボールの試合前のショー、試合、そして何よりハーフタイム・ショーを観た。ジャクソン州立大学対ミシシッピ・ヴァレー州立大学、ミシシッピ・ヴァレー州立大学対アルコーン州立大学、アルコーン州立大学対サザン大学、グラムリング州立大学対ジャクソン州立大学。土曜の夜には車の後部座席に座って、フットボールの試合、ミシシッピの政治、試合の後に誰かのおじさんやおばさんが〈ワールズ・ファイネスト・チョコレート〉（チャリティに使われるチョコレート）を売ろうとする理由について、みんなが持論を展開するのを聞きながらうちに帰った。日曜の朝には親やじいちゃんばあちゃんに黒人の教会に引きずられていった。そして毎週日曜には、テニスシューズを履いた黒人の不信心者に聖霊が降りてきたときのことを年配の黒人たちが面白おかしく語るのを期待した。ただ、ぼくらがもっとも豊かだったのは、週末以外の日のスタジアムと教会以外の場所でのことだ。その豊かさが身体のかたちと動き、食べ物の味と食感を決めるのだが、豊かさがもっともよく表れていたのは、言葉と言葉の音、センテンスを解体して組み立てるぼくらのやり方だった。

ラソーンとぼくはジャバリのことが大好きだったから、ミズ・ストッカードと一部の白人生徒がジャバリのことを気持ち悪いと思っているなんて伝えられなかった。ジャバリは白人の子たちの笑顔、言葉、食べ物が大好きだった。ぼくは正直な気持ちをミズ・ストッカード（彼女のことを信頼しているわけではない黒人の女たちに、女たちが愛するぼくらを殴らせる力がある白人の女）に伝えずに、代わりにこう言った。

「わかりました、ミズ・ストッカード。ジャバリにはちゃんと身体を洗ってから学校に来るように言っときます」

その日の練習の終わり近くに、バスケットボールの監督、コーチ・ジー（聖リチャードの数少ない黒人の一人、ドニー・ジーの父親）が体重計を持ってきて、ぼくらに体重を量らせた。ぼくらはヴィックスバーグでトーナメント戦に参加することになっていて、主催者からプログラム用に選手の体重と身長を求められていたからだ。

ぼくは、夏の初めにマムフォードの家で体重計に乗って以来、体重を量っていなかった。みんなの前で体重を量るのは嫌で仕方なかったけれど、三年ぶりに九五キロを切っているはずだと自分自身に言い聞かせた。

体重計に乗った。数字がぐんぐん増えていく。

六〇。

六五。

七〇。

七五。

八〇。

くそっ。

八五。

九〇。

九五。

一〇〇。

一〇三。

「おいおい」コーチ・ジーがチームのみんなを見て言った。「このデカ男、一〇三キロもあるぞ！」

ぼくは体重計から離れてつくり笑いをして、チームのみんなが笑うのを見た。トイレに行って無理やり二回小便をしてから体重計のところに戻った。

「一〇三キロ」とコーチ・ジーがまた言った。

「体重計が壊れてるんじゃないぞ、ベイビー・バークレー（バークレーは、バスケットボール選手チャールズ・バークレーのこと）。ったく。これがお前の体重だ」

練習のあと、ぼくは腹を引っこめて、じめじめした黴臭《かびくさ》い練習用ユニフォームの上に乾いた服を着た。生まれて初めて、腿のあいだの汗と脂肪と、乳首に向かってのびる新しい肉割れの線のことを考えた。前にも太っていると感じたことはあった。自分は身体が大きいほうだと思いながら日々暮らしていた。しかし、聖リチャードのバスルームでの気持ちは、それまで感じたことがないものだった。

「おい、ニガ」体育館から出るときにラソーンが声をかけてきた。ラソーンのじいちゃんが迎えにきて、家まで送ってくれることになっていたからだ。

「みんなびびってたな。お前、マイケル・ジョーダンより一二キロも重いのに、身長は二〇センチも低いんだぜ」

ぼくは返事をしなかった。

「待て、体重計のことでみんなに気遣いが足りなかったのはわかってる。お前は気持ち悪くなんかねえぞ。わかってるだろ？　お前は気持ち悪くない。たいていのガリガリのニガよりすばしっこい重たいニガだ。お前は気持ち悪くねえぞ。聞いてんのか？　おいお前」

その週末、ラソーンとぼくはプレジデンシャル・ヒルズにあるジャバリの家の裏庭でジャバリに会った。ジャバリが弟のステイシーを相手にへなちょこダンクシュートをして、ラソーンはそれをはやし立てた。ラソーンはそのダンクシュートを〝アバンダンス〟と呼び、ぼくはジャバリに〝カーン・スレンダー〟というあだ名をつけた。ジャバリは前歯で下唇を噛みながら空中を飛び、不恰好な〝アバンダンス〟を日が暮れるまでやっていた。ジャバリがダンクをするたびに、ラソーンとぼくは笑いに笑った。ラソーンがこう言ったとき、ジャバリもようやくぼくらと一緒に笑った。

「やつらは〝アバンダンス〟のことをわかっていない。マジで。怒ってもしょうがない。わかってないんだから」

「怒ってもいい」ジャバリが言った。「でも怒る以外のこともできる」

ラソーンとぼくはジャバリを見て、さらに何かを言うのを待った。ぼくはようやくわかり始めていた。とぼけた話をして、何もわかっていないように振る舞っているが、白人は、とくに大人の白人は、自分たちがしていることをちゃんとわかっている。わかっていないのなら、わからなくてはいけない。

ただ八年生の二月の終わりには、聖リチャードの白人と世界が何をわかっていようが、そんなことはどうでもよくなっていた。ぼくらは歯の隙間から息を吸いこんで、首を横に振り、いつもリチャード三世（一四五二～一四八五年。イングランド王。しかめ面の肖像画がよく知られている）のような顔をしながら、お互いに思いきり笑っていることを学びつつあった。それはとても大切なことだった。ぼくらのなかには、昼食代や電気代や減額された授業料よりもみみず腫れのほうがたくさんある子もいたけれど、ぼくらは気持ち悪いやつじゃないとわかっていたということだ。

ぼくらは怒っていて、ときどき悲しかったが、それだけではなかった。

その日、ぼくはジャバリの家から出るときに洗濯物のなかからTシャツを一枚取った。ぼくのサイズはXLだったけれど、ジャバリとラソーンは胸が薄っぺらくて、小さめのサイズでもぶかぶかだった。しかし、ぼくは母さんから、サイズやかたちに関係なくなんでも歪める方法を学んでいた。その学年の終わりまで、ぼくはジャバリの家のような臭いのするTシャツに胸と脇腹のぜい肉と腹を押しこんで学校に通った。聖リチャードの白人がぼくのことを気持ち悪いやつのように見てきたら、ぼくはにっこり笑って首を横に振り、歯の隙間から息を吸いこんで、学校で習った単語をわざとおかしく使ったり発音したりした。そしてランチのときにラソーンと拳をぶつけ合って言った。

「やつらはすげえミーガーで、おれらはすげえ気持ち悪い。おれらはすげえ気持ち悪いんだ。これもやっぱりあのブラック・アバンダンスか?」

「ああ」ラソーンは言った。「やつらはやっぱりそれをわかっちゃいない」

CONTRACTION 短縮形

メリーランド州ハイアッツヴィルにあるデマッサ・カトリック高校の二軍バスケットボール・チームで、ぼくが首を横に振って歯の隙間から息を吸いこんでアイス・キューブのラップを口ずさんでいるとき、母さん、あなたはメリーランド州カレッジ・パークで博士研究員のフェローシップを獲得するという学問上の夢を実現していた。

バスケットボールの試合の帰りに、ぼくらは食事をしようとウェスタン・シズリン（ステーキ・レストラン）に立ち寄った。本来ならぼくはサラダを食べていなければならなかったのに。その試合で母さんは、第四クォーター（バスケットボールの試合の最後の四分の一）でぼくをベンチに下げたコーチ・リックスのことで怒りをぶちまけた。

「あの白人、あなたのコーチのことだけど。名前はなんていったっけ、キー。ミックス？」

「リックス」

「コーチ・リックス、とてもびびっている。気取った自信のない白人男よりバカな白人男のほうがいつだってましなんだから」

「びびってるって何に？」

「きまっているでしょう。わたしが黒人の女で、博士号をもっていて、有名大学で博士研究員をしていることによ」

ぼくは、そもそもそれがどういう意味かわかるのは、母さんのほかに四人ぐらいしかいないだろうと答えた。

「そのうちあなたもわかるようになるはずだけど、ミシシッピの外の人は、わたしたちが優秀だとどうしていいのかわからないの。だから、できることをなんでもして、わたしたちを懲らしめようとする」

ぼくはレストランのボックス席に座り、汗臭い身体で顔をしかめながら母さんが言ったことを理解しようとしていた。ほとんど何もわからなかったけれど、ぼくらは議論好きな腿の太いミシシッピの二人組で、優秀であるがゆえにぼくらを懲らしめようとする北部のたくさんの敵に立ち向かっているのだと知って嬉しかった。

「わたしたちのこと、バカにすんじゃないわよ」と母さんは繰り返し口にした。「口汚いこと言ってごめんね。でも本当に。わたしたちのこと、バカにすんじゃないわよ」

その夜、アパートメントへの帰り道でぼくは、デマッサの黒人たちに「田舎者《バマ》」と呼ばれていることや、コーチや生徒に「救急車《アン”ビュー”ランス》」の発音をからかわれたことや、スペイン語教師にクラスのみんなの前でお前のブレザーはナマズの臭いがすると冗談を言われたことや、誰でもわかる問題に正解したら教師たち（みんな白人の男だった）に教室で頭をぽんぽん叩かれて「よくできたな、キージー」と言われたことを考えていた。

うちから八〇〇メートルほどのところで、メリーランド州警察のパトカーに車の停止を命じられた。ミシシッピで警察に止められたときと同じように、母さんは背筋を伸ばして運転席に座ったまま両手をハンドルに置き、真っすぐ前を見ていた。母さんはメリーランド大学の身分証明書を出して、ぼくがつけていた赤と黒と緑のアフリカ大陸のペンダントをパブリック・エナミー（ヒップホップ・グループ）のTシャツの中に押しこんだ。そしてぼくに、姿勢よく座って両手はダッシュボードの上に置いておきなさい、一言も喋ったらだめよ、と指示した。

警官は膝を曲げて運転席側の窓からなかをのぞきこんできた。母さんの顔のすぐそばに警官の銃が見えて、ぼくはそれをひったくりたい気持ちに駆られた。それが黒い砂利に溶けていくのを見たかった。ミシシッピで頻繁に警官が近づいてくるようになってからずっと、世界中の銃をすべて黒い砂利に溶かしてしまう超能力がほしかった。警官は、どうしてぼくらの車がミシシッピのナンバープレートをつけているのか尋ねてきた。

「ミシシッピ州ジャクソンに住んでいるからです」母さんは答えた。「今はカレッジ・パークのメリーランド大学で博士研究員をしています。わたしが何かおかしなことをしましたか？」

警官はもっと大きな声で話すようにと言い、母さんがウィンカーを出さずに車線変更したと言い張った。母さんはハンドルを握ったまま答える。

「ウィンカーを出さずに車線変更をしたりはしていません。あなたが後ろでスピードを上げたから、ウィンカーを出して車線変更したんです」

警官は笑ってまともに取り合おうとせず、免許証と車両登録証の提示を求めた。

「そっちは旦那さんかい？」警官は母さんに尋ねた。「旦那さんのほうも身分証明書を見せてもらわなきゃいけない」

母さんはハンドルから手を離して、警官の顔を指差した。「わたしの車から離れなさい」と母さんは言った。「この子はわたしの息子で、まだ一五歳です。身分証明書は持っていません（He does not have identification.）。あなたのバッジ番号を教えてもらえますか？」

ぼくは母さんが短縮形を使わないときの口調が大嫌いだった。

警官は母さんとぼくに車から降りるよう指示した。

「降りる気はありません」母さんは声を上げた。「何も悪いことはしていませんから」

ぼくは両手の拳を丸めて運転席側の窓ににじり寄った。母さんに手の甲で胸をはたかれて、拳を握るのはやめておとなしくしていなさいと言われたとき、別の警官の車が停まった。最初の警官は笑いながら二人目の警官の車に向かって歩いていった。

結局、母さんは二人目の警官に免許証とメリーランド大学の身分証明書を見せた。警官は身分証明書を手に取り、ひっくり返して裏を見て、お気をつけてと言った。

「あいつらに銃を撃たせるチャンスを与えるんじゃないよ」アパートメントの部屋に入って扉に鍵をかけたあと、ようやく母さんは口を開いた。「あいつらは撃つんだから、撃つんだから、撃つんだから」

どうして同じことを三回も言うんだろう、そして、どうして撃ち返せと言わないんだろうと思った。

「ミシシッピでも、メリーランドでも、どこにいても同じよ。チャンスがあればあいつらはいつだっていきなり撃ってくるんだから。弾を避けてこっちが心臓発作でも起こしたら、あいつらは銃を隠して〝こいつは自殺した〟って言うのよ」

「わかったよ」ぼくはそう言って、母さんを笑わせようとした。

「どうして母さんは〝don't〟って言わないで〝does not〟とか〝doesn't〟って言ったり、〝they〟って言わないで〝their〟って言ったりするの？（アフリカ系アメリカ人の英語ではdoes notやdoesn'tのかわりにdon'tを、theirのかわりにtheyを使うことがある）」

「わたしが正しい英語を知らなかったら、警官に撃たれる可能性が高くなるからよ」

「いや、そんなことない。あのバカが怒ったのは、母さんが正しい英語を喋ったからだ」

母さんは何かを考えているような顔でぼくを見た。

「たしかにそうかもしれないわね、キー。でも長い目で見たら、正しい英語を使うことで黒人は傷つくよりも救われることのほうが多いのよ」

「正しい英語を使ったら母さんは救われるの？」

「わたしは救われる必要はないの。絶滅危惧種じゃないから」

「おれだって違う。いや、おれは絶滅危惧種で腹にガスがいっぱいたまってる。ちょっとごめん、すぐ戻るよ。あの警官のせいで腹の具合が悪くなった」

母さんは笑いに笑った。

部屋で着替えていると、その日の警察との出来事について書くように母さんに言われた。何を書けばいいのかわからなかった。どうすればやつらに不意に撃たれずに生きられるのかわからなかったからだ。ただ車を運転したり、外から帰ってきて家に入ったり、仕事をしたり、グレープフルーツを切ったりしているだけでいきなり撃たれる理由になるらしかった。それにいちばんの問題は、銃を撃ってくるのは警官だけではないということだ。ただ警官だけが街をうろついて、ぼくらの生き方が気に入らないときに銃と監獄でぼくらを脅すことを許されていただけだ。

ぼくは、ぼくらの生き方が大好きだった。


クリスマス休みにラソーンに連れられてムラー高校へ行き、オセラという身長二メートル五センチの一〇年生が、試合のウォーミングアップのとき、試合の前半、ハーフタイムにシュートを打つのを見た。オセラは四〇点以上を稼ぎ、一二本のダンクを決めて、二〇を超えるリバウンドを取り、第四クォーターにはほとんどプレイしなかった。ラソーンとぼくは黙りこくって試合を観ていた。

「オセラが全国一の一〇年生って言われてるの、知ってるか？」帰り道にラソーンがようやく口をひらいた。

「ミシシッピでいちばんってことか？」

「いや。全米でだ。あいつがバスケを変えた」

「メリーランドの学校のやつら、ミシシッピのおれたちのことを〝バマ〟って呼ぶんだぜ」ぼくはラソーンに言った。「おれたちが〝バマ〟だとしたら、どうして全米一の一〇年生がこんなとこにいるんだ？　それにハリウッド・ロビンソンとクリス・ジャクソンもミシシッピ出身だ」

「ウォルター・ペイトン（一九五四〜一九九九年、アメリカンフットボール選手）もな」ラソーンが言う。

「ファニー・ルー・ヘイマーも」

「白人だったらブレット・ファーヴ（一九六九年生まれ、アメリカンフットボール選手）がいる」

「あとはオプラも」とぼくはつけ加えた。「オプラはバーバラ・ウォルターズ（一九二九年生まれ、テレビジャーナリスト、司会者）より大物になる。みんなすげえよな」

「ああ、みんなすげえ。でもおれたちはどうすんだ？　お前とおれは」

その夜、ラソーンとぼくは、自分たちのバスケットボールとオセラのバスケットボールは別物だと知った。ぼくらはただのバスケ好きで、オセラはバスケ選手だ。オセラ・ハリントンのおかげで、その夜、ラソーン・シモンズは技術者としての人生を、ぼくはラップを副業にする中学校教師としての人生を思い描くようになった。

メリーランドに戻った数週間後、ぼくはコーチ・リックスが試験監督を務める世界史のテストでカンニングして見つかった。その前日には、指定された世界史の本を読むのを拒んで、『メイフラワー号以前』（*Before the Mayflower*）（一九六四年刊。アフリカ系アメリカ人の通史を語る大著）という本を授業中に読んでいた。メリーランドに来てから母さんに叩かれてはいなかったけれど、母さんが学校に迎えに来たとき、ぼくは母さんに背中をぶちのめされるに違いないと思っていた。

「あなたが何をしているか、ちゃんとわかってるから」車に乗ると、母さんは言った。「忘れましょう」

「忘れるって何を?」

「ただ忘れればいいの、キー」

それでおしまいだった。鞭打ちはなし。平手打ちはなし。反省文もなし。

母さんは、いつになく嬉しそうだった。夜中に泣きながらぼくの寝室に入ってくることもなく、ぼくの顔に何度もキスをして、くだらない冗談を連発し、ぼくの手を握った。こんなときにそんなことをされるなんて、まったく思ってもいなかった。

「わたしはここでは教師じゃないの」母さんが電話でばあちゃんにそう話すのを何度か聞いた。「ただ学者として働いているのよ。いまはものを書いて研究をしてお金をもらっているの。わたしにとってはすごく大切なことなんだから、母さん。キーと自分のことを正しく愛するにはどうすればいいか学んでいるところ。そうね、いまさらだけど何もしないよりましだと思う」

母さんの話の「学者」のくだりは、ぼくにはよくわからなかった。ただ、メリーランドでは、ぼくが知るかぎり初めて車がガス欠になることがなかった。電気が止められることもなかった。冷蔵庫に食べ物がいっぱいあったわけではないし、金に余裕があったわけでもないけれど、腹を空かせることはまったくなかった。

春休みにグリーンベルト運動公園でバスケをして帰ってくると、ミシシッピでノートに書いた文章を読み返すようにと母さんに言われた。ぼくは見たことや聞いたことについて文章のなかでたくさん疑問を投げかけているのに、その疑問を読み返していないせいで、いろいろな答えを導き出せていないらしい。優れた問いは常に平凡な答えに勝るのだと母さんは言う。

「ものを書くときに、いや、人生でいちばん大切なのはね、見直すことよ」

ほかの人に痛みを感じさせて平気な人は、暴力的な人間になるのだろうか？

ぼくはこの一文をジャクソンで書いて、マリオン・バリー（一九三六～二〇一四年。アフリカ系アメリカ人の政治家で、一九九〇年当時はコロンビア特別区長）がクラック・コカインを吸っているところがテレビのニュースで放映された夜に見直した。その夜、なぜ母さんが泣いてしきりにこう言うのか理解できなかった。

「何もかもすごく暴力的。やつらはこの映像を使って、この先何十年も選挙で選ばれた黒人公職者を攻撃するのよ。やるべきことをやりなさい、キー。見直しをして、しくじるところをぜったいにこいつらに見せないようにするの」

学校で読んだものはどれも、ミシシッピやメリーランド、国全体で変わらず続く暴力のことを考えるのには役立たなかった。放課後、自分が書いた言葉を何度も読んで組み替え、その言葉が暴力についての自分の理解にどういう意味をもつのか理解しようとした。人生で初めて、真実を語ることは真実を見つけることとまったく違うのだと気づき、真実を見つけることは、言葉を見直して組み替えることと一体なのだと知った。言葉を見直して組み替えるのに必要なのは語彙だけではない。強い意志と、おそらく勇気も必要だ。見直し後の言葉のパターンはすなわち見直し後の思考パターンであり、見直し後の思考パターンが記憶をつくる。並んだ単語を見ると、そこに記憶があるのがわかる。ただ腰をかけて、並び替え、足して、引いて、ふるいにかけていれば、やがて記憶を解き放つ道が見つかる。ミシシッピにいたとき母さんには、見直しは練習だと言われた。メリーランドで、ようやく母さんが言っていたことを理解できた。実のところ書く練習は、腰を下ろし、じっと座っている練習だった。身体はじっとしていたがらなかった。じっとしていないといけないとき、身体は両手でダンクシュートを決めたり、ぼくのことを好きな女の子にキスしたりすることを想像しようとした。じっと座っているには、文章を書くのに求められるほかの部分と同じぐらい練習が必要だった。たいていいつも身体は練習したがらなかったけれど、じっと座ってものを書くのが記憶への道だと身体に言い聞かせた。

　ぼくは思い出した。ラッパーが書いた何万ものセンテンスを書き写して暗記しながら、黒人の子どもたちが暗記したくなるセンテンスを書くのはどんな気持ちだろうと思っていたこと。ラソーンの新しいサブウーファーの音に歯をがちがち鳴らしながら、ジャクソン中を飛びまわっていたこと。〈クリミナル・マインデッド〉（ヒップホップ・グループ、ブギ・ダウン・プロダクションズの一九八七年の同名デビューアルバムに収録）と〈ドープマン〉（ヒップホップ・グループ、N.W.Aの一九八七年のデビューシングル《パニック・ゾーン》のカップリング曲）を爆音でかけながら、ぼくは助手席の背にもたれかかり、ラソーンはラソーンのじいちゃんのカトラスの運転席で身体を四五度後ろに傾けていたこと。ぼくが警官に向こう見ずな口のきき方をして、車に乗っていたみんなが危うく撃たれそうになったあと、ラソーンに「お前は、黒人についての戯言《たわごと》が過ぎることがある」と言われたこと。

マラカイ・ハンターがうちに来たときには、小さな白黒テレビの音量を上げて《ミスター・ベンソン》（一九七九年から一九八六年にかけて放送されたロバート・ギローム主演のコメディドラマ）や《ナイト・コート》（一九八四年から一九九二年にかけて放送されたコメディドラマ）を見ていたこと。九年生の二学期に、美術室の物置でカマラ・ラッキーに胸に触ってと言われて、石のように固まったこと。レイラのことや、カマラ・ラッキーに美術室の物置で胸に触ってと言われたときのことを考えながら、自分で自分に触れていれば、死ぬまでずっと女の子とキスしなくても平気だと思っていたこと。

帽子を左に傾けて被った友人たちが、帽子を右に傾けて被った友人たちを撃つのを見たこと。こういう友人たちが消えていくのを見たときの気持ち。

一年間ミシシッピから離れなければならないと母さんに言われて、ばあちゃんのところに住ませてほしいとばあちゃんに頼んだこと。ばあちゃんの家のポーチに腰掛けて、ぼくらがいないあいだはひとりぼっちで寂しくなると言うばあちゃんの姿を見ていたこと。母さんがぼくをぶつのは、母さんがジャクソンの何かにぶたれているからだとばあちゃんに言われて、母さんを許す気になったこと。

ある朝目を覚まして、ビューラー・ビューフォードの家にいた年上の男たちはみんなどこへ行ったのだろうと思ったこと。たしか二人は学校のすぐそばでドラッグを売って刑務所に入り、ひとりは国外に追放され、レイラはメンフィスのじいちゃんばあちゃんのところに引っ越した。

レイラがジャクソンに戻ってきたときに、彼女と会ったことも思い出した。レイラはジャクソン州立大学のホームカミング・デーでのフットボールの試合を観るために帰ってきた。あの日、ビューラー・ビューフォードの家に置き去りにしたことを怒っているかとレイラに尋ねた。

「あたしもみんなと同じで泳ぎたかっただけ。あんたたちのことなんて、どうでもよかったんだから」レイラがそう言うのを冷静なふりをしながら聞いた。

メリーランドを離れる前に、ぼくは人生で二度目の医者に行った。いい知らせは、ぼくは一八五センチ、九四キロで、ジャクソンを発ったときより五センチ背が伸びて九キロ体重が減っていたこと。悪い知らせは、心臓に雑音があったこと。雑音は非器質性のものだったが、それでも気にかけておいたほうがいいと母さんは心配した。ロヨラ・メリーマウント大学バスケットボール・チームのパワー・フォワード、ハンク・ギャザーズがアリウープを決めた直後に心臓発作を起こして死ぬのをぼくらはテレビで見ていたからだ。

ぼくは〝雑音《マーマー》〟という言葉の響きが好きで、雑音のある細くなった身体で、書くこと、見直すこと、記憶、母さんとの新しい関係とともにミシシッピに戻るのが嬉しかった。

アメリカは暴力的なやつらでいっぱいだ。そいつらは人を苦しめるのは好きなのに、自分が苦しめた相手に苦しいと言われるのはとても嫌がる。

HULK 大男

母さんはばあちゃんの家のソファの端に座ってぼくを怒鳴りつけていて、ぼくは反対の端に座って頬をおさえていた。ミシシッピに戻って一週間もしないうちに、母さんはパトリック・ユーイング・モデルのアディダスの踵《かかと》でぼくの顔をぶん殴った。ぼくが口答えをしたからだ。顔の片側が腫れだしたけれど、ユーイングの踵で顔をぶたれても、なぜかジャクソンを離れる前ほど痛みは感じなかった。ぼくは一八五センチ、九七キロで、母さんよりも二三センチ背が高く、一九キロ以上重たかった。身体の柔らかいところはどんどん硬くなっていて、その硬いところは母さんを傷つけたくなかった。しかし、母さんに傷つけられるのも、もう絶対に嫌だった。

ぼくは友だちの父さんの誰よりも重たくて背が高かったけれど、身体は大きくても、腋《わき》にはうぶ毛しかなく、陰毛もまばら、顔にはまったく毛がなかった。体毛の点ではぼくはまだ子どもだったのに、ラソーン、ドニー・ジー、ジャバリたちはみんな立派な口髭《くちひげ》や顎鬚《あごひげ》を生やしていた。学校が始まる前の週末、母さんは、月曜になったら散髪に連れていってくれると約束した。しかし月曜になると、その週の昼食代か散髪かを選べという。昼食代を選ぶと、母さんは家でとびきりのフェードカットにしてくれると言った。どうして母さんの言うことを真に受けたのかわからない。母さんにはたくさんの才能があったけれど、定規を使って、あるいは使わずに真っすぐな線を引いたり、線からはみ出さないように塗り絵をしたりすることは守備範囲外だった。

多少おかしなフェードカットになるだろうとは思っていたけれど、実際にはミシシッピで見かけたことのある人間のなかで最悪のフェードカットにされた。フェードがフェードしていないだけではない。フェードのどの部分を見ても左右対称になっていなかった。新しい髪型を見て目に涙が溢れてきた。バスルームから出て行けと母さんに言うと、母さんはこのフェードを拒むフェードカットへのぼくの反応を見て涙が出るまで大笑いした。ぼくは扉に鍵をかけて、バークレーやジョーダンみたいに頭を剃り上げたらどうなるだろうと思った。

扉を開けると、母さんは息を呑んで、丸刈り頭だと白人や警官からさらに危ないやつだと思われると言った。

「いいじゃん」そう言ってぼくは扉を閉めて、髪をすべて洗い流した。

シャワーから出たあと、ぼくは毛のない頭と顔を見て、ラモント・サンフォード（一九七二年から一九七七年にかけて放送されたコメディドラマ《サンフォード・アンド・サン》の主人公のひとり）のようなもじゃもじゃの髭ではなく、ラソーンたちのようなちょっとした口髭があったらいいんじゃないかと思った。引き出しを開けて母さんのマスカラを見つけ、上唇のうえの肌に墨を塗りつけた。顔と身体の見た目が一致して、もっと男らしい気分になった。

学校までの車のなかで母さんは、ぼくの丸刈り頭のことばかり話していた。ぼくは新しいにせの髭のことばかり考えていた。鞄を摑んで車から降りようとすると、母さんは言った。「自分の身体に辛抱するのよ、キー。愛してる」

パトリック・ユーイングのアディダスで顔を殴ってきた日の母さんが、このバージョンの母さんだったら良かったのにと思った。


ジャクソンに戻って最初の数ヵ月、ぼくは丸刈り頭の大きな身体でラソーンの家のソファからジャバリの家の二段ベッドの下の段、ドニー・ジーの家のゲスト・ルーム、聖ジョゼフ高校の二軍バスケットボール・チームの練習へと移動して過ごした。ある夜、バスケットボールの試合のあとに、ぽっちゃりした白人の一〇年生がバナナシェイクを買ってあげると声をかけてきた。黒のコンバーティブルに乗り、とろんとした目をした、力強い手の女の子で、名前はアビー・クレアモントといった。二日後、ジャバリのバンの後部座席で、何人の女の子とキスしたことがあるかと尋ねられた。五人ぐらいと嘘をついたら——実際より五人多く答えた——アビー・クレアモントは唇にキスしてきた。数週間後、これまで何回セックスをしたことがあるか尋ねられた。四回半ぐらいと嘘をついたら—実際より四回半多く答えた——アビー・クレアモントは、ドニー・ジーの母さんが仕事に行っているあいだにドニー・ジーの家でセックスしようと言ってきた。

　彼女はぼくのことをよく知らなかったし、ぼくは彼女のことをよく知らなかったけれど、ぼくは残りの人生をアビー・クレアモントと一緒に過ごしたいと思った。年上の男たちの浮気話をたくさん聞いていたけれど、ぼくは浮気に戸惑いを覚えた。年上の男たちもみんな、愛する人とのセックスは気持ち悪さとは真反対、ミーガー《貧しさ》とは真反対の感じがするのを知っているはずだ。実際それは世界でただひとつ、ブラック・アバンダンスに匹敵するほど気持ちいいものだった。好きでもない人とのセックスが、それほど気持ちいいものだとは思えなかった。

「ありがとう」初めてのセックスのあと、ベッドに寝転がっているアビー・クレアモントが言った。「怖がってたでしょう」

「どうしておれが怖がってたってわかるんだ？」ぼくは尋ねた。「おれのリズムがミーガーだったって？　次はもっとうまくできる」

「ぜんぜんそんなことないよ」アビー・クレアモントは大笑いして咳こんだ。「怖がってるってわかったのは、あんたのことを愛してるから。あんたもわたしのこと愛してるってわかるよ。それって怖いことでしょう」

　それまでぼくに触れたほかの女性は、みんなぼくだけに触れられたいわけではなかった。ぼくが望んでいたのは、アビーがぼくにしてくれたのと同じぐらいアビーを幸せな気分にさせることだけだ。ミシシッピで白人の女の子に性的に触れられて愛されることがどういうことか、それを考えはしたけれど、ぼくはミシシッピで母さん、ばあちゃん、レナータ以外の女性に触れられて愛される感覚に夢中になっていた。初めてちゃんとセックスをする相手はレイラだろうとずっと思っていた。もっと大人になって、しっかりした職に就いて、腿のまわりの肉をいまよりずっと落とした後に。

アビー・クレアモントとのことを知ると、ラソーンはぼくを「裏切り者」「ゲス野郎」と呼んだ。「おれらはホーリー・ファミリー出身だぞ」ラソーンは言う。「そんなクソなことするほどバカじゃない。おれらの素性を忘れたのか？」

練習後にラソーンとダべったり、金曜の夜にラソーンとミッドサウス・レスリングを観に行ったりするかわりに、ぼくはアビー・クレアモントと一緒に過ごした。人を愛しセックスしているときの身体の感覚をラソーンに話して、ラソーンの身体もぼくの身体と同じように感じるのか尋ねたかった。ラソーンはシャツを着たままセックスするのか知りたかった。オーガズムの直前と直後にラソーンはどう感じるのだろう？　彼女が車でセックスしたがっていて、でも自分はまずシャワーを浴びたいとき、ラソーンは身体が蒸し蒸ししていて臭うはずだと彼女に言うのだろうか？　おれは裏切り者じゃないし白人の女の子に恋してなんかないとラソーンに言いたかったが、実際に裏切って恋していたのだから、そんなことは言えない。アビー・クレアモントの幌《ほろ》をあけた黒いコンバーティブルに乗ったり、授業の合間に手を繋いだりしていたし、ぼくらが誇りをもって消している母音を彼女の白人の友だちが発音していても、面と向かってその子たちを〝ミーガー〟と呼ばなかったのだから。

学校にはほかにひとりだけ、ぼくに触れてほしいと言ってくれる女の子がいた。友だちのカマラ・ラッキーだ。カマラ・ラッキーはがっしりしていて、身体が大きいわりにすばしっこく、とんでもなく元気で、ぼくより色が黒く、聖ジョゼフの二年生（一一年生）のなかでいちばん機智に富んでいた。ぼくと同じく、カマラ・ラッキーも、車も免許ももっていなくて、三〇キロちょっと離れたカントンに住んでいた。だから、カマラ・ラッキーが手を繋いだり美術室の物置で胸を触ったりするよりも先のことを求めてくるのなら、真剣に計画を練る必要があっただろう。ぼくは女の子に対して何かを計画したり行動を起こしたりするのが恐ろしかった。ぼくの計画に女の子がイエスと言ったら、それはぼくの身体がとても重たいからノーと言うのが怖いのかもしれないと思った。望まないことを誰も自分の身体にしてほしくはなかった。カマラ・ラッキーのほうからキスしてきたら、ぼくは彼女にキスしただろう。カマラ・ラッキーがセックスしようと誘ってきたら、ぼくは喜んで、そしておそるおそるセックスしただろう。カマラ・ラッキーとセックスしたあと、アビー・クレアモントとしたときと同じぐらい自由を感じたり反抗的な気分になったりするかはわからなかったけれど、同じぐらい素敵な気分になるだろうとはわかっていた。カマラ・ラッキーは、三時限に一度こう言ってきた。

「アビー・クレアモント、デカくてずんぐりしたのが大好きなんよ。で、あんたもデカくてずんぐりしてる」アビーの前の彼氏もぼくみたいな太った黒人だった。「あたしもデカくてずんぐりしてる」カマラ・ラッキーは言う。「デカくてずんぐりしてるのは、デカくてずんぐりしてるのと一緒にいなきゃ」

カマラ・ラッキーのジョークに、ぼくは笑いに笑った。

アビー・クレアモントとの関係は秘密にしていた。白人の女の子とセックスしていることを母さんに知られたら殴られるとわかっていたからだ。それに何より、母さんのことを醜いと思う図体のでかい黒人の裏切り者を育てたと母さんに思ってもらいたくなかったからだ。自分がほんとうに裏切り者なのか、はっきりとはわからなかったが、母さんが世界一きれいな女性であることはわかっていた。頭のなかで母さんに説明した。ぼくは、ぼくとセックスしたがる女の子とだけセックスしたくて、アビー・クレアモントはそれに該当する世界で唯一の子なのだと。想像のなかの母さんは、首を振ってぼくをハグした。そして頰にキスをする。ぼくが〝それに該当する〟というちゃんとした言いまわしを使ったからだ。

アビー・クレアモントとはたくさんセックスをしたけれど、セックスについては「どうしてあなたのほうから手を出してこないの？」と「気持ち良かった？」のほかは、お互い何も質問しなかった。ぼくはこういう質問にどう答えればいいのかわからなかった。おかしなことを言ったら、アビー・クレアモントはぼくのことを軟弱だと思って、ぼくとだけセックスをしたいと思わなくなるんじゃないかと不安だった。

金曜と土曜の夜、アビー・クレアモントとその友だちは、聖リチャードの駐車場にたむろして酒を飲む。黒人はぼくだけのこともあった。そういう日には、ぼくはずっと車のなかにいて、ブラック・シープ（ヒップホップ・グループ）の新しいテープを聴きながら、アビーが帰ろうとするか、前後不覚になるほど酔っぱらうまで待った。そんなふうに酔っぱらった夜、アビー・クレアモントはよくセックスしたがった。ぼくはたいていノーと言った。そんなことをしたらいけないと身体が告げていたからだ。一度、自分も触られたい気分でイエスと答えたけれど、彼女に触れることでミーガーだと思われたくはなかった。酔っぱらったアビー・クレアモントとセックスした翌日、いけないことをしたと思っていたら、アビー・クレアモントは、ぼくらがしたことはすべて自分が望んでいたことだと言った。ぼくらがしたことをアビーがどうやって憶えていられたのか、ぼくにはわからなかった。

酔っぱらっているときにセックスすることについて話し合いたいと言うと、アビーは答えた。「信頼してるから。心配しないで。わたしを傷つけたりなんてしないってわかってる。いい人だもん」

バスケットボール・シーズンのほぼ真っ只中に、ぼくはバスケットボールを最優先しているとは思えないようなプレイをしていた。コーチのフィル・シッツラーはガラガラ声の白人男で、学校でいちばん人気のある教師だったが、ぼくの問題は「あの白人女子」にあると思うとドニー・ジーに話していた。

ぼくが話をしに行くと、コーチ・シッツラーは、ちゃんと優先順位をつけ、アビー・クレアモントを追いかけまわすのはやめておけと言った。

「ナッツを追いかけるみたいに、あのませガキを追っかけまわさないほうがお前のためになる。プレイオフが終わるまで待つんだな。そうしたら好きなだけナッツを追っかけまわせばいい」

「ナッツを追っかけまわす」というフレーズは、ぼくらの仲間うちで、恋愛関係ではなくセックスにはまっているやつらのことを話すときに使われる言葉になった。ラソーンはぼくのことを裏切り者だと思っていたけれど、ぼくが「あのニガ、ずっとナッツを追っかけまわしてるぜ」と言うたびに死ぬほど笑った。「ナッツを追っかけまわす」というフレーズをコーチ・シッツラーから盗んだことは黙っていた。

プレイオフで負けた数週間後の一九九一年三月四日、ぼくはオープン・ジム（体育館が開放されて自由に使える時間）のあとにジャバリの家に行った。その夜はアビー・クレアモントが迎えに来て、レッド・ロブスターの駐車場でセックスし、家の通りの端まで送ってもらって、そこから歩いてうちに帰る予定だった。ジャバリの家のテレビでバスケットボールの試合を見ていると、放送が中断されて、白人警官の一団がほかの四人の白人警官を取り囲んでいる映像が流れた。真ん中にいる四人の警官は、太い鎖に繋がれた黒人の男をこれでもかというほど殴っていた。

ぼくとジャバリは、ニュースでこの映像が再生されるのを四回見た。

ぼくらはみんな、警官に手荒な扱いを受けたり、追いかけられたり、銃を向けられたり、侮辱的な言葉で呼ばれたりしたことがあった。みんな警官に母さん、おばさん、ばあちゃんを侮辱されるのを目にしていた。みんな、「若いニガ、酷い目に遭った、茶色いから」（ヒップホップ・グループN.W.A.の〈ファック・ザ・ポリス〉の歌詞）とラップを口ずさみ、警察と警察が守って仕えるものすべてから身を隔てる詩のバリアをつくって、州間高速道路五五号線を走った。でもぼくらは安全な場所にいて、ぼくら黒人の身体をぶちのめす白人警官を見守る白人警官を見守る白人を見ていた。

アビー・クレアモントのクラクションにどきりとした。

「どうしたの?」コンバーティブルに乗ると尋ねられた。

「べつに」ぼくはジャバリの家から取ってきたファニオン（スナック菓子）の小袋にしきりに手を突っこんだ。「幌を開けて、うちまで送ってくれない？」

「どうして？」

「母さんがいつもより早く帰ってこいって。母さん病気でさ。インフルエンザ」

「クソみたいな嘘つきね、キエセ。どうして幌を開けたいのか話してくれる？　ねえ。あと何その臭い」。

ぼくはアビーを見た。そんな見方をしたことは、それまでなかった。

「どうしてそんなふうにわたしを見るのよ。説明して」

「明日何をするかだけ話そうよ」

いつもアビー・クレアモントのコンバーティブルを降りるときには、唇にキスをして舌をたくさん絡めた。その晩は頬にキスして、いつも優しくしてくれてありがとうと言った。アビー・クレアモントは、家での両親の問題について話しだしたけれど、ぼくは母さんが病気だからいまは話せないと言った。

「クソむかつく」ぼくが車を降りるとアビーは吐き捨てた。「今晩は電話してこないでよね。明日も」

家に入ると、母さんはぼくの首をベルトで締め上げた。その日、母さんの友だちでぼくの学校の教師でもあるミズ・アンドリューズから、ぼくが白人の女子と肉体関係をもっているとコーチ・シッツラーが言っていたのを聞いたらしい。母さんがこの〝ニュース〟を聞いたのは、白人警官の一団が鎖に繋がれた黒人男を殺そうとしたのと同じ日だった。のちに警官たちは、その黒人男は「大男《ハルク》みたいな」怪力だったと言い張る。

ぼくはロドニー・キング（一九六五〜二〇一二年。一九九一年三月三日に警察官に停車を指示され、暴行を受けて重傷を負い、そのようすが大きく報じられたことがロサンゼルス暴動のきっかけになった）のことは知らなかったけれど、身をよじって転げまわって走る姿を見て、彼がハルクでないことはわかった。ハルクは哀れみを請うたりしない。ハルクは尻をひっぱたかれて逃げたりしない。ハルクには思い出もなければ、母さんもいない。ハルクにとって黒人と警官はなんだろうと思った。一六歳のアメリカ人はみんな、自分のなかに小さなハルクを抱えているのだろうか。

生まれて初めて、ぼくは誰に何をされても哀れみを請うたりはしないと思った。あるいは受け入れた、と言ったほうがいいのかもしれない。ぼくはいつだって力を取り戻す。ぼくを殺さない限り、誰もぼくの心臓を実際に奪うことはできない。母さん、ばあちゃん、ぼくは、同じハルクを胸に抱えていた。ぼくらはいつだって力を取り戻す。鞭で打たれているうちにぼくは抵抗をやめ、叩かれるにまかせた。叫ばなかった。わめかなかった。ほとんど息もしなかった。言われてもいないのに、自分からシャツを脱いだ。母さんに背中を打たせた。母さんに思いきり叩かれていい気分になったのは、人生でそのときだけだ。

叩かれたあと、ぼくの部屋に母さんが入ってきた。母さんは、誰かを愛することと、誰かに感じさせられるものを愛することは違うのだから、それをよく考えなさいとぼくに諭した。アビー・クレアモントに感じさせられるものが好きなのなら、それがなぜかよく考えなくてはならないと言う。母さんは、あなたは素敵な子よとしきりに口にした。そして、学校には黒人の女の子がたくさんいるのだから、そのうちの誰かの〝ご機嫌を取る〟ほうが安全だと言う。母さんは「フェティッシュ」、「体験」、「異種族混交」といった言葉を使い、アビー・クレアモントの親がぼくらのことで別れそうになっていると言った。アビー・クレアモントはぼくを愛せるほどぼくのことを知らず、彼女が愛しているのは、父親を怒らせる黒人の男と付き合う刺激なのだとも。

母さんの言うことが正しいのか、ぼくにはわからなかった。ただマラカイ・ハンターとのことを考えれば、恋愛について母さんがぼくにアドバイスできる立場にないことはわかっていた。だから、それをそのまま母さんに伝えた。

その夜、母さんはまたぼくの身体をめちゃくちゃに叩いた。ぼくは泣かなかった。腕がくたびれるまで母さんが鞭を振り下ろすのをただ見ていた。

「どうしてしまったの、キー?」母さんは何度も言った。「あなたはもっといい子でしょう。どうしてしまったの?」

ぼくは何も答えなかった。どうしてしまったのかわからなかったからだ。

アビー・クレアモントとは、その学年の終わり近くまでセックスを続けた。ただ母さんには、友だちでいることにしたと嘘をついていた。ある週末、マラカイ・ハンターが母さんをニューオリンズに誘ったとき、ぼくはラソーンの家に泊まると言った。母さんが家を出たあと、あけておいた窓からなかに入って、週末のあいだずっと母さんのベッドでアビー・クレアモントとセックスして過ごした。コンドームは使わなかった。

その日曜の夜、アビー・クレアモントは母さんのベッドの端に座って、家族の鬱《うつ》のサイクルについて話し、それから、ぼくらの関係に対する親からの思ってもみなかった反応のことを語った。ぼくは現実世界の人間が「鬱」という言葉を使うのをそれまで聞いたことがなかった。ぼくが唯一知っていた鬱について語るアーティストは、ラッパーのスカーフェイスだ。ぼくは鬱が何を意味するのかもわからず、それはスカーフェイスが借用した白人の造語で、「めちゃくちゃ悲しい」という意味だと勝手に思い込んでいた。

二人の関係のせいで両方の家族にめちゃくちゃ悲しい思いをさせているから、会うのをやめたほうがいいと思うのかとアビー・クレアモントに尋ねた。

「めちゃくちゃ悲しいなんて話はしてないの」アビーは言った。「鬱のことを話してるんでしょ」

数週間後、寝室で泣いているところを母さんに見つかった。泣いていたのは、アビー・クレアモントがドニー・ジーの従兄《いとこ》と付き合おうとしているのを知ったからだ。ジャクソンでいちばん高く垂直跳びができるやつだった。どうしたのと尋ねられて、ぼくは、母さんと父さんがうまくいくようにもっと努力しなかったから怒っているんだと答えた。

母さんは泣いて謝った。

ぼくはほくそ笑んで、さらに嘘をついた。

バスケットボールをすることと文章を書くこと、アビー・クレアモントとセックスすることを除けば、母さんが感じたくないときに感じたくないことを母さんに感じさせるのが、ぼくにとっては最高に気持ちのいいことだった。もうひとつ、とびきり気持ち良かったのは、アビー・クレアモントとよりを戻したあとに嘘をついてうまく切り抜けたことだ。ぼくは、ドニー・ジーのパーティでほかの女の子たちとキスをしたりセクシーな会話をしたりするだけでセックスしなかった自分を褒めた。

ドニー・ジーは、高校二年生のあいだずっと酒を飲まなかった。バスケットボールの奨学金が欲しかったからだ。ぼくも同じ理由で酒を飲んでいないとドニー・ジーに嘘をついていたが、実は酒を飲まなかったのは、また酔っぱらったら自分や誰かを傷つけるんじゃないかと恐れていたからだ。

ドニー・ジーの家でその年初めて開かれたパーティの前に、ぼくは四〇オンスのセント・アイダスを二本買った。ぼくらはそのモルトリカーの中身を捨てて、空のボトルに安物のアップルジュースを入れた。鼻くそが引っかかっていないかお互いの鼻を確かめて、息が臭くないか確認する。アップル味のナウ・アンド・レイターとチェリー味のナーズ（小粒のキャンディ）を頬ばった。ドニー・ジーの家のドアベルが鳴ってパーティが始まると、ぼくらは家のなかをふらふら歩きまわって、ぼくらから逃げない女の子がいたら、その子たちの耳たぶのすぐ下でジョデシィの歌詞を囁《ささや》いた。

アビー・クレアモントはそのパーティにはいなかった。ぼくとデートしたことで罰を受けていたからだ。

ドニー・ジーのパーティが始まって三時間ぐらい経ったころ、寝室についてきて欲しいとカマラ・ラッキーに声をかけられた。ぼくはファイフの〈シナリオ〉のラップを大声で口ずさみながら、カマラ・ラッキーのあとについて暗い部屋に入った。その部屋は、アニタ・ヒルがクラレンス・トーマスからのセクシャル・ハラスメントを告発したときに、クラレンス・トーマスがハイテク・リンチに遭っていると語るのを（一九九一年にトーマスが最高裁判所判事に指名された際、元部下のヒルがセクシャル・ハラスメントの被害を訴え出たのに対して、トーマスは、自分が責められているのはアフリカ系判事に対するリンチだと反論した）ドニー・ジーとテレビで見ていた部屋だった。クラレンス・トーマスが嘘をついているのはわかっていた。アニタ・ヒルが嘘をつく理由がまったくなかったし、年上の男が、自分が扱われたいように女性を扱うのを見たことがなかった。ぼくが知っている年上の男はみんな、自分がセックスしたい女性をみんな、自分がセックスしたい相手として扱った。クラレンス・トーマスもほかの年上の男たちと同じように卑怯だとぼくは思った。

　カマラ・ラッキーと部屋に入ると、ぼくは見えない髪を褒めて、匂いのしない香水をどこで買ったのか尋ねた。明かりをつける。カマラ・ラッキーはドニー・ジーのベッドの縁に腰かけて、手は掛け布団を摑み、目は窓のほうを見つめていた。どれくらい酔っぱらっているんだろうとぼくは思った。

「あんた、今晩はテオ・ハクスタブル（コメディドラマ《コスビー・ショー》の主人公黒人一家の長男）みたいね」カマラ・ラッキーは口ごもりながらそう言って、立ち上がって明かりを消した。

　ぼくはミシシッピ州ジャクソン出身の汗臭くて丸刈り頭で一八五センチ一〇二キロの黒人男子だった。持っているのは、実は母さんのものだった偽物のジルボーのジーンズ一本と、まともなスウェットシャツは一枚だけだ。見た目、動き、声のどれをとっても、テオ・ハクスタブルからは程遠い。

カマラ・ラッキーにおっぱいを見たいかと尋ねられて、ぼくはその質問を無視した。確実に酔っぱらっていると思ったからだ。そして《コスビー・ショー》のどこが嫌いか話そうとした。クリフの着ているセーター、バカみたいな子どもたち、問題ですらない問題、スムーズ・ジャズ、つくりものの清潔さ、貧困の不在、そういうものが耐えがたかった。コスビー一家が無一文になったり金に困ったりしないことや、コスビーの一家や友だちが、黒人であるにもかかわらず必要なものに困ることがまったくないことも気に食わなかったが、それだけではない。白人の赤ん坊ばかり取り上げる黒人の男性医師と、白人の法律事務所で働く黒人の女性弁護士が、職場の白人のうんざりするような暴力的陰謀や、案の定しつこく下劣に言い寄ってくるクレアの職場の男たちについて、うちに帰ってから文句をぶちまけることが一度もないなんて、SFの世界でしかありえない。ぼくはカマラ・ラッキーに、《コスビー・ショー》で描かれる黒人の暮らしは、実際の黒人の歴史のなかではありえないと話そうとした。それが《コスビー・ショー》にだけ存在するのは、ビル・コスビーが黒人を見る白人の目ばかり気にしているからのように思えた。

ただ、ぼくはこれらのことをそのまま伝えたわけではない。

「ビル・コスビーたちは嘘をつきすぎだ」ぼくが言ったのはそれだけだ。「クソみたいなイカサマだ。白人が見てるからかな?」

「なんでいまだにあんな番組見てるの」カマラ・ラッキーは答えた。「《ディファレント・ワールド》（一九八七年から一九九三年にかけて放送されたコメディドラマ。《コスビー・ショー》のスピンオフ作品）のほうがよっぽどいいのに」

どうしてデニースがもう番組に出ていないのか尋ねようとしたら、カマラ・ラッキーはまたおっぱいを見たくないかと尋ねてきた。

もちろん、ぼくはカマラ・ラッキーのおっぱいを見たかった。あるいは、ぼくがおっぱいを見たがっているとカマラ・ラッキーに思ってもらいたかった。あるいは、カマラ・ラッキーがぼくにおっぱいを見せたがっていることを知りたかった。ぼくが嘘のあくびをして咳払いすると、カマラ・ラッキーは立ち上がって、ナウ・アンド・レイターがまだ残っているかと尋ねた。袋に残っていたのを渡すと、本当に酔っぱらっているのかと尋ねられた。こっちが嘘をつく前に、カマラ・ラッキーは自分も酔っぱらっていないと言った。

カマラ・ラッキーは床に座って背中をぼくの膝に押し当て、これから話すことは誰にも話さないと約束してほしいと言う。

ぼくは約束した。

三〇分後に話し終えると、カマラ・ラッキーは、ドニー・ジーの家の、けば立ったカーペットをほじくっていた指を止めた。

「言ってること、わかる?」最後にカマラ・ラッキーはつぶやいて、ベッドの前に立った。

「ときどき死にたい気持ちになるんだ」

わかると答えたけれど、どうしてそんなことをぼくに話すのかはわからなかった。

「何か言うことある?」そう尋ねられた。「話しなよ。あんたも話していいんだよ、わかってるでしょ?」

小さいときにここから数キロ離れたところで、家にあった箱ワインをがぶ飲みして酔っぱらったことを話したかった。感覚がなくなるまで飲み続けた。うちで唇、乳首、首、腿、ペニス、ヴァギナにされていたことについて、気分を楽にしてくれたからだ。とても恐ろしかった。どうすればいいのかわからなかった。すべて愛のようにも感じられたけれど、やがてそうは感じられなくなった。

それから死にたい気持ちになった。

でも、そういうことは何も話さなかった。話してくれてありがとうと言って、ぼくが酔っぱらったふりをしていたことをほかの女の子たちにばらさなければ、こっちも聞いたことを友だちに話さないと約束した。ぼくらはそこに座ったままで、どちらが先に部屋を出るのだろうと思っていた。

ドニー・ジーのパーティにいた大抵の子たちと同じように、ぼくも母さんや母さんの友だちからいやになるほど言い聞かされていた。危険な地域で黒のパーカーは着ないこと、夜にジョギングはしないこと、人前では両手をよく見えるところに出しておくこと、白人の女性と親密な関係にならないこと、絶対にスピード違反や一時停止違反をしないこと、白人がいるところでは必ずキングズ・イングリッシュで話すこと、学校や人前で白人生徒に後れをとらないこと。何より重要なのは、たとえ何があろうとも、白人はぼくらをやっつけるためになんだってするのだといつも頭に入れておくこと。

ぼくはそれを聞いていた。

「性的暴力」や「暴力的なセックス」や「性的虐待」という言葉を家族や教師や牧師から聞いたことはなかったけれど、ぼくの身体は、性的暴力や暴力的なセックスが警官や白人がぼくらにできる暴力的なことと同じぐらい間違ったことであるのを知っていた。

カマラ・ラッキーから話を聞いた夜、ぼくは入ったときと同じようにドニー・ジーの部屋を出た。ファイフの〈シナリオ〉を大声で口ずさみながら、片手にフォーティーのボトルを持ち、もう片方の手で金玉をおさえていた。カマラ・ラッキーはぼくを見て、目をぐるりとまわして首を横に振り、左に曲がって廊下を進んだ。

ぼくは右に曲がった。

カマラ・ラッキーとセックスしたのかとドニー・ジーに訊かれて、にやりと笑って答えた。

「バカ、どう思う?」

ぼくは自分に満足していた。厳密にはドニー・ジーに嘘はついていないし、厳密にはカマラ・ラッキーには触れていない。だから厳密には、キスしたことのあるただひとりの女の子、アビー・クレアモントを裏切ってもいなかった。

カマラ・ラッキーに秘密を打ち明けられた夜、ぼくはこの世のどの女子や女性も性的に傷つけたり性的に虐待したりしないと誓った。そう誓ったことで、アビー・クレアモントや、ぼくとセックスをしたがるほかの女の子たちに嘘をつくのを自分に許した。ぼくは一六歳だった。すでにハルクよりもはるかに暴力的な何かになっていた。嘘つきで、ペテン師で、誤魔化し屋だった。太ったハッピーサッドの丸刈り頭の黒人男子で、心臓に雑音があった。そして、ぼくが毎日嘘をついていた母さんと白人の女の子に言わせると、ぼくはいいやつだった。

GUMPTION 勇気

高校最後の年の終わり近くに、母さんと一緒に母さんの恩師、マーガレット・ウォーカー（一九一五〜一九九八年。小説家、詩人。ジャクソン州立大学で教えた）の家に行った。ぼくは一八五センチ、一〇四キロだった。ラソーンと一緒にジャクソンで電話帳を配達したあとだったので、ポケットには二〇八ドル入っていた。金持ちの気分だった。

母さんはその前の数年間、ミズ・ウォーカーを手伝って、アーロン・ヘンリー（一九二二〜一九九七年、公民権運動の指導者、政治家）のぶ厚い伝記のためのノートを整理していた。母さんとミズ・ウォーカーは、ミシシッピでカーク・フォーディス（一九三四〜二〇〇四年。一九九二年から二〇〇〇年までミシシッピ州知事を務めた）の当選を呼んだ政治の揺り戻しについて語っていた。カーク・フォーディスは反動的な共和党員で、数カ月前にメイバス知事を相手に勝利を収めていた。ミズ・ウォーカーの家には、ジャクソンでぼくが見たことのある家のなかで唯一、うちよりもたくさん本とフォルダとアフリカの仮面とアフリカのローションがあった。神経質そうで次に何をしたらいいかわからない様子のミズ・ウォーカーの仕草がぼくはとても好きだった。キャビネットを覗いて、おそらくたくさんあるフォルダのひとつを探しながら、ミズ・ウォーカーはこちらに目も向けずに言った。

「あなたがマリーの息子、偉大なミリアム・マケバにちなんで名づけられた青年作家ね」

「作家なんかじゃないです」ぼくは答えた。「学校新聞に論説を書いてるだけです。ミドルネームがマケバで、ファーストネームはキエセです」

「わたしたち黒人の文章を自分のものにしなさい、キエセ・マケバ」マーガレット・ウォーカーは言った。「あなたの勇気はどこにあるの？　あなたの名前を自分のものにしなさい。あなたはミシシッピ生まれの一七歳の黒人の子なのよ。聞いてる？」

聞いてはいたけれど、何を言われているのかはよくわからなかった。

ミズ・ウォーカーは母さんよりさらに話し方に厳しかったけれど、ばあちゃんほど滑らかには話さなかった。ミズ・ウォーカーは、ぼくら黒人のコミュニケーションと闘いを大切にしなさいと言った。ぼくらのコミュニケーションは、同胞から手渡されてきた最強の贈り物だという。ぼくらが読み書きする一つひとつの単語、描く一つひとつの絵、踏み出す一つひとつの歩みが、同胞のためにならなければいけないのだと。

「ほかに気を取られていたらだめ。集中するのよ。あいつらはあなたの気を逸らそうとするの。あなたを殺そうとする。あいつらが何より得意なのがそれだからね。気を逸らして殺す。だからあなたは同胞のために、同胞に向けて書くの。ほかに気を取られていたらだめよ」

わかりましたと答えたけれど、それは嘘だった。ミズ・ウォーカーの詩「同胞のために」

(For My People) を読んでとても気に入ったと伝えたけれど、それも嘘だ。

「大学は決めたの？　お母さんから聞いたんだけど、ジャクソン州立大学には行きたくないんですって？　お母さんにあれこれ口出しされたくないからって」

「ミルサップス大学に行くかもしれません。バスケットボールで声をかけられてて」

「あらあら」ミズ・ウォーカーは言った。「わたしは革命の話をしているのに、この子はミルサップスでバスケをするなんて言っているのよ」

ミズ・ウォーカーは本棚の前の床に置かれた一冊の本の前に歩いていき、それをぼくに手渡した。表紙の半分はグラデーションになったピンク色で、女性の横顔がタイトル『雨の日の綿菓子』(*Cotton Candy on a Rainy Day*)（ニッキ・ジョヴァンニの詩集。一九七八年刊）のほうを向いている。

「ミルサップスに行くんなら、ニッキがたっぷり必要になるからね」

うちに帰る車のなかで、ぼくは『雨の日の綿菓子』を初めから終わりまで読んだ。自分の部屋に入ったあと、もう一度読み返した。気に入ったのは次の部分だ。

わたしには画家と同じ望みがある
三次元の像を
一次元の面に置くという望み。

ぼくはミズ・ウォーカーから聞いて憶えていたことをその本の最後のページに書いて、何度も次のくだりを読み返した。「あいつらはあなたの気を逸らそうとするの。あなたを殺そうとする」「ほかに気を取られていたらだめ。集中するのよ」「同胞のために、同胞に向けて書くの」

このくだりがとても気に入ったけれど、誰かに「向けて書く」ことと、誰かの「ために書く」ことの違いが、ぼくにはわからなかった。同胞に向けて同胞のために書く方法を誰も教えてはくれなかった。フォークナーの真似をする方法や、教師に向けて教師のために書く方法を教えてくれるだけだった。それに教師はみんな白人だった。母さんに向けて書くときには、書くものが母さんにぶたれない程度の出来であることを願いながら書いた。

本棚の前に行って、「同胞のために」を見つけた。最後の連《スタンザ》の最後の言葉に、ぼくは魅了されて混乱した。マーガレット・ウォーカーはこう書いていた。

人類《メン》のひとつの種《しゅ》が、いま立ち上がって支配を握らんことを。

ぼくは「闘いの歌」を書きたかったが（「同胞のために」のこの直前部分に「闘いの歌が書かれんことを」とある）、「人類《メン》のひとつの種」がどんなものかわからなかったし、どうしてマーガレット・ウォーカーが男の一団が立ち上がって支配を握ることを願ってこの詩を結んでいるのかもわからなかった。「同胞のために」を書いたのは男の集団ではない。男の集団に、同胞に向けて同胞のために書けと言われたことなどなかった。ぼくが知る男の集団のほとんどは、女や女の子をぼろぼろにしてばかりいた。女や女の子は、男たちをぼろぼろにしないようになんでもしたのに。もし男の一団が立ち上がって支配を握ったら、その男たちが怒りをぶつけてきたときに母さんやマーガレット・ウォーカーはどこにいればいいのだろう。ぼくにはわからなかった。

翌日の一九九二年四月二九日、ロドニー・キング事件の評決の日、母さんはぼくを膝に抱いて、二時間ずっと身体を揺らしていた。ぼくらはロサンゼルスが燃えあがるのを見ていて、テレビは、ロサンゼルスの交差点でトラックから白人の男が引きずり出され、黒人や褐色の肌の男たちに殴られるのを映していた。

「あいつらが見せないようにしていることを見ておくのよ」母さんは言った。「今晩、白人が何を感じているか、それについてエッセイを書きなさい。あいつらはわたしたちのことを責めているの」

ぼくは、何を言っているんだろうという顔で母さんを見た。白人が感じていることなど、これっぽっちも興味がなかったからだ。ぼくは一七年しか生きていなかったけれど、にせの笑顔をつくり、優秀さをでっち上げることで白人の歓心を買うことにすでにうんざりしていた。しかも白人はそんなことはちっとも気にとめていなかった。ぼくらに何かしたり、ぼくらから何か盗んだりしたことで、白人が捕まったり罰を受けたりするのは一度も聞いたことがない。白人の警官でも、白人の教師でも、白人の生徒でも、白人のそのへんのやつでも同じだ。ぼくは白人に盗まないように教える気はなかった。敬意をもってぼくらを扱うように教える気もなかった。正々堂々と白人と戦って打ち負かしたかった。そして何より、もう二度と、絶対に負けたくなかった。

負けないためには、盗まれたものをひとつ残らず取り返すしかない。盗まれた金、安全、教育、健康な生きかた、やり直しのチャンス、それを全部ほしかった。本来ぼくらがもっているべきものを手に入れるには、捕まらないようにすべてを取り返さなければならない。この世の創造物のなかで白人ほど、たったひとりの黒人による真偽の怪しい犯罪によって黒人全体を罰するのがうまいやつらはいないからだ。白人は、貧しい黒人たちをさらに苦しめる新手法を編み出す天才だ。子どものころからぼくは、ぼくらにはずば抜けた忍耐力があると言い聞かされていた。やつらにどれだけ奪われても生き残る力があると言われていた。ただ、生き残る力がどうしてぼくらのずば抜けた力なのか、ぼくには理解できなかった。白人は、あまりにも多くの黒人を生き残れないようにしていたからだ。それに、生き残ったぼくらはあまりにも自分自身を歪めていて、壊れてしまうよりほかにないように感じられた。

その夜、母さんがようやくいびきをかきだすと、ぼくはキッチンに忍びこんでガレージをあけた。母さんのオールズモビルの車内に入ってギアをニュートラルに入れ、車を押してうちの敷地から道路に出す。遠くまで行ったわけではない。一・六キロほど先のスーパーに行っただけだ。駐車場に車を停め、パンを運ぶトラックが停まるのを待った。運転手が店に入ったのを見はからって、ぼくは車から出て小麦パン、白パン、ハンバーガーのバンズ、シナモンロールをひっつかめるだけひっつかんで車に戻った。スーパーから猛スピードで離れ、ロス・バーネット貯水池を見おろす駐車場に向かう。その夜ぼくは、悪寒がして吐くまでシナモンロール、ハンバーガーのバンズ、白パンを食べた。

翌朝、バターを塗った小麦パンをベッドの母さんに朝食として持っていった。母さんはぼくの首をハグして、ありがとうと言った。闘いに勝つんだと母さんは言う。

そのパンがどこから来たのかは尋ねられなかった。

その一週間後、ぼくはコーチ・シッツラーが教える高校三年生（一二年生）の文学の授業を受けていた。五週連続で『永遠の王』（T・H・ホワイト『永遠の王――アーサーの書』上下巻、森下弓子訳、創元推理文庫、原書は一九五八年刊行）について話し合うことになっていた。ぼくはもう『永遠の王』について話し合いたくなどなかったので、『雨の日の綿菓子』を引っぱり出してきた。ぼくがそれを読んでいるのを見て、コーチ・シッツラーは言った。

「そのブラック・パワーのガラクタはしまっとけ、キエセ。授業に集中しろ」

ぼくは拳を膝の上に置いて、小さすぎる木の机の前に座っていた。左にはラソーン、右にはジャバリがいて、ぼくはコーチ・シッツラーに聞こえるように声に出してニッキ・ジョヴァンニの詩の連《スタンザ》を繰り返し読みはじめた。

「あそこにいるデカいマルコムXを見ろ」コーチ・シッツラーが言った。ラソーンやほかのみんなは死ぬほど笑っている。

「キエセX、それがお前の新しい名前か？　まあなんだな、キエセX、今晩アビー・クレアモントYに会うとき、それをちゃんと読んでやれ」

「うわっ、マジかよ」ラソーンが声を上げた。「そんなこと言うのはやべえだろ」

コーチ・シッツラーは、ぼくが腹を立てているのに気づいた。そして、嘘ではなく自分もその詩が大好きだと言って、学年最後に提出する小論文にそれを使ったらどうかと勧めてきた。特に最後の部分が好きだという。

ぼくはそれを信じた。

ぼくは、コーチ・シッツラーの文学クラスの最終小論文に、ニッキ・ジョヴァンニの本とアサタ・シャクール（一九四七年生まれ。黒人解放軍の中心メンバーで、一九七七年に殺人罪で終身刑判決を受けたが、二年後に脱走する）の著作を使うことにした。コーチ・シッツラーはコメントを書くのが大嫌いだった。クラスで学んだ文学作品と文学的修辞技法、自分で読んだ本を使ってぼくらが最終小論文を書くと、コーチ・シッツラーはコメントを録音してぼくらにくれた。コメントをカセットテープに吹きこみ、卒業間近にそれをくれたのだ。小論文の返却がとても遅かったので、コメントはいつもより甘いはずだとぼくは思った。自分の小論文に満足していたわけではない。メルヴィルの『白鯨』のことなんて書きたくなかったからだ。ただ、最後から二つ目の段落は、コーチ・シッツラーに出した文章のなかでいちばんの出来だと思っていた。『白鯨』にそれとなく触れていたし、頭韻を踏んでいたし、国のことを批評してもいた。マーガレット・ウォーカーに言われたように、ぼくはその段落を同胞のために書こうとした。ただ、成績をつけるのはコーチ・シッツラーなので、コーチ・シッツラーに向けて書かなければならなかった。

「疲弊して船酔いした船乗りが舵をとる難破船も、母港に導かれていくことはできる」というアサタ・シャクールには同意するが、まず一部のアメリカ人が自分たちの責任を認めて、この国の海の無尽の無慈悲さをしずめるために動かなければ、疲弊して船酔いしたアメリカの船乗りとその家族が健康で尊厳ある暮らしを送るチャンスはまったくない。

テープをうちに持って帰り、ラソーンからダビングしてもらったテープと同じように、ベッド脇の小さなラジカセに入れた。

「キエセ・レイ＝ムーン」テープが始まる。アビー・クレアモントと付き合っていることを知ってから、コーチ・シッツラーはぼくの名前を、自分が金を払って庭の草を刈らせているどこかのだらしないフランス人男の名前のように発音していた。

「キエセ」コーチ・シッツラーはもう一度言う。「まず言っておきたい。大学でバスケをやりたいんなら、体重に気をつけなきゃいけない。あとちょっとで一一〇キロじゃないか、そんな体重じゃディヴィジョン3でもプレイできないぞ。お前は次のレベルではパワー・フォワードじゃなくてシューティング・ガードだ。この小論文の問題点は、論理の破綻にある」

ページをめくる音が聞こえる。

「三ページ目に論理の破綻。四ページ目に論理の破綻。この小論文は論理の破綻だらけだ。議論を展開する力は垣間見られるが、論理の破綻でそれが台無しになっている。学校新聞の論説を書くときみたいに、授業の小論文も母さんに手伝ってもらったほうがいいんじゃないか」

コーチ・シッツラーはすべては冒険だと思っていて、黒人男子は自分が育てたヒーロー候補だと考えていた。黒人と白人の女子は、お気に入りか、乙女か、お天道さまに見離されたやつだとみなしていた。ぼくはコーチ・シッツラーに、単語、段落、句読点で闘うミシシッピの若き黒人ヒーローだと思われたかった。ぼくの文章にはミシシッピで、あるいはジャクソンで、少なくともぼくらの高校で最高レベルのものになる力があると言われたかった。

　コーチ・シッツラーのテープを聞いた夜、母さんは何度もぼくの部屋に来て、どうして泣いているのか尋ねた。わからないとぼくは答えた。

「嘘をついているでしょう、キー。本当のことを話しなさい」

　ぼくは目をぐるりとまわして、小論文を母さんに渡してテープを再生した。

「なんてやつなの」コーチ・シッツラーのコメントを一分間聞いたあと、母さんは言った。

「いい？　あいつらの戯言《たわごと》を自分のなかに取りこんじゃダメ。明日学校に行って、あいつのケツに思いっきり蹴りを入れてやるわ」

　ぼくは母さんに、学校に乗り込んできて気まずい思いをさせないように約束させた。母さんは約束すると言ってぼくの隣に腰かけ、涙で染みがついた小論文を手に取って音読した。そして小論文のうまく書けている部分とそうでない部分を説明して、言葉の選択、テンポ、母さんが政治的象徴性と呼ぶものについて質問してきた。この小論文で何を本当に言おうとしていたのかと尋ねて、それをそのまま最初に書いたらどうかと勧めた。そして、小論文の残りの部分は、ぼくがまだ知らないことや感じていないことを発見するのに使うように促した。

「純粋な好奇心に根差したいい問いを立てることのほうが、決まり文句《クリーシェ》や無理やりのメタファーよりずっと大切なのよ」

その夜のうちに、母さんの手を借りて小論文を満足いくものに書き直した。コーチ・シッツラーはすでに〝C〟の評価をつけていたけれど。その日、初めてわかった。コーチ・シッツラーも、ぼくが知るたいていの黒人の大人の男と同じで、人の頭に火をつけておいて、自分だけがその炎を鎮められる人間であるかのように振る舞おうとする。コーチ・シッツラーは、厳しい愛をぼくらがありがたがって受け取るのを望んでいたけれど、実際にはもっと痛めつけられるのにそうしないことをぼくら生徒たちに感謝させようとしていただけだ。

「あいつらの口汚いでたらめを自分の中に取り込んだら、頭がおかしくなってしまうんだからね、キー」母さんはそう言って、自分の寝室に向かった。「あなたのことを愛しているから、傷つくのを見るのが嫌なの」

ぼくは母さんの言うことを信じた。

次の日、コーチ・シッツラーに説明を求めると、話すべきことはすべてテープに入っていると言われた。ぼくはテープの話は理解できなかったと答え、小論文を書いたら母さんに読んでもらうけれど、代わりに書いてもらったことは一度もないと反論した。

「母さんは教師だけど、母さんに小論文を書いてもらうことはないです」

「やろうって気満々みたいだな」コーチ・シッツラーはクラスのみんなの前で言った。

その大胆さにぼくは驚いた。コーチ・シッツラーは机の後ろから一歩踏みだす。

「大人みたいにおれに飛びかかってくる気なら、大人みたいに頭のてっぺんをぶちのめされても怒るなよ」

ぼくは左右の拳を握りしめた。

肩と肩が触れあうところまでコーチ・シッツラーが近づいてきたとき、ぼくは何も言わなかった。向こうの肩に体重のほとんどを預けながら、一発くらってコーチ・シッツラーの胸に摑みかかれるよう神に祈った。

コーチ・シッツラーは身をひいて、机の後ろに戻った。

「お前の問題がどこにあるか、わかるか?」こちらを指差しながら、コーチ・シッツラーは言った。「傲慢さとそのバカみたいな理屈っぽさに加えてだ、お前の問題はな、キエセ・レイ＝ムーン、家に父親がいないことだ」

その日、ミズ・アンドリューズとラソーン、さらに二人の教師が、ぼくをコーチ・シッツラーから引きはがさなければならなかった。母さんのことを言われたのが原因だ。何を言われたのか、母さんには話さなかった。話したら今度はぼくが母さんをコーチ・シッツラーから引きはがす羽目になるとわかっていたからだ。

コーチ・シッツラーの文学の授業で、結局ぼくは〝D〟の成績をつけられた。落第しないギリギリの成績だ。ありがたいことに、高校ではミシシッピ学生出版物協会から賞をいくつかもらい、バスケットボール選手として声をかけられ、大学入学学力テスト（ACT）でもいい成績を取ったので、ミルサップス大学に入学できた。

でもGPA（四点満点で示される成績の平均値）は酷かった。

卒業を二週後に控えた頃、ぼくは高校の新聞にエッセイを書き、聖ジョゼフの卒業生はほとんどが黒人なのだから、卒業式でのスピーチには、反動的な共和党州知事カーク・フォーディスよりずっとふさわしい人間がいるはずだと論じた。それでもフォーディス知事が招かれたので、ぼくは卒業式には出ないとラソーンと母さんと教師たちに告げた。誰も信じなかった。

実際、卒業式には行かなかった。

それまでに書いた文章と同じぐらい、その決断によってぼくは作家になった。卒業式に行かなかったからではない。卒業式の前夜に、卒業式に行きたくない理由を母さんにすべて書かされたからだ。正直なところ、クラスの下から五番目の成績で卒業するのが恥ずかしくてたまらなかった。自分自身と母さんに反発するのをやめて勉強に専念していたら、やすやすとトップ近くにいけたのだ。

友だちと親類はみんな、ぼくの背中を叩いて卒業式に行かなかったのは勇気があると言ってくれたけれど、母さんとばあちゃんだけは違った。ラソーンやほかのクラスメイトがカーク・フォーディス知事とコーチ・シッツラーの目の前でステージを歩いているとき、ぼくはばあちゃんの家のダイニングルームに母さんとばあちゃんと腰かけて、二皿目のマカロニ・アンド・チーズを食べていた。

三皿目を取ろうと手を伸ばしたとき、母さんはばあちゃんに、この子はもう十分食べたと言った。

「まだ食べたいのに、どうしてもう十分だなんて母さんにわかるんだ？」

「テーブルから離れなさい」母さんが言う。「外に出て頭を冷やしてきなさい」

ぼくは目をぐるりとまわして歯の隙間から息を吸いこみ、ばあちゃんの家のポーチに出た。

「ほんとのことを知りたいかい？」ポーチにばあちゃんと二人で座っていると、ばあちゃんが口を開いた。「あんだけケツを鞭でぶってきて、養育費も送ってこないんだ。お前はステージを歩くのを父さんや母さんが見て嬉しがるのが嫌なんだろ。あたしは、そのことでお前を責めたりなんてしないさ、キー。でも問題はね、お前らがおれを傷つけてるんだって相手に知らせようとすることで、自分自身を傷つけてるってことだ。神さまが五感を与えてくださってるのには、ちゃんと理由があるんだ。わかるかい？　それを使いな。よそ見をするのはやめるんだね。自分の足を掬《すく》うのはやめるんだ。お前がわざわざ手を貸さなくたって、あたしたちを叩きのめそうとしてるやつらはいっぱいいるんだからね。母さんなんて、お前にとってはちっぽけな問題さ。学校の先生たちにありがとうぐらいは言ったのかい？」

ぼくはそこに腰かけたまま、一年生から一二年生までの教師を全員思い浮かべた。聖リチャードでの一年とデマッサでの一年のほかは、ずっとほとんどが黒人の学校にいた。それなのに、黒人の教師は四年生のときの担任ミズ・アーノルドだけだった。ホーリー・ファミリーで六年生と七年生のときに教わったミズ・ラファエルはぼくらのことをとても愛してくれたので、ラソーンとぼくはうっかり「ママ」と呼んでしまったことがある。ほかの教師もおそらく最善を尽くしてくれたのだろうが、その最善をもっと良くするためにかなりの手助けが必要だった。ぼくらに足りないものは教室にも、街にも、州にも、国にもたくさんあって、教師がやるべきことをやっていればそれを提供できたはずだ。教師たちがこんな言葉を使うのは一度も聞いたことがなかった。「経済的不平等」「住宅差別」「性的暴力」「大量投獄」「同性愛嫌悪」「帝国」「集団立ち退き」「心的外傷後ストレス障害」「白人優越主義」「家父長制」「ネオ・コンフェデラシー」（南北戦争の前に合衆国を脱退した南部諸州がつくった「アメリカ連合国」を評価する白人による反動的な動き）「メンタルヘルス」「親による虐待」。学校の生徒と教師はみんな、このような言葉に形づくられた世界に生きていた。

ぼくは教師みんなのことが大好きで、教師みんなにもぼくらのことを大好きでいてほしかった。教師が仕事にふさわしい給料をもらっていないのはわかっている。始める準備や、やり遂げる準備ができていない仕事をすることを求められているのもわかっている。それでもぼくは、ぼくらがたくさんの時間をかけて教師にぼくらの経験を尊重するよう教えているのに、教師はぼくらを罰するのにたくさん時間をかけているように感じた。ぼくらは自分たちにはこう扱われる権利があると教師に教えることで罰せられた。

その夏、アラバマ大学に発つ前のラソーンに会った。ぼくらはその後も友だち付き合いを続けたが、ぼくがアビー・クレアモントと付き合うようになってからは、互いに構うのをやめていた。ラソーンはフリークニク（アトランタで年に一度ひらかれる黒人学生中心のイベント）でトラブルに巻きこまれたらしく、マラカイ・ハンターに弁護士を紹介してもらって、学校にばれる前に始末をつけたいと言う。ぼくは、マラカイ・ハンターとはもうまったく話していなくて、仮に話したとしても、マラカイ・ハンター自身が何か法律の問題を抱えているんじゃないかと答えた。

「おれたちのなかで警察に捕まってないのはお前だけだ」ラソーンは言った。「それにお前は、おれたちのなかでいちばんクレイジーだし」

「おれはクレイジーじゃないよ。そんなのじゃない」

「兄弟《ブラ》」ラソーンは言って、まばたきもせずにぼくを見た。「何言ってんだ、ブラ。クレイジーじゃない、そんなのじゃないって？　おれがお前のこと知らないとでも思ってんのか？　四年生のときから、お前ほどたくさん学校から追い出されたやつがほかにいるか？　向こうの母さんが厳しいってわかっていながら、白人の女子とヤってたのは誰だ？　白人の目の前でひるまずにホントのことを言ってたのは誰だ？　マジックがＨＩＶにかかったあと（マジックことアーヴィン・ジョンソンは一九五九年生まれのバスケットボール選手。ＨＩＶ感染を理由に一九九一年に引退した）、コンドームなしでヤることについてバスでみんなにスピーチしたのは誰だ？　一二歳のときから、警官に向かってまるで相手が警官じゃないみたいにくだらないことを言ってたのは誰だ？　おれの知り合いのなかで、いつでもどこでもなんでも、やったり言ったりするのはお前だけだ。誓ってもいい、おれの知り合いのなかで、怖いはずのことを何も怖がらないのはお前だけだ。ただこのニガ、こんだけ勇気があるのに、どういうわけか捕まらねえんだよな」

「まだ捕まってないな」

「いまも酒を飲んだりハッパを吸ったりしてないのか？」

「まだしてない」

「まだしてない？」ラソーンはぼくの口調を真似て茶化した。「まだ吸ってないんなら、これから吸うこともないな。いつも母さんにケツをぶっ叩かれてるからか？」

ぼくはラソーンと拳をぶつけ合ってハグした。

「いや。母さんにケツをぶっ叩かれてるからじゃない。誰にだって何かしら怖いものはあるもんだ」

「ただの冗談だ」ラソーンは言った。「すぐ気にすんなって。ジャクソンに残ってあの白人野郎たちの私大に行くなんて、信じらんねえな。八年のときに行った白人の学校がどんだけミーガーだったか忘れたのか？」

「大好きだぜ、ブラ」ぼくは初めてラソーンに言った。「工学部に行っても仲間たちのことは忘れるなよ」

「おれも大好きだぜ、ブラ。あの白人私大から追い出されるときにも、仲間たちのことは忘れるなよ」

「誰も大学から追い出されたりなんてしない」ぼくはラソーンに言った。「いまもやっぱりあのブラック・アバンダンス、だろ？」

「きまってるだろ」ラソーンは言った。

「一日中。毎日。やつらはやっぱりわかってない」

III. HOME WORKED.

ホーム・ワークト

FANTASTIC　ファンタスティック

母さんは運転席でメアリー・J・ブライジの〈リアル・ラヴ〉をおかしな歌詞で歌っていて、ぼくは助手席で母さんがもっと速く車を走らせてくれればいいのにと思っていた。ぼくらは空港に向かっていた。母さんは、また別の博士研究員のポストを得た。今度はハーヴァード大学で丸一年だ。ぼくは一八歳、一一〇キロで、一七五ドル持っていた。

「いつもそのおかしな歌詞で歌ってんの？」ぼくは尋ねた。

「ときどきね」

そのあとは、出発ゲートに着くまで一言も話さなかった。

「こうして離れて暮らす時間が必要だと思うの」母さんは言った。「あなたのすることに口出しできないとわかっていたら、たぶん心配することも減るし」

「たぶんね」

「わかってる」母さんは言った。「わかってるの」

ぼくは、家の本を学生寮に持っていっていいか尋ねた。母さんは背伸びをしてぼくの首を抱き寄せ、頭のてっぺんにキスをした。ぼくは身体を引き離した。

「本があなたを守ってくれるかも。好きなだけ持っていきなさい。あと怒っても喧嘩したらだめよ。怒ったときは考えなさい。怒ったときは書きなさい。怒ったときは読みなさい。わたしがいないあいだに、あいつらに不意撃ちを喰らわないようにするのよ」

ぼくは目をぐるりとまわして、歯の隙間から思いっきり息を吸いこみながら、母さんが搭乗者の列の終わりに向かって歩いて行くのを見ていた。

「いい子でいるだけじゃだめよ」ぼくらを隔てる空間の向こうから母さんは言った。「完璧でいなさい。〝ファンタスティック〟でいなさい」

母さんは笑った。ぼくも笑う。

母さんは手を振った。ぼくも手を振る。

母さんは嘘のあくびをした。ぼくも嘘のあくびをする。

母さんは姿を消した。ぼくは自由になった。

母さんには、ボストンで仕事をやり遂げてもらいたかった。健全で前向きな愛とかなんとか、アダルト・コンテンポラリー・ミュージックのラジオでかかる曲で歌われているものをようやく見つけてもらいたかった。それに、ぼくがいるあいだはミシシッピに帰ってこないでほしかった。

ミルサップスには戻らずに、ぼくは大競技場《コロシアム》の向かい、ダンキンドーナツのすぐ隣にあるワッフル・ハウスに行って、メニュー左側の食べ放題スペシャルを注文した。自分で車を運転してレストランに行ったのは、そのときが初めてだ。ひとりで席に座って、ワッフル、オムレツ、ハッシュ・ブラウン、チーズ・グリッツ、パティ・メルト、さらにもう一枚、ピーカンが載ったワッフルを頼むと、大人になった気持ちがした。すっかりたいらげて隣の店に入り、ダンキンドーナツでドーナツを一ダース注文した。てかてかになった顔が人にどう見られるか、そんなことは考えもしなかったし気にもならなかった。

とても自由だと感じた。

次の日、一年生と二年生の黒人男子全員がクリントン・メイズの部屋に集まった。全員がしらふだった金曜の夜、みんな互いのことが好きになった。ほぼ全員が酔っぱらっていた土曜の夜、みんな互いのことが大好きになった。

ぼくは七年間、酒を一滴も飲んでいなかった。自分やほかの誰かを撃つかもしれないと恐れていたからだ。でも、たくさん笑って、頷いて、話を聞いて、大きな赤い目をゆっくりしばたたいて、八分ごとに「そりゃおもしろいな」と口にした。そのおかげで、それにぼくがジャクソン出身というだけで、みんなぼくが酔っぱらってハイになっていると思っていた。

その週末、「おれたちは成功するぞ」というセンテンスを最低でも三四回は聞いた。このセンテンスのあとには、抱き合ったり、「きまってんだろ」と答えたり、部屋をうろつきまわっていたマイルズという首の長い先輩にペパーミント菓子をもらったりした。

その週末、ぼくも「きまってんだろ」と「成功するぞ」という言葉を口にするようになったが、ぼくらが成功できないはずがないと思っていた。ぼくらのほとんどは、ミシシッピで無事に高校時代を乗り切った。ミルサップスでは本を読むだけだ。小論文を書くだけだ。テストを受けるだけだ。まわりの学生は白人ばかりで、ぼくらはみんなミシシッピ人で黒人で豊《アバンダント》かだった。つまりぼくらは、ファニー・ルー・ヘイマー、アイダ・B・ウェルズ（一八六二～一九三一年。セクシズム、レイシズム、暴力と闘ったジャーナリスト、活動家、研究者）、メドガー・エヴァース（一九二五～一九六三年。公民権運動活動家）の親類だった。ぼくらは白人の学生、職員、教員よりも機智に富んでいて強くて想像力豊かだ、ぼくはそう思っていた。そうでないことなどありえなかった。

ぼくは、ミネソタ州ウィノナ出身のレイ・ガンというばかでかい先輩に、ストークリー・カーマイケル（一九四一～一九九八年。差別撤廃闘争の指導者で「ブラック・パワー」の唱道者。のちにクワメ・ツレと改名）の海賊版みたいな見た目だと話しかけた。

「クワメ・ツレのじいさん、若いときはおれみたいだったってことか」ガンは答えた。

ぼくはガンに言った。ミルサップスの教師たちは、教室のなかでも外でも、できることをなんでもしてくれるはずだ。そして、ぼくらがただ〝成功する〟よりはるかにすごいことを成し遂げられるようにしてくれるはずだと。レイ・ガンは、ぼくを見てまばたきしただけだった。ぼくらは、初めて会ったその日にすぐ仲良くなった。ガンはあけすけで、気の利いたスラングを発明するのが大好きだったからだ。

「ミルサップスの教師たち」ガンは言う。「やつらは、教室を出たら、おれたちみたいなバカな〝ブラック・ブラスター〟のことなんて、これっぽっちも気にかけやしない。お前は特別じゃない。おれも特別じゃない。やつらにとってはな。特別すぎる存在になるとしたら、それは黒人の例外だと思われたときだ。そのうちわかる。鏡の前で〝ファンタスティック〟とか言う練習をしとくんだな。ミルサップスは、バカなブラスターに、自分がなりたかったものがなんだったのかを忘れさせる大学として有名だ」

ミルサップスには黒人男子はあまりいなかったが、そのほぼ全員がフットボールかバスケットボールの選手としてミシシッピから集められたやつだった。レイ・ガンが言うには、クラスの黒人のほとんどは、選手としてプレイできなくなると実家に帰ったりどこかに働きに行ったりして、卒業することはなかった。

「それと、あのクソみたいな口頭試問と筆記試験のせいで、卒業に向かうおれたちの流れが堰《せ》き止められる。流れが堰き止められんだ。お前なんかが思ってるよりずっと早く、バカなブラスターたちは減ってく」

最初の週末に会った黒人の女の子たちは、スポーツ推薦で入ってきたわけではなかったが、ぼくらと同じでその子たちも、たくさんの金持ちの白人に囲まれるのは初めてだった。ほとんどの子は、医者や会計士や弁護士になりたいと話していた。エヌゾラ・ジョンストンという、きれいな服を着たO脚の黒人の女の子が、自分のことを「夜は偽者のデニース・ハクスタブル（コメディドラマ《コスビー・ショー》の主人公一家の派手な次女）」、「昼間は偽者のクレア・ハクスタブル（コメディドラマ《コスビー・ショー》の主人公一家の母親。知的で洗練された弁護士）」だと言って、部屋のみんなを爆笑させた。エヌゾラは、男子みんなの前で女子みんなに言った。黒人の女は自分で自分の面倒を見なくてはいけない。白人の男も「そこにいるニガたちも」面倒は見てくれないのだから。

ぼくは教室や食堂にいるときと、バスケットボールをしているとき、車で食べ物を買いに行っているときのほかは、最初の学期のほとんどを自分の部屋でエッセイの断片を書いて過ごした。課題の小論文に使えるようにしたかったからだ。ぼくはミシシッピ出身の洗練された黒人男子を演じていたが、その役に見合った服装をするのは難しかった。ワーク・スタディ（金銭的に余裕のない学生にアルバイトを提供する政府の制度）で稼いだ金は、身体に合う服ではなくスイートポテト・パイとガソリンに使った。入学一カ月後には、いつも穿いていたカーキのパンツの尻まわりがきつくなった。

最初の数週間で、ぼくは自分の部屋で警備員から学生証を見せるように何度か求められて、文学のクラスで〝アンビヴァレント〟という言葉を使ったために剽窃《ひょうせつ》をしたと責められた。責めてきた教師には、ぼくはものを書くときには類語辞典すら使ったことがないと反論したかった。それさえもカンニングだと思っていたからだ。剽窃だと責められた直後から、ぼくはすべての授業に本を五冊持ちこむようにした。たいてい履修している授業とはなんの関係もない本だ。机の上に積み上げることもあれば、一冊ずつゆっくり取り出して、さらにゆっくりブリーフケースに戻すこともあった。白人の学生や教師に、ぼくのほうがたくさん本を読んでいるとわからせるためだ。

クラスでは、黒人を理路整然と擁護できるときだけ発言した。質問はしなかった。根拠のない主張もしなかった。黒人はみんな知的に劣っていると考える白人たちの前で、質問したり、押し黙っていたり、知りたがりの学生でいたりするのは危険すぎる。人生で初めて、教室が恐ろしい場所になった。そして恐ろしくなると、ぼくはケーキに走った。ケーキは安全で、プライベートで、華やかな感じがしたからだ。

ケーキは反撃してこない。

エヌゾラ・ジョンストンに再会したとき、ぼくの腿は内側がこすれて皮が剝けていて、腹のまわりには新しい肉割れの線が何本も入っていた。ある水曜の夜、食堂でエヌゾラがテーブルの横を通りかかったとき、ぼくは大きくて脂っこいレッド・ヴェルヴェット・ケーキ（赤いスポンジ生地にクリームを挟んだりのせたりしたケーキ）三切れを半分ぐらいまで食べたところで、デリック・ベルの『人種主義の深い淵——黒いアメリカ・白いアメリカ』（中村輝子訳、朝日新聞社）という本を読んでいた。

エヌゾラ・ジョンストンは、ぼくのテーブルの横を通り過ぎて出口に向かった。ばあちゃんを除いて、それまでに会ったことのある誰より睫毛《まつげ》がびっしり生えていて、眉間に深い皺が入っていた。GAPで働いてア・トライブ・コールド・クエスト（一九八八年結成のヒップホップ・グループ）を一日二四時間週七日聴いていそうな服装をしていたけれど、GAPで働いてア・トライブ・コールド・クエストを一日二四時間週七日聴いているジャクソンのやつらにうんざりしているような話しかたをした。

「本を読むのが好きなんだ？」エヌゾラが声をかけてきた。

ぼくは何も答えなかった。ただスローモーションで首を上下に動かした。

「ふーん、そう」エヌゾラは言った。「わたし、ケニヤッタのルームメイトでエヌゾラっていうんだけど。あなた、ディゲブル・プラネッツ（一九八七年結成のヒップホップ・グループ）が好きで、教養の授業ですごくまともなこと話してるんだって？」

「まあな」ぼくは言った。「きみのことは知ってる。前に会った」

「どっかの部屋でわたしのお尻を見てたからって、会ったことにはならないよ。あなたの名前、なんて意味？」

「喜び。コンゴ語で〝喜び〟だよ。おれが生まれたとき、父さんがザイールにいたんだ。エヌゾラってのは？」

「知りたいのなら、そのうちわかるかもね。絶対にまた会いましょ、キエセ」

その夜ぼくは、平日は毎日いろいろな本を持って食堂へ行くことに決めた。本を読んでいるところをエヌゾラ・ジョンストンに見せたかったからだ。その夜は図書館で〝エヌゾラ〟という言葉の意味を調べようとした。わからなかったから司書に尋ねると、インターネットで調べるように勧められた。

「インター、なんですって？」

「いいの」司書は言った。「わたしが調べてあげる」

エヌゾラ・ジョンストンに〝絶対にまた会いましょ〟と言われた六日後、あからさまに彼女のことを気にかけている黒人の先輩二人に向かって、エヌゾラが「絶対にまた会いましょ」と言っているのを見かけた。エヌゾラが食堂を出て、二人がそのあとについて出ていったあと、エヌゾラだけが戻ってきた。

「あなた、何かから逃げてるでしょう」このときの会話のなかでエヌゾラは言った。「わたしも。何から逃げてるのかはわからないけど、たしかに逃げてる。あなたは？」

「おれは?」

「何かから逃げてる」エヌゾラはもう一度言った。「じゃなきゃ、今晩わたしが来るんじゃないかって、ここで待ってたりしないでしょう」

ぼくが答える間もなく、エヌゾラは話し続けた。地元テレビ局WJTVで母さんが選挙分析するのをずっと前から見ていたという。エヌゾラは母さんのことを自分のヒーローだと言って、あんなにたくましくて優秀な黒人女性の家で育つのはどんな感じなのかと尋ねた。そして答えを待たずに言った。

「ここの白人の女の子たち、ほんとつまんないやつらだよね。まともなやつも少しはいるけど、ほとんどはまったく話になんない。まったくね。それなのに、お金はたっぷり持ってるんだから。ムカつく。あなたは?」

「おれは?」

「お金のこと、イラつかないの?」

ぼくは銀行口座をつくったばかりで、そこに三七ドルしか入っていないのをミルサップスの白人にもエヌゾラにも知られたくなかった。月の三週目近くに三七ドルも使える金があるのは、うちの家族ではかなり余裕があるほうだったが、それも知られたくなかった。

「やつらはやつらだ」ぼくは答えた。「おれらはおれら。おれは金に困ってないから、べつに平気だよ。〝愛〟って意味の名前でいるのは妙な気持ちじゃないの?」

「お金には困ってないの?」ぼくの冗談を無視して、エヌゾラは尋ねた。「あと、そんなに自由なの？　わたしは自由になろうとしてるの。わたしの名前の意味を探りあてて、すごいと思ってる？」

「ああ。きみの名前の意味を探りあてて、すごいと思ってる」

ぼくはエヌゾラを偽者のアンジェラ・デイヴィス（一九四四年生まれ。マルクス主義フェミニズムの活動家、作家、研究者）と呼んで、ぼくも自由になろうとしていて、金に困っていないのはありがたいと言った。エヌゾラは、どうしてお金に困っていない話ばかりするのと尋ねた。ぼくはそれを笑い飛ばした。

　エヌゾラとぼくは、五日続けて食堂で脂っこいレッド・ヴェルヴェッー・ケーキを食べた。次の週には、ディゲブル・プラネッツの新しいテープを買ってあげて、中華料理の食べ放題に毎日昼か夜に連れていった。その翌週には、不渡りの小切手が二枚戻ってきて、つくったばかりのクレジットカードは利用限度額を超えた。エヌゾラとレイ・ガンとぼくが、それぞれ別の文学のクラスで剽窃をしたと責められた翌週、〈アイゾッド〉のラグビー・シャツを買ったときの小切手がさらに二枚不渡りで戻ってきた。

　キャンパスにいるあいだはずっと、本物の自分を見られないようにごまかして過ごした。ごまかすのは楽しいことであるのと同時に、疲弊させられることでもあった。自分がほんとうは何者かよくわからなかったが、自分がどこにいるのかはわかっていた。故郷ジャクソンのど真ん中にいたのに、〝ホーム〟からはあまりにも遠い場所にいたのだ。

　ミルサップスに合格したとき、大学の片側がベルヘイヴンに面しているのは知っていた。マディソンやランキンにまだ逃げ出していない金持ちの白人リベラルが暮らす地域だ。大学の反対側は、貧しい黒人が暮らすノース・エンドという地域に面していた。ノース・エンド側の校門はいつも施錠されているが、ベルヘイヴン側の校門はいつもあいていて、いつも感じが良かった。大半が黒人だった母校の高校では、南部連合の旗をあしらったシャツを着たり、〝古きよき南部《オールド・サウス》〟についてくだらないことを言ったりする白人男子が、しょっちゅう顔面を殴られていた。ミルサップスでは、そんなシャツは偽物のポロやアイゾッドと同じぐらいありふれていた。

入学して一学期で、管理人のほとんどが黒人の男で、食堂で働く人と寮の清掃人は、ほとんどが黒人の女だとわかった。男子学生クラブと女子学生クラブのやつらが、木曜と金曜と土曜にぐでんぐでんに酔っぱらって、壊すべきではないものを壊してまわることを知った。寮、教室、オフィス、道、パーティにいる白人の学生、教員、事務職員はみんな、大学にぼくら黒人がいることが、自分たちがレイシストではなく善良な人間である何よりの証拠だと考えていた。ミルサップスで一学期を過ごし、本は金持ちの白人の大学、授業、図書館、寮、食堂からぼくを救ってはくれないのだと知った。故郷の街のど真ん中でそんなふうに感じるなんて、まったく想像していなかった。

二週間後、エヌゾラとぼくは、彼女の部屋でルームメイトが寝ているあいだに互いの首にキスしまくった。ベッドの下にはエヌゾラの彼氏の写真が伏せてあり、その隣に青い絵と茶色い金網でできたオブジェがあった。エヌゾラの彼氏は、顎の輪郭がとてもくっきりしていた。《コスビー・ショー》に出てくる、ランスに似ている。

エヌゾラは、二人でビル・クリントンとヒラリー・クリントンみたいになりたいと囁いて、ぼくらはクリントンと違い、黒人が自分たちにしてくれたことだけを愛しているのではなく、実際に黒人を愛しているのだと言った。

「いいな」そう言って、ぼくは彼女の額にキスした。「でも、きみがおれと結婚するの、彼氏が嫌がるだろう」

「あなたの白人の彼女もね」エヌゾラは答えた。

アビー・クレアモントとのことは話していなかったけれど、誰かから聞いたらしい。

「白人の彼女ってなんのことだ?」

「ふうん、白人の女の子と付き合ってたんでしょ。いまどきのニガって、いかにもいまどきのニガらしくヤリたがるんだね」

三週間後、感謝祭の休みの直前に、エヌゾラとぼくは真夜中の大学構内のステージで激しく身体をまさぐりあった。ぼくがそれまでに経験したなかで、いちばん激しいペッティングだった。エヌゾラは、ぼくの下唇が大好きでずっとキスしていたいと言った。

ぼくは彼女の言うことを信じなかった。

二人きりになれるところに行きたいとエヌゾラは言う。キャンパスのあちこちに隠しカメラがあって、学生の動きを逐一監視していたからだ。ぼくらはエヌゾラの部屋に向かった。週末でケニヤッタは部屋にいない。床に座っていると、エヌゾラにコンドームを手渡された。

「彼氏の名前は?」ぼくは尋ねた。「ずっと年上の医者なんだろ?」

「ただの仲のいい友だちだよ。医者。二七歳」

「その二七歳の仲のいい友だちの医者はなんて名前なんだ？」

「ジェイムス」

「ドクター・ジェイムスなんてありきたりな名前のゴールデン・グラハム（ネスレ社のシリアル）みたいな男と、どうして付き合うことになったんだよ？」

「あなたの彼女の名前は？　モリーとかいうんでしょ？　それかクレアとか」エヌゾラは言う。

「白人の尻軽女の名前なんてなんだっていいけどね。訊きたいことがあるんだけど」

「なに？」

「わたしと一緒にいるとどんな気分？」

「本気で訊いてんの？」

「うん、本気で。たとえば、わたしのそばにいるとき、身体のなかはどんな感じがする？」

「ヘヴィ」ぼくは答えた。

「ヘヴィって、〝深い〟って感じ？」

「ちょっとはそうかも。でも〝でかい〟って感じのヘヴィのほうが近い。〝でぶ〟って感じのヘヴィ。きみは？」

「でも、〝ヘヴィ〟と〝でかい〟と〝でぶ〟はぜんぜん違うでしょ」

「そう思う？」

「わたしはちっちゃいけどヘヴィだし。あなたは？」

ぶかぶかの服とふっくらした頬のせいで、エヌゾラの身体の小ささは隠されていた。ぼくと比べて小さかっただけでなく、アビー・クレアモントと比べて小さかっただけでもなくて、ぼくにキスしたことのある女性の誰よりも小さかった。

「質問されたから答えただけだよ。入学してからおれが一八キロも太ったの、わかんないだろう」

「わかんない」

「嘘つけ」

「嘘なんてついてないよ。わかんない。でも、わかったとして、それでどうなの？」

ぼくは、自分の部屋に戻って小論文を仕上げないといけないと言った。エヌゾラは、ついていってもいいかと言う。締め切りは明日の朝で、人がそばにいると集中できないとぼくは答えた。

「人の息の音が聞こえたら、考えが乱れるってこと、キエセ？」

「ええと、ある意味そうだけど、ていうか……」

「あなたって、すごくヘンな人だね、キエセ・レイモン」エヌゾラは言った。「嘘をついてるってわかってても、すごくかわいそうって思っちゃう」

「どうして？」

「隠してるものを、絶対にわたしに支えさせてくれないから」

ぼくはエヌゾラに言われたことについて考えたけれど、自分が隠しているものについては考えなかった。ミルサップスにいるあいだ、自分が隠しているものについて考えることは一度もなかった。

「きみだって、隠しているものをおれに支えさせてくれないだろう。おれと同じぐらいたくさん隠してるのは見たらわかる」

「うん。たしかに」エヌゾラは言った。「でもそれとこれとは違うの。あなたたち男のこと、わかってるんだから。みんなわたしたちが壊れるのを見たがるの」

「でも、おれはきみが壊れるのを見ようとはしてない」

「嘘をついておいて、それを信じてもらおうとしてるんなら、それはわたしが壊れるのを見たがってるってことだよ」

感謝祭に家に来ないかとエヌゾラに誘われたけれど、ぼくは行かなかった。エヌゾラの継母がいつも彼女の体重に意見していて、継娘のエヌゾラに「素敵でハンサムな彼氏」をほしがっているのを知っていたからだ。ぼくはもう一〇年ほど家でも外でも男として扱われてはいたけれど、素敵でハンサムな彼氏になれるような黒人男ではなかった。素敵というには図体が大きすぎたし、彼氏になるにはみすぼらしすぎた。

感謝祭の休暇中、寮は閉まっていたけれど、木曜から日曜までぼくはウェンディーズの九九セントメニューから買えるだけものを買ってきて、学生ラウンジで食べた。ウェンディーズで買ってきたものがなくなると、キャンパスの自動販売機を壊して、ムーン・パイ（マシュマロを挟んだチョコレートパイ）、ホット・フライズ（スナック菓子）、ツイックス（チョコレートクッキーバー）、グランマズ・ヴァニラ・サンドイッチ・クリーム（クリームを挟んだクッキー）を盗んだ。ソファに足を投げ出し、トーク番組《アーセニオ・ホール・ショー》を見た。寝る前には、大学の図書館から借りたトニ・ケイド・バンバーラ（一九三九〜一九九五年。アフリカ系アメリカ人の作家、映画監督、社会活動家、大学教員）の本を読みはじめた。『ゴリラ、マイ・ラヴ』という本一冊だ。

自伝的フィクションを書くとろくなことがない、というのも、本が発売されるや否や、ママが〝よくもまあ〟と声をあげ、死よお前の棘《とげ》はどこにあるのか（コリントの信徒への手紙一、一五・五五）とため息交じりに言いながら、あなたをベッドから叩き出し、暮らしを楽にするためにブルックリンで三つも仕事をかけもちして働いているあいだに、お前は何をしていたのかと問い詰めてきて、四二ページで近所のいやらしい男の子といちゃついているところを見つけて、すすり泣きを始めて、おのずと家族みんなが眠たい目をして朝五時のフロアショーを見にくることになるのだけれど、ママにとってはいまもまだ一九四〇年代で、あなたは子どもで、お尻を鞭で打たれることになるからだ。

この本の最初の一文を読んで、本の書き出しの一文が自分たちのために特別につくられたジェットコースターになりうるのだと知った。それをもう一度読んだ。そして書いた。バンバーラはウェルティの最善の部分を自らのものにし、誰も安全なところへかくまわれたり引きこもらされたりせず、誰も白人ではなくて、誰もが——なんらかのかたちで——へんてこで、素敵で、ほんの少しイカれていて、とことん黒人である世界をつくり出した。黒人であること、それが退屈なところも素晴らしいところも含めてすべて、バンバーラの作品の歴史と想像力の背景にある。ページのなかでも外でも、ぼくも、そんなふうに自由になりたかった。いつかこんな一文で始まる文章を書きたかったし、この先ずっと、こんな書き出しの一文がぼくに向けて書かれてほしかった。

ぼくは毎晩文章を書いて、毎朝それを推敲してはいたけれど、優れた文章を紡ぐ練習をしても、優れた文章の書き手にしかならなかった。ものを書くことのほかの部分には、練習以上の何かと読書以上の何かが必要だった。黒人の愛について、感情に流されずに深く探求する必要があった。ぼくらの奇妙なところを受け入れることが必要だった。そして何より、すでにあるものを改良するだけではなく、新しい構造をつくり出すのに力を注ぐ必要があった。ぼくは一八年間、素晴らしい文章の書き手とされる作家の作品を読んではいたけれど、その作家たちはぼくらのことを愛していなかったのだと気づいた。ぼくらのことを見てすらいなかった。多くの作家がぼくらのために書いてはいたが、ぼくらに向けて書いてはいなかった。バンバーラを読んだあと、一部分でもディープサウスのアメリカ黒人のためにディープサウスのアメリカ黒人に向けて書かれた文や段落や本でなければ、それは傑作といえるのだろうかと初めて考えるようになった。

冬休みに入る数日前、エヌゾラに誘われて食堂へ行き、脂っこいレッド・ヴェルヴェット・ケーキを食べた。ぼくは『ゴリラ、マイ・ラヴ』を持っていった。最初の一文を読ませて、どんな顔をするか見てみたかったからだ。

「クリスマス休み、ジェイムスのところに誘われてるんだけど」ケーキを食べながら、開口一番エヌゾラは言った。

「良かったな」ぼくはそう言いながら、本をバッグにしまった。「リック・ジェイムス先生によろしく」

「わたしは行きたくないの、キエセ」

「本気で言ってるのか。きみが行かなかったら、ビル・クリントンはどうすんだよ」

「嘘をついて、どっかの女とヤるんだよ」にこりともせずにエヌゾラは答えた。「それからまた嘘をつく」

ぼくは、ビル・クリントンについてのエッセイを書いているところだと言った。

「言いたいことはそれだけ？」エヌゾラはそう尋ねて、ぼくの首に抱きついた。「ほんとうにそれしか言うことはないの？」

「ああ」

「そう、それじゃまたね。エッセイ頑張って。読んでほしけりゃ送って。〝ファンタスティック〟な休みになりますように」

その日まで、エヌゾラがぼくと話すときに〝ファンタスティック〟という言葉を使うことは一度もなかった。ちゃんと付き合うこともないまま、その日エヌゾラとぼくは別れた。その日まで、〝ファンタスティック〟という言葉を使う黒人の知り合いは、母さんと、ぼくに忠告したときのレイ・ガンしかいなかった。

その夜、ぼくは寮のごみ箱を片っ端からあさって、食べ残しのピザを探した。一階と二階だけで一枚分、八切れのピザを見つけた。スライスを一枚一枚積みあげて、ペーパータオルにのせた。寮のキッチンで電子レンジのスイッチを入れようとしたところで、レイ・ガンに肩をつつかれた。

「何やってんだ?」

ぼくは、エヌゾラが別れを告げるときに〝ファンタスティック〟という言葉を使ったことを話した。

「ああ、もうお終《しま》いってわけか」レイ・ガンはそう言って、ピザのスライスを一枚一枚ごみ箱に放りこんだ。「ニガ、お前、鬱になってんのか?」

「どういう意味だ?」

「言ったとおりの意味だ。お前、鬱なんだろ」

レイ・ガンは、ミルサップスでの九学期目に精神科医にかかれと教師に勧められたことを話しだした。

「たぶん、いまのお前みたいな気分でさ。体重も増えたり。自殺とか精神病とかのことを医者と話した。そしたらそのホワイト・ニガ、いきなり抗うつ薬を処方してきやがったんだ」

「効いたのか?」

「あのクスリのせいで、すげえ白人みたいな気分になった」

「白人みたいって、どういうことだよ」

「ただ白人みたいな気分になったたって、それだけさ。ハイ過ぎず、ロー過ぎず。黒人《ブラスター》が〝知ったこっちゃねえ〟って言うだろ。〝知ったこっちゃねえ〟って言うやつは、誰も抗うつ薬なんて呑んでない。抗うつ薬を呑んだら、何もかもどうでもよくなっちまう。すげえ白人みたいな気分になった」

ぼくは腹を抱えて死ぬほど笑った。

「本気で言ってんだ。ウソじゃない。精神科には行くな。行くんなら臨床心理士のとこだ」

「何が違うんだ？」

「違いはだ、片方はお前の話を聞いて、母親と場合によったら父親を責めようとするやつで、もう片方は薬を出してお前を白人みたいな気分にさせるやつだってことだ」

「いや。おれは行かなくていいや」

「行かなくていいやだって？　お前のことを気にかけてくれる素敵なO脚の女神さまがいたのに、お前がバカな真似して、別れるときに〝ファンタスティック〟なんて言われてんだ。お前は、おれがミルサップスで会ったやつのなかでいちばん賢いブラスターだが、おれがここにいる一二学期のあいだに入学してきたやつのなかでいちばん悲しいブラスターかもしれない。ただ、悲しいときにものを食うのはやめとけ。マジで。悲しいときにものを食ったり酒を飲んだりギャンブルしたりするのはやめておけ。祈れ。それか、おれに話せ。それか、身体を動かせ。それか、ただ寝とけ。いまみたいなことしてたら、いつか死ぬぞ。それこそまさに、やつらの思うつぼだ」レイ・ガンは言った。「嘘じゃない。おれの経験から言ってんだ。お前は友だちだけど、別の大学に移ることも考えたほうがいいかもしれないな。ここにはファンタスティックなことは何もない。切り替えが必要だ。スイッチヒッターになれ」

「スイッチヒッター？　またおかしなこと言うな。それにほかの意味があるって、わかってるだろ（スイッチヒッターには両性愛者という意味もある）」

「わかってるけど、おれが言うときには、おれの意味で使ってんだ」レイ・ガンは言った。「おれがおれの〈インパラ〉で切り替え《スイッチ》してるのがわかるか？　おれがいつもスタイルを刷新《スイッチ》してるのがわかるか？　おれみたいになれ。スイッチヒッターになれ」

ぼくはレイ・ガンと拳をぶつけ合って、何を話してるのかまったくわからないと言って、彼の愛車インパラのところまで一緒に歩いた。

「ブラ、やっとお前のことがわかった」ぼくは言った。

「お前は永遠に九〇年代タイプのニガなんだな。七〇年代にも九〇年代タイプのニガで、二〇〇〇年代になってもやっぱり九〇年代タイプのニガのままなんだ」

「やっと気づいたのか？」

「ああ、やっと気づいた」ぼくは言った。「まじめな話、あの薬の経験のこと話してくれてありがとな。マジで。感謝してる」

自分の部屋に戻ると、レイ・ガンがごみ箱に捨てた脂ぎったピザを食べたくなった。ものを書けば食欲をごまかせるかもしれないと思って、ノートを出し、抗うつ薬を飲んで白人みたいな気分になったというレイ・ガンの話がすごくおかしかった理由を書いた。

読んだ。

窓の外を見る。

色を塗ったセメントの壁を頭の後ろに感じる。

読んだ。

窓の外を見る。

書いた。

一時間後、キッチンに戻って、ごみ箱から八枚のスライスのうち六枚を拾い上げてお湯で洗い、ペパロニを取り除いてからそれを温めて二度目の夕食にした。

憂鬱は感じなかった。白人みたいな気分にもならなかった。とても自由だと感じた。とてもファンタスティックな気分だった。

DISASTER 災難

クリスマス休みにうちに帰ってきたとき、母さんはぼくを見て首を振った。

「何をやっているの?」

目の前にあった体重計に乗れと言われた。

一一六。

一一九。

一二二。

一二三。

一二五。

一三〇。

一三四。

ぼくは母さんに部屋から出ていってと頼み、服を全部脱いでからまた体重計にそっと乗った。

一三三。

一学期、三カ月半のあいだに、二〇キロ以上増えていた。体重のことでただひとつ嬉しかったのは、ぼくが気にしていないふりをしたら、母さんがすごく嫌そうな顔をしたことだ。

翌日、カトコ社のナイフを売るアルバイトから帰ってきたら、母さんは自分の部屋にいた。「どうしてそんなこと言うの」その夜、母さんが電話で誰かと話しているのが聞こえた。「あの人には言わなきゃいけなくなったら言うから。いまはまだ言わなくてもいいの。会いに行けるときに行く」

話し相手はわからなかったけれど、囁くような、嬉しそうな声の調子から、マラカイ・ハンターでないことはわかった。マラカイ・ハンターは別の女とのあいだに赤ん坊をつくっていたが、だからといって母さんを放っておきはしなかった。母さんとよりを戻したいからではなく、母さんがほかのやつのところに行くのが嫌だったからだ。マラカイ・ハンターがうちに来るときは、家にいてほしいといつも母さんに頼まれた。家の前にマラカイ・ハンターの車が停まるとすぐに、ぼくは母さんの枕の下から銃を取って、それをポケットに入れた。

母さんが電話で囁いていた夜、マラカイ・ハンターがノックもせずにぼくの部屋に入ってきた。銃は掛け布団の下、腿のあいだにあった。マラカイ・ハンターは、〝ヘイ〟とも〝元気か〟とも〝調子はどうだ〟とも言わなかった。

「あの白人男、やつはなんとかしてお前を痛い目に遭わせようとするぞ」マラカイ・ハンターは言った。

「黒人で学者をやっていて、自由でいようと思ったら、誰の世話にもならずにいられる金をもってなきゃならん。そうすれば、白人男に仕えなくていい。たとえばだ、お前の母さんがナイロビで開かれる革命家の会議に行かなきゃならんとする。たしかに母さんは賢いかもしれないが、そのための金はあるか?」

「ナイロビで革命家の会議があるって?」

「レイモン。たとえばの話だ、わかるだろ。作家になるんじゃなかったのか。想像力を使え。ったく」

母さんが戸口に姿を現し、出ていってほしいとマラカイ・ハンターに言った。二人は喧嘩しなかった。口論もしなかった。マラカイ・ハンターは母さんのほうを見てばかにしたように笑い、まるで母さんがそこにいないかのように話を続けた。

「あいつはまだ自由じゃない、レイモン。世界一賢い女だが、自由じゃない。この家には、自由と黒人は相容れないと考えてる負け犬ニガが多すぎるな。こんな家にいるとアレルギーが出る。おれは帰るぞ、レイモン」

ぼくはマラカイ・ハンターのあとについて玄関の外まで行った。そして、ジャガーのライトが見えなくなるまで家の前に立っていた。

その夜、母さんがぼくの部屋の扉をノックした。ぼくは、「レイモン語」と呼んでいた言葉をたくさん使って、ミルサップス大学を諷刺《ふうし》するエッセイを書いていた。

「入ってもいい、キー?」

ぼくはノートを閉じて、何も答えなかった。母さんはベッドの端に腰かけて、カーペットを見つめていた。何か尋ねてほしかったのだろうけれど、ぼくは「どうしたの？」のほかには何も尋ねることがなかった。

「わからないの、キー」母さんは言った。「わたし、災難を渡り歩いてるんじゃないかって思うことがあるの」

「どうして？」ぼくは尋ねた。

「どうしてって？」

「どうして災難を渡り歩いたりなんてするんだよ」

「激しい嵐が襲ってきたときに、わたしのなかのどこかがとても落ちつくんだと思う」

「でも、ちゃんと安心できるときのほうが落ちつくんじゃないの」

「そうね。たぶんあなたの言うとおりだと思う。少なくともひとつの災難はくぐり抜けた。あなたが高校生のとき、マラカイと付き合うのはやめたの。わたしたちの関係があなたにとって良くないってわかっていたから。それはそれとして、今日、小切手の最後の一枚を使ってしまったの。次の小切手帳が届くまでのあいだ、四〇ドル貸してもらえない？」

ぼくは何も答えなかった。目をしばたたきながら、母さんのでたらめな話を聞いて、結局、求められたものを渡した。長いハグをして四〇ドル渡し、母さんがどれだけ災難に足を踏み入れてもずっと愛していると約束した。電話で話していた男が誰かは知らなかったけれど、ぼくは全身のすべての細胞で望んだ。もしその男が災難の源なら、二人の災難が母さんとマラカイ・ハンターが生んだ災難よりもずっとましなものになりますようにと。

　その夜、ぼくは『ブラック・ボーイ』（リチャード・ライト著、野崎孝訳、岩波文庫）を再読し始めた。その本をミルサップス大学で読むと、戦闘準備をしている気持ちになった。その本をうちのベッドで、母さんの部屋からたった数メートルのところで読むと、暖かい囁き声を聞いている気分になった。リチャード・ライト（一九〇八〜一九六〇年。ミシシッピ生まれのアフリカ系アメリカ人作家）は災難について書いていて、アメリカの災難には、すべてが崩れ去った日に始まったものはひとつもないことを読者に教えてくれる。ぼくはフォークナーのように書くよりはずっとライトのように書きたかったけれど、ほんとうはライトのように書きたかったわけでもない。ライトのように闘いたかった。白人のスタイルで文章を紡ぎ、そのスタイルについてなんでもしてみろと白人を挑発したかった。ぼくには、ライトがジャクソンを去り、ミシシッピを去り、ディープサウスを去って、最終的にアメリカを去った理由が理解できた。しかしばあちゃんは、ここを去ることができたときも去らなかった。ぼくはそのことを繰り返し考えた。母さんがここを去ったのに戻ってきたことと、自分がここに留まったことを考えた。ライトがミシシッピを去らなくても、世界は彼の作品を読んだだろうか。ライトがミシシッピを故郷だと思っていたら、彼のあとにミシシッピに生まれた黒人の子どもたちは、彼の文章を読んでもっと笑ったり微笑んだりしたのだろうか。ライトがシカゴに発《た》った日、彼はすぐにここへ戻ってくると思っていたのだろうか。

　その翌日、家の明かりが消えた。いつものように母さんは、何か問題があって近所で停電があったに違いないと言った。ハーヴァードに戻る空港に向かう前に母さんが郵便受けを確認すると、母さんが家に持って入ろうとしない請求書の山のてっぺんにミルリップス大学の成績表が乗っかっていた。

ぼくは理想の学生ではなかった。

本棚の前に立って母さんを待った。母さんはずかずかと自分の部屋に入っていき、クローゼットからベルトを取って出てきた。そしてぼくの肩に一撃を食らわせた。二発目は腹を打った。ぼくはじっとしていた。母さんは、自由になる唯一のチャンスをぼくが台無しにしていると延々と不満を口にした。

ぼくはベルトを摑んで母さんの手からひったくり、本棚に投げつけた。母さんは初めて、怒っているときのマラカイ・ハンターを見るのと同じ目でぼくを見た。母さんの身体がぼくを怖がっているのがわかった。母さんは初めて、ぼくの身体が母さんの身体を怖がっていないのを知った。

マラカイ・ハンターが家の外でクラクションを鳴らす。

家を出る前に母さんは、お前は誰よりもみじめで自己破壊的な人間だとぼくに言った。ぼくは、言うことを聞いてもらいたいのなら、電気代をちゃんと払って、災難を運んでくるやつの車に乗るのはやめろと答えた。

ぼくらはどちらも真実を語っていた。

ぼくらはどちらも嘘をついていた。

ぼくらはどちらも真実を語っていた。

ALREADY　もう

二週間、ぼくは食堂に通ってエヌゾラ・ジョンストンを待った。彼女は一度も姿を見せなかった。レイ・ガンが言うには、顎髭をきっちり整えた黄褐色の肌の年上男とキャンパスを歩きまわっていたらしい。黄褐色の男は、赤いブリーフケースを持って内股でうろついているという。腰は細いのに、腕ははちきれそうなぐらい太いらしい。

「ポパイの腕じゃない。でも、ブルータスみたいな腕だ。嘘じゃないぞ」

「わざわざ知らせてくれてどうも」

「あのブラスターはすげえやつだぞ」ガンは言った。「おれはほかのブラスターになりたがるような人間じゃないが、あのブラスターは完璧だ」

「見ただけで、どうして完璧だなんてわかるんだよ」

「お前も見りゃわかる。あれは確実にバーベルを上げたり、あれこれ有酸素運動をしてるな」

「わかったわかった」ぼくは言った。「いいから黙ってろ。その〝ブラスター〟とかいうやつ、流行《はや》ってないぞ。もう一年近くになるけど。お前しか使ってない」

ガンはぼくをじっと見て、左目のコンタクトレンズを直すように目をしばたたいた。

「ようするに」ようやくガンは口を開いた。「お前の元カノは、ブルータスみたいな腕のやつと一緒になったってことだ」

ぼくはオフィスアワー（学生が自由に教員の研究室を訪れることができる時間）に教員を訪ねることは一度もなかったし、授業でもほとんど発言しなかった。ラテン語、哲学、文学の課題書は全部読んだ。小論文も受講していた授業のぶんはすべて書いたけれど、毎回出席して議論に参加したのは「女性学入門」という授業だけだ。授業のために読むものはすべて二度ずつ読んで、早く教室に入って遅くまで残った。その授業は、ぼくが大人になるまでに見てきたものを理解する新しいボキャブラリーを与えてくれた。その授業を受ける前からぼくは、人種に関係なく、男性には女性にはできないやり方で人を虐待する力があるのを知っていた。その力が女性の内面と外面を破壊して、それと同じだけ男性の内面も破壊するのを知っていた。

授業を受けたぼくは、「家父長制」が何かを知った。「強制的異性愛」（異性愛を自明視する偏見）の定義も知った。「交差性」（人種、ジェンダー、階級、セクシャリティなど複数の差別の軸が組み合わさった抑圧の形式）をレイ・ガンに説明できるようにもなった。ジェンダーが構築されたものであり、この世にはトランスジェンダーやジェンダーフルイド（性についての自己認識が流動的な人）の人がいることも理解した。妊娠中絶を扱う診療所を支持する運動に参加した。安全なセックスを呼びかける集会でデモをした。ベル・フックス（一九五二年生まれ。アフリカ系アメリカ人の社会活動家・フェミニズム思想家。ニューヨーク市立大学で教える）について書いたエッセイをコピーして友だちに配った。そうして、新しいレンズとフレームを通じて世界を見るようになった。ぼくはそのレンズとフレームを「ブラック・フェミニスト」と呼んだけれど、自分がブラック・フェミニストとして生きるのがどういうことなのか、それを公の場でも自分のなかでも考えてみることはなかった。

それでも、女性学のクラスの白人女子学生たちは、ぼくのことをいいやつのなかでもいちばん進歩的なやつのように扱った。なかには、一緒に散歩をして読んだものについて語り合いたいという子もいた。ぼくがあんなに太っていなければ誘いに乗ったのだろうが、よく知らない女性のそばで汗をかいたり、ぜえぜえ息をしたりするのは嫌だった。たいていの日は、エヌゾラは何を考えているんだろうと思いながら、見つけた食べ残しのピザをたいらげて、暗がりで自分の身体を優しく触って、ルシール・クリフトン（一九三六〜二〇一〇年。アフリカ系アメリカ人の詩人・作家）の詩と『ビラヴド』（トニ・モリスン著、吉田廸子訳、早川書房）を再読して、レイ・ガンと《マッデンNFL》（アメリカン・フットボールのコンピュータゲーム）をやり、ジャンプシュートを打って、レッドマン（一九七〇年生まれのラッパー）と《ザ・クロニクル》（ラッパー、ドクター・ドレーの一九九二年のソロデビューアルバム）とディオンヌ・ファリス（一九六九年生まれの歌手）を聴いて、《アイズ・オン・ザ・プライズ》（公民権運動を扱ったテレビ・ドキュメンタリー・シリーズ）のミシシッピの回を図書館のビデオで繰り返し見た。

ミルサップスのことをある程度理解したぼくは、一般教養の授業で「ミルサップスにおける制度化された人種主義」というエッセイを書いた。大学新聞の編集担当者がこのエッセイのことを教員から聞いて、新聞に載せてもいいかと尋ねてきた。「抑圧された者の声」という副題をつけて掲載したいという。

ぼくは「抑圧された」という言葉を使ってはいなかったし、抑圧された声とやらが実際どんなふうに聞こえるのか、皆目わからなかった。編集担当者は、エッセイの最終部分をいまよりずっと人種色の薄いものにする必要があると主張した。ぼくは、ミルサップスの黒人学生が一致団結し、愛し合って、制度化された人種主義を切り抜けるには何をすべきかに焦点を絞って書いていたが、担当者はそのままだと読者がついてこないと言う。いちばんの読者として想定すべきは、大学での人種主義について何をすべきか知りたい白人学生なのだと。何度かやりとりしたあと、編集担当者が勝った。結局のところ彼の新聞だし、ぼくは白人に読んでもらいたくてたまらなかったからだ。

少なくとも教育の場では、人を肌の色で判断するのではなく、人格で判断しなければならない。そうすることによってのみ、ミルサップスは白さの深淵から抜け出して、すべての人の力を等しく高めることができるだろう。

ぼくはこの最後の段落が嫌でたまらなかった。エッセイの大部分が嫌でたまらなかったが、エヌゾラが感心するであろうことはわかっていた。彼女が内腿を激しく愛撫した黒人が、制度化された人種主義について二〇〇〇語のエッセイを書き、白人にほぼ面と向かって真実を突きつけたのだ。白人の新聞の紙面でミシシッピの白人にほぼ真実を語ること、それは黒人が成し遂げられる最大限の勝利だとエヌゾラは思うに違いない。

エッセイが掲載された翌日、エヌゾラからメールが届いた。ぼくのことを誇りに思うと書いてあって、母さんの感想はどうだったかと尋ねていた。そのエッセイは、ぼくが初めて母さんに見せずに発表した文章だった。

ぼくはインターネットでメールのやりとりをするようになっていたけれど、母さんはまだメールを使っていなかったので、記事をファックスで送って電話をかけた。その大学新聞から翌年の論説委員にならないかと打診され、それを引き受けるべきか相談したかったからだ。編集担当者は、ぼくのコラムに「キー・エッセイ」というタイトルをつけたがっていた。

用件に辿り着く前に、母さんは言った。

「新聞のほうで校正は入らなかったの、キー？　最初のページに四つも間違いがあるけど」

「それじゃまた」ぼくは言った。

母さんの批判がどれだけ正しくても、それを受け入れる余裕は心にも頭にもなかった。

「気をつけなさい、キー。ミシシッピで自分のことをリベラル派だとか進歩派だとか思っている白人を〝レイシスト〟呼ばわりしたら、必ず猛烈な反発に遭うんだから。あなたにとっていちばん大切な本を読み返しなさい。扉に鍵をかけて、集団で歩くのよ。完璧を目指して努力しなさい。書いたものに手を入れなさい。どうしたの？　不意撃ちされるんじゃないかって心配しているの？」

「いや」ぼくは言った。「そもそも、それがどういう意味かもわからない」

「お願いだから気をつけて」母さんは言った。「いつでも別の大学に移れるんだからね。そういえば、相談したいことがあるって言ってなかった？」

「やっぱいいや。それじゃまた」ぼくはもう一度言った。「〝集団で歩くのよ〟だって、信じらんないな」

その夏は、ザ・クープ（一九九一年デビューのヒップホップ・バンド）を聴いて、ジェームズ・ボールドウィン（一九二四〜一九八七年、アフリカ系アメリカ人の作家、公民権運動活動家）が書いたものをすべて読んだ。本を一、二度読んだだけでは何も読んだことにならないのだと知った。三回以上読むこと、それが読書における推敲だ。ぼくは『次は火だ』（ジェームズ・ボールドウィン著、黒川欣映訳、弘文堂）を繰り返し読んだ。最初のセクションだけでなく、一冊すべてがボールドウィンの甥に向けて、甥のために書かれていたらどんな本になったのだろうと思った。ボールドウィンは姪に向けて何をどのように書いただろう。火がやってくると白人に警告する意味について考えた。そして何より、ぼくら黒人は多くの創造のエネルギーを費やして白人に変わるように請い求めているけれど、そんな必要がなければ黒人作家は何を書けたのだろうかと思った。

夏休みの三週目に、『誰も私の名を知らない』（ジェームズ・ボールドウィン『次は火だ』黒川欣映訳、弘文堂に所収）のなかのエッセイ「フォークナーと人種差別廃止」を読んだ。

> 真の変革とは、我々が今まで知っていた世界が解体することを意味し、我々にアイデンティティを与えていたあらゆるものが失われることを意味し、安全の終わりを意味する（邦訳二一七頁。訳は一部改変した）。

ボールドウィンは、ひどく暴力的なバージョンのネオ・コンフェデレイト的ミシシッピ白人のアイデンティティにしがみついているとしてフォークナーを批判しているのだが、ぼくはこの一文は自分に向けて書かれていると感じた。大量にものを食べ、夜遅くに食べ、記憶から逃れるために食べることで見出していた安全のことを考えた。ぼくは牛と羊の肉を食べるのをやめて、その後、豚肉をやめて、鶏肉をやめ、魚をやめた。卵を食べるのをやめて、その後、パンをやめて、砂糖が入っているものをすべてやめた。夜にランニングを始めた。一日三〇〇回腕立て伏せをするようになった。その後、三〇〇回腹筋をするようになった。夏の初めに一四〇キロあった体重は、二週間で一三一キロまで減った。一カ月で一二七キロになった。二カ月で一一六キロになった。夏の終わりには一〇二キロになっていた。

寝る前に五キロ弱走って、朝にも五キロ弱走った。二日に一度、カップラーメンをひとつだけ食べた。読書とランニングの合間に大学新聞に諷刺エッセイを数本書き、それがミルサップスの学生、教員、卒業生の目に留まった。それまでの人生でいちばん幸せな日々だった。七年生のとき以来初めて体重が九九キロを切った日、エヌゾラがぼくの部屋の扉をノックした。

「みんながあなたのエッセイのこと話してるよ」エヌゾラは言う。

「もう?」

「もう」

「みんなって誰?」

「白人に決まってるでしょ」エヌゾラは言った。「みんなカンカンよ。でも勝手に怒らせとけばいい。あなたはほんとのことを言っただけなんだから」

エヌゾラとぼくは笑いに笑って、ハグして、明かりを消して、明かりをつけて、ごめんと謝って、怖いと言った。ぼくはそわそわと立ち上がり、ジャネット・ジャクソンの〈アゲイン〉をかけた。二人とも笑った。

ぼくが一分近くもステレオをいじくりまわしていると、エヌゾラがやってきてぼくの手を取り、手のひらを自分の顔に押しあてた。

「ヘンな人、それってCDでしょ。リピートにしておけばいいのに」

ぼくらはキスをした。服をほとんどすべて脱ぐ。汗をかきはじめる。シャワーを浴びてもいいかと尋ねると、一緒に浴びてもいいかとエヌゾラが言う。ぼくは「うん」と答えた。前とは違う新しい身体になっていたからだ。明かりをつけたままキスして笑った。明かりを消してキスして笑った。ノーマン・ロックウェル（一八九四〜一九七八年。アメリカ人の日常生活を描いたアメリカの画家）が描いたルビー・ブリッジズ（一九五四年生まれ。アメリカの公民権運動活動家）の絵がかかった黄色い煉瓦壁の部屋で、空になったラーメンのカップが散らばる床の上の、プラスチックのツインベッドの上の、湿気てすり切れた黄色いタオルの上で、ぼくらは笑って互いの身体を愛した。

エヌゾラは、大きなぼくと一緒にいて自分のことを小さいと感じていたとき、もっと安心できたという。ただ、身体が小さくなったぼくは前より幸せそうだと言った。ぼくは、頬骨と腰の骨と鎖骨が見えるまで痩せたらセクシーだと思うかと尋ね、痩せたおかげで自分がまるで未来からやってきたような感じがして、望めば文字どおりやつらから飛んで逃げられる気がすると言った。

「アタマおかしいんじゃない」エヌゾラは言った。

「体重を落とすのが大好きなんだ」ぼくは答えた。

「ほんと、アタマおかしいよね」

「本気で言ってんだ。おれのペニスも、痩せてから前より輝いてるだろ？」

「キエセ・レイモン、何言ってんの？」

「あれだけ体重を落としてから、ほんとにペニスが前より輝いてる気がするんだ。そう思わないか？　女の子はみんな、くすんだペニスは嫌いだろ」

「あなたのペニスはちゃんと輝いてるよ、キエセ」

「つまり太ってたときには、おれのペニスはくすんでたってことだろ？　どうしてローションを使えって言わなかったんだよ？」

エヌゾラは笑いに笑った。そしてぼくの両耳をつかんでキスしてきた。

「落ちつく？　正直に言って。わたしの隣にいたら落ちつく？」

「すごく落ちつく。きみは？」

「死ぬまでずっと、いまの気分でいたい。キエセ、お願いだから身体の大きさなんて気にしないで。それと、お願いだからこれからもずっとキスして」

二週間後、マラカイ・ハンターのオフィスに呼び出された。ぼくは脅迫状を何通も受け取り、エヌゾラと自分の身を守るために銃を手に入れていた。ミルサップスの学長ジョージ・ハーモンは、大学新聞を休刊させて一万二〇〇〇人の卒業生に手紙を書き、ぼくが新聞に書いた諷刺エッセイは大学の良識ガイドラインに反すると主張した。卒業生から届いた手紙の半分は、ぼくのことをニガーと呼んでいた。自ら身を退かなければ、ぼくをキャンパスから追い出すと脅す手紙もあった。ぼくが大学新聞に書いたエッセイをすべて燃やして、その灰を封筒に入れて送ってきた手紙もあった。その手紙は、ぼくが改心して神に身を委ねなければ、この灰と同じようにぼくも燃やされることになると警告していた。

大学からマラカイ・ハンターのオフィスまで歩いていった。マラカイ・ハンターは、ずいぶん痩せたなとぼくを褒めて、ふくらはぎにメリハリをつけるにはどうすればいいのかと尋ねたあと、こう訊いた。

「お前が知ってるニガで、いちばんの金持ちは誰だ?」

「あんただな」

「で、おれは去年いくら稼いだと思う?」

「一〇万ドル?」

「おいおい、ニガ。おれは金持ちだぞ」そう言ってマラカイ・ハンターは、まるでスプーンで自分に戦いを挑もうとしている少年を見るかのように、まばたきもせずにぼくを見た。

「たとえば、おれの稼ぎがたった三〇万ドルだったとする。そこでだ、お前の母さんの友だち、白人弁護士のロジャーのことを考えてみよう」

「ロジャーって誰だ?」

「あの白人のロジャーだ」

「その白人のロジャーは知らない」

「たとえば、その白人ロジャーも三〇万ドル稼いだとする。わかるか? おれの三〇万ドルは、白人ロジャーの三〇万ドルに遠く及ばない。おれがたった三〇万ドルしか稼がなくても、やっぱりおれは知り合いのなかで唯一金を持ってるニガだ。わかるか? おれの女は金を持ってない。おれがヤろうとする黒人女たちは金を持ってない。おれのおふくろも親父も金を持ってない。妹や弟も金を持ってない。おじさんも金を持ってない。おばさんも金を持ってない。おれが支援する急進派の組織にも金がない。おれが通った黒人の学校にも金がない。それなのに、白人ロジャーのまわりの白人は、ほとんどみんな、最低でも土地や遺産やいくらかの金を持ってる。三〇万ドル稼ぐ白人ロジャーは、ひょっとしたら家族のなかでいちばん貧しいやつかもしれない」

「『ブラック・パワー』(ストークリー・カーマイケル著、長田衛編訳、合同出版)はもう読んだ」ぼくは言った。「だからわかってる」

「お前は金ももらわずにミシシッピの金持ち白人と闘って、時間を無駄にしてる。なんのためにそんなことすんだ? エッセイなんかじゃ、あいつらとは闘えない。組織の後ろだてもない。土地もない。お前が書いてるガラクタで、誰にもメシは食わせられない。白人に何をさせたいんだ？　エッセイを読んだあとに白人が何かしたとしてだ、それがミシシッピの貧乏なニガにどう役立つってんだ？　大事なのはそれだけだ」

「わかんねえよ」

「だろうな。お前はバカな真似をしてる。バカな真似が許されるのは何度目かまでだ。そのうち永遠に葬り去られるぞ。大学はお前を厄介払いにするほかない。で、朱にそれができるように、お前が手を貸してる。お前の母さんから聞いたが、殺してやるって脅されてるそうじゃないか」

「そのとおりだ」

「お前のことを本気で殺したいやつは、脅したりなんてしない。殺《や》るか殺らないかだ。言葉と行動は違う。どっちにしろ、お前は大学から追い出される。それは避けられんな。もう動きだしてるんだ。お前の母さんと意見が合うことはあまりないが、それについては同じ考えだ」

「言いたいのはそれだけか？」

「気をつけろ。お前は、大学は自分のものだと思ってんだろ。ジャクソンも自分のもの。ミシシッピも自分のもの。お前のものは自分の身体だけだ。気をつけるんだな」

マラカイ・ハンターが母さんのことを口にするだけで、ぼくはやつの足の小指を撃ってやりたくなったが、黒人がすべきことを常にちゃんとわかっているかのように振る舞うのを見ると、やつのくるぶしを撃ってやりたくなった。マラカイ・ハンターは黒人を愛してはいたが、黒人そのものよりも、黒人の間違いについて説教するのをさらに愛していた。結局のところマラカイ・ハンターの考えでは、ぼくらが間違っているのは、マラカイ・ハンターと同じように振る舞っていないからにほかならない。ぼくはマラカイ・ハンターを撃ってやりかったけれど、ミルサップスやぼくについて完全に間違ったことを言っているわけではないのもわかっていた。

ただ、もう手遅れだった。

減量を除けば、黒人の言葉で白人を挑発して刺激することより気持ちいいことはほかになかった。学生クラブの勧誘最終日の朝、エヌゾラとぼくがアルバイト先に向かおうとしていると、アフロのウィッグを被って南部連合のケープを身にまとったカッパ・シグとカッパ・アルファ（いずれも全米規模の学生友愛団体）のメンバーが酔っぱらっているところに出くわした。こちらを見ている相手を見ながらエヌゾラの車まで歩く。するとひとりが「これについて新聞に書けよ」と言い、ほかのやつらがぼくを「ニガー」、エヌゾラを「ニガー・ビッチ」と呼びだしたので、ぼくは銃を取りに部屋に戻った。

銃の代わりにティーボール（ピッチャーのいない野球に似たスポーツ）のバットを掴んで現場に戻り、それを振りおろしながら白人の男たちに近づいた。やつらに取り囲まれて、ぼくらは言葉が壊れるまで言葉で身を守った。白人の男たちは、ぼくらをニガーと呼びながら、ずっとスヌープ・ドッグ（一九七一年生まれ。ヒップホップMC）の〈Gズ・アンド・ハスラス〉を爆音でかけていた。

アルバイト先に着くと、ぼくらは地元のテレビ局に電話をかけ、ミルサップス大学のキャンパスで起こっていることを見てほしいと告げた。そのアルバイト先で働きだしてまだ数週間しか経っていなかったので、職場を離れたらクビになるかもしれないとわかっていたが、そんなことはどうでもよかった。キャンパスに戻ると取材班が到着し、必要な映像をすべて撮影して、ぼくが一学期の間ずっと新聞に書いてきたような反動的で人種主義的な大学としてミルサップス大学を描き出した。

「うちに帰ってきなさい」その夜、母さんは電話で言った。「二度とキャンパスに足を踏み入れるんじゃないわよ。あなたはできることをすべてやった。その大学には素晴らしい人もいるけれど、白人がものを知らないのはあなたのせいじゃないの。うちに帰ってきて、頭のおかしなやつらは放っておきなさい」

ミルサップスがうちでないのなら、どこがうちなのかわからなかった。大学には暴力やおかしなことがたくさんあったが、ミルサップスではある種の自由と知的な刺激を感じることができ、それは世界のほかの場所では感じたことのないものだった。攻撃の的になりながらも、不思議なことにぼくは、幸せで自由だと感じていた。

学生クラブの勧誘最終日にカッパ・アルファとカッパ・シグから身を守り、そのために謹慎処分を受けてから、エヌゾラとぼくは前よりも頻繁に喧嘩とセックスをするようになった。地元のテレビ局は毎日キャンパスでぼくを追いかけまわし、NAACP（全米黒人地位向上協会）は、これはすべて典型的な出来事で、この国の危険に晒された黒人青年は、ただ教育を受けようとするだけでこうした身体的恐怖に直面するのだとコメントした。

「何もかもぜんぶおかしい」ある夜、ぼくの部屋の床でコラージュ（いろいろな素材を貼り合わせてつくる芸術作品）をつくりながら、エヌゾラが言った。

エヌゾラは扉にもたれかかっていた。何が言いたいのかと尋ねはしなかったが、エヌゾラは話を続けた。

「あの白人の男たち、わたしたちのことニガーって呼んだよね。わたし、おかしなこと言ってないよね」

「おかしなことは言ってない」

「でもあいつら、わたしのことをニガーとビッチって呼んだでしょ?」

「ああ」

「ニガー・ビッチって、ね?」

「ああ」

「それなのにニュースじゃ、あいつらがあなたに向かって話したときにどんな恰好をしてたか、そればっかり」

「言っただろ――」

「待って。酔っぱらいの白人男の集団が、わたしのことをニガーとビッチって呼んだ。あなたも含めて、みんなそれを聞いた。わかってるんなら、どうして何もしてくれないの?」

「あの日、おれはあいつらと闘おうとした。次の日もあいつらと闘おうとした。さらに何かしようもんなら、おれはここを追い出される」

「わたしが訊きたいのは、あなたがマイクを向けられたとき、あいつらにわたしがニガーとビッチって呼ばれたことをどうして話さなかったのってこと」

「インタビューで毎回きみのことは話したし、おれたちがあんなふうに振る舞った理由も話しただろ？　テレビ局のやつらに、もっと自分のことを取り上げてもらいたいのか？」

「そんなこと言ってないでしょ。わたしが言ってるのは、あなたがひとりだけで反撃してたみたいにみんなが振る舞ってるってこと。実際はそうじゃなかった。それに、もし同じエッセイをわたしが書いてたら、誰も気に留めなかっただろうってこと。あれだけ女性学のいろんな授業をとってるのに、この二週間、あなたは〝家父長制〟も〝セクシズム〟も〝交差性〟も、一言も口にしてないじゃない」

「待て待て待て。おれが書いたのと同じものをきみが書いても何も起こらなかっただろうって、どうしてそんなことが言えるんだ？」

「わかってるから」

「どうしてわかるんだ」

「わかってるの」

ぼくは歯の隙間から息を吸いこんだ。

「ああ、でもどうしてわかるんだ？　言い訳してるだけだろ」下唇の内側を噛んでいるエヌゾラを見ながら、ぼくは言った。

「言い訳ってなんの？」

「おかしな女だな」

「おかしなニガね。ねえ、言い訳ってなんの、キエセ？」

「おれが四八時間、一睡もせずにあれを書いてるとき、きみだって何か作品をつくれた。なのに、ワシントンDCのすけこましジェイムス医学博士ニガと電話でお医者さんごっこしてたんだろ」ぼくは言った。「そのニガがほかの子と遊ぶようになってなければ、いまもお医者さんごっこしてたくせに。で、おれの作品だけが注目されたのは、おれが黒人の男で、きみが黒人の女だからだって言いたいのか？　ときどき、きみと話してるのか、きみの継母と話してるのかわからなくなるぞ。おかしな女だ。マジで」

エヌゾラは立ち上がって、カーキのパンツの後ろを手で払い、チャップスティック（リップクリーム）を唇につけた。次に起こることはわかっていた。ぼくはそれを望んでいた。エヌゾラは腕を後ろに引いて、ぼくの左目を殴った。

エヌゾラはまた床に座って、コラージュづくりを続けた。

彼女に顔を殴られたのは、一度や二度、三度や四度ではなかった。殴られたのはほぼ毎回、継母について何か言ったときだ。ぼくは殴られるとわかっていた。殴られたかった。殴られて然るべきだと思っていた。

殴られたらいつも、身体が軽くなった気がした。

ぼくらはセックスをした。それがぼくらの謝りかただ。エヌゾラは、ジャクソンのほかの黒人学生やマラカイ・ハンター、母さんと連帯してエアーズの裁判で闘うほうがいいのではないかと言う。母さんたちは、昔から黒人の大学だったジャクソン州立大学などのミシシッピのカレッジや大学を閉鎖したり統合したりするのをやめさせようとして、州を相手に闘っていた。

たしかにエヌゾラの言うとおりだが、ミルサップスのキャンパスでやっている仕事をやめる気はないとぼくは答えた。目が覚めたとき、あなたはまだわかっていないとエヌゾラに言われ、ぼくはわかっていると答えた。わかっていないのはきみのほうだとエヌゾラに言った。

わかっていないわけがないとエヌゾラは反論した。

酔っぱらってシャツを脱いだ黒人男の友愛団体二つが、仕事に向かう白人の女の子を脅し、その子を「貧乏白人ビッチ《クラッカー》」と呼んだとして、あとでその白人の子が何かの罪に問われることなどあり得ないとエヌゾラは言う。

「どうしてわからないの？」エヌゾラは何度も口にした。

「わかる。めちゃくちゃわかる。嘘じゃない。だからって、おれにどうしてほしいんだ？」

エヌゾラとぼくは、自分たちの街の真ん中で、汗まみれで憤りを覚えながら、ほぼ裸で合成樹脂のツイン・マットレスに横たわっていた。マットレスの下には弾を込めたピストルがあった。自分たちがいる場所が嫌でたまらなかった。自分たちが嫌でたまらなかった。悪意に満ちた学長と支離滅裂な白人クラスメイト、何千ドルものローンを抱えて通う特権的な教育機関にもっとも虐げられているのは誰か、それを巡って喧嘩してセックスして喧嘩してセックスするのにうんざりしていた。

「何考えてるの？」エヌゾラがぼくの後頭部に尋ねた。

「何か良くないことが起こりそうだって考えてる。きみは？」

「良くないことがもうたくさん起こったって思ってる」

SOON すぐに

ジョージ・ハーモン学長は母さんに、ぼくが図書館から貸し出し手続きなしで『勇気の赤い勲章』（スティーヴン・クレイン著、藤井光訳、光文社古典新訳文庫）を持ち出したのに、刑務所行きにならなかったのは運が良かったと言った。ぼくが図書館から本を持ち出すところを映した防犯カメラのテープを警察に渡したら、ぼくはたちまち逮捕されただろうと学長は言う。ハーモンは、ぼくを退学処分にして大学構内への立ち入りを禁じ、ぼくが書いたものを地元の心理学者に渡していた。その心理学者は、ぼくには白人との関わり方についていますぐ手助けが必要で、それまでは復学など考えられないと主張した。

その日ぼくは、母さんとジョージ・ハーモンの向かいに笑顔で座っていた。嬉しかったからではない。この国で『勇気の赤い勲章』を図書館から持ち出したぐらいで、学生が退学させられるなんて思っていなかったからだ。そんなことはありえない。ぼくの街のど真ん中で、ぼくの教師たちがそんなことをさせるとは思わなかった。ぼくらが部屋を出たら、教師たちがハーモンと話をしようと待ち構えているだろう。ジャクソン州立大学だったら、学生が勝手に図書館の本を持ち出してあとで返したからといって、退学させることはない。そんなことをしようものなら、母さんと母さんの同僚たちが大騒ぎするからだ。処罰の内容が書かれた手紙をハーモンから受け取ったあと、車まで歩く数分のあいだに、ミルサップスの教師たちは母さんとはまったく違うのだとわかった。

母さんがオールズモビルのイグニションに鍵を差しこむときには、ぼくが成功できなかったことを、二人とも受け入れていた。ぼくはもう学生ではない。ミルサップス大学に不意撃ちを許した。これから編入を検討する大学はどこも、ぼくが喧嘩して謹慎処分を受け、盗難で退学処分になったことを知っている。恥ずかしさが波のように押し寄せてきて、生きているのが嫌になった。そんな気分になったのは、マラカイ・ハンターが母さんの顔面を殴ったあとにうちに来て泊まった夜以来、人生で二度目だった。

退学処分を受ける二週間前に、レイ・ガンから〝反黒人《アンチブラック》〟という言葉を教わった。ぼくが家父長制について話すとレイ・ガンは頷いて、家父長制は反黒人みたいなものだと言った。白人と闘うのが困難なのは、どれだけ強い意識をもった黒人でも、自分自身の〝反黒人性〟と向き合わなければならないからだという。ぼくは、ラソーンと〝ブラック・アバンダンス〟という言葉を口にしてそれを信じていたことを話した。レイ・ガンは、ミルサップスの白人を教育しようとして退学させられる前に、ぼくはブラック・アバンダンスについてもっと学んでおくべきだったと言った。

たしかにそのとおりだ。エヌゾラからは、ジャクソン州立大学の黒人ともっと連携してほしいと言われていた。マラカイ・ハンターからは、金も貰わずにミシシッピの白人と闘って時間を無駄にするなと忠告されていた。レイ・ガンからは、恩知らずの黒人学生を放逐するためにミルサップスはなんだってすると言われていた。ばあちゃんからは、目立たないようにして、学校の嫌なところでもうまくやれるようになれと言われていた。当時まだトゥガルー大学で教えていて、ぼくらが授業で読んだ版の『ブラック・ボーイ』のまえがきを書いていたジェリー・ワード博士（一九四三年生まれ。アフリカ系アメリカ人の詩人、作家）からは、ぼくが退学させられるずっと前に、オーバリン大学に編入してカルヴィン・ハーントン（一九三二〜二〇〇一年。アフリカ系アメリカ人の社会学者、詩人、作家）のもとで学んだらどうかと勧められていた。母さんからは、あいつらに不意撃ちを食らわないようにとしきりに言われていた。ぼくは、自分を愛してくれる黒人たちの言うことを聞かなかった。自分を愛してくれる黒人の言うことを聞いても、快感を覚えなかったからだ。ぼくは白人を挑発するのに夢中になっていた。それはつまり、自分自身のことをもっとちゃんと愛するよう白人に求め、そうすることでぼくら黒人を解放するよう白人に乞うことに夢中になっていたということだ。

ぼくはジャクソン州立大学に転入して、ほぼ毎晩、レイ・ガンの家で過ごした。そして、鼻と上唇の距離が近すぎる白人がきまっていけすかないやつである理由から、黒人が大統領になっても貧しい黒人の暮らしを良くすることができない理由まで、ありとあらゆることについてレイ・ガンの持論に耳を傾けた。ただ、シカゴからレイ・ガンの妹が来て彼が面倒を見なければばいけなくなると、ぼくは母さんと一緒に家にいるしかなくなった。ジャクソン州立大学は、ぼくが身ごもられ、生まれ、育てられた場所であり、活動的な黒人学生とくたびれた活動的な黒人教員でいっぱいの場所で、そこに毎日通うのはまさに想像していたとおりの経験だった。ただ、母さんが働く大学に毎日通うのは、まさに恐れていたとおりの経験だった。教師たちは、ぼくが授業で何をしたか、ぼくが授業に出席したか、どれくらい遅刻したかを母さんに逐一報告した。最悪なのは、毎日、ジャクソン州立大学を出ると、ガンとエヌゾラに会いにミルサップスのキャンパスへ足が向いてしまうことだった。そしてほぼ毎回、警備員が現れて追い払われた。

ある金曜の朝、オーバリン大学編入の出願書類をタイプすべきか手書きにすべきかで母さんに口答えして銃を突きつけられた翌日、ぼくは裸で水風呂に浸かりながら、母さんの二二口径の銃に指をかけてこめかみをつついていた。三つの大学から、ぼくの編入学の願書は審査の対象にすらならないと言われていた。喧嘩と窃盗でミルサップスを退学になっていたからだ。

もはや、どう祈ればいいのかわからなかった。ただ、どう耳を傾ければいいかはわかっていた。バスタブでひざまずいて、救いの声、赦《ゆる》しの声、あがないの声を聞こうとした。どれも聞こえなかった。聞こえたのは、〝ビー〟、〝ミーガー〟、〝雑音《マーマー》〟、〝ナン〟、〝勇気〟という言葉で、その声はばあちゃんの声だった。こういう言葉はすべて、愛の響きをもってぼくの耳に届いた。自分の何がおかしいのかわからなかった。ただ、ぼくが母さんのバスタブで頭を撃ち抜いた音が響く世界で母さんやばあちゃんに暮らしてもらいたくないのはわかっていた。

母さんとエヌゾラには反対されたが、ぼくはグレイス・ハウスで働きだした。HIVに感染したジャクソンの男性ホームレスを支援する施設だ。グレイス・ハウスの建物は二階建ての大きな家で、グレーの木の柵で周囲から隔てられていた。ミルサップス大学から三〇メートル弱のノース・エンド地区、まさに〝ミルサップス通り〟という名の通りにある。初めて門を通り抜けて足を踏み入れた日、なぜこの施設はジャクソンでいちばん貧しくて黒人の多い地域にあるのだろうと思った。なぜ白人が住む豊かな地域には、HIVに感染したジャクソンの男性ホームレスのための施設がつくられないのか。

グレイス・ハウスで暮らす男は、ほとんどが黒人だった。なかには、ぼくがミルサップスで処分を受けたのをニュースで見て知っている人もいた。働きだした最初の週には、お前はキッチンから〈チップス・アホイ!〉のクッキーをすっかり盗んでしまうんじゃないか、とからかわれた。ぼくには神の思し召しがあると入所者から毎日言われて、どこに目を向ければいいのかわからなかったが、すぐにその思し召しを理解した。みんな入所も退所も自由にできたが、ほとんどは、ぼくが会ったことのある刑務所から出たばかりの人のような話し方をした。ぼくは彼らの話が好きだった。ぼくのなかの間抜けな八年生は、入所者たちの一つひとつの言葉がとても誠実なのが嬉しかった。みんなすぐに、図書館の本を盗んで返したことで大学を退学になったなんてことは、ちょっとややこしい面倒ごとでしかないと説いて聞かせてくれた。

グレイス・ハウスの入所者たちが新しいものの見方を教えてくれたというのは短絡的すぎる。そもそも彼らが何かを与えてくれたのか、ぼくにはわからない。ただ、とびきりおかしな話を聞かせてくれて、苦しい身体の変化を知る機会を与えてくれたことはたしかだ。こういう話のおかげで、ぼくは聞き手としての居心地のいい立場に戻る余裕ができた。彼らのおかげで、ぼくは一年間ミルサップスで安っぽいフィクションの世界に生きていたことに気づかされた。彼らのおかげで、直接的にも間接的にも、自分が世界の中心ではないことを知った。ぼくは自分で思っていたほど〝重たく〟はなかったのだ。毎日グレイス・ハウスに足を踏み入れるとき、ぼくは大きくも重たくもなかった。ぼくは、トニ・モリスンを読んで、バスケットボールを観て、《マーティン》（一九九二年から一九九七年にかけて放送された人気コメディドラマ）を見て、腕立て伏せをするのが好きなケアワーカーで、コミックを読んで、クロスワード・パズルをして、《となりのサインフェルド》（一九八九年から一九九八年にかけて放送された人気コメディドラマ）を見るのが好きなケアワーカーではないというだけだった。要するに彼らにとってぼくは、金をもらって入所者の話を聞く人間の一人であり、自分たちの名前や身元をグレイス・ハウスの外の人間に漏らすことがないと信頼できる人間の一人に過ぎなかった。

ぼくはみんなの身体の痛みと変化を聞いて、それと同じぐらい彼らの物語の間《ま》、繰り返し、省略を聞いた。グレイス・ハウスでぼくが世話をした入所者はみんな、車、スポーツ、服、政治、食べ物、家族について語ったが、ＨＩＶに感染した経緯や、うつした可能性がある相手については語らなかった。彼ら自身と同じで、彼らの物語もさまざまだったけれど、みんな口をそろえて、ＨＩＶに感染したことで命を救われたと語った。ぼくは、最初の何度かは頷いて「そうですか」と返しながらも、これほど死に満ちているように思われるものがどうして命を救えるのか、よくわからなかった。

グレイス・ハウスの外でも変化があった。エヌゾラはぼくにキスをしなくなった。ぼくがグレイス・ハウスで働いているのは、ぼく自身がＨＩＶ感染者で、仲間たちと一緒にいたいからなのだろうとエヌゾラは言った。生まれてからそれまで、ぼくがセックスをしたことがあるのは、二人の女性だけだった。どちらもＨＩＶ陽性だとは言っていなかったし、ガンとぼくが金のために血や血漿《けっしょう》を売るときには、血液がウィルスに感染していないか必ず確認されていたはずだ。それでも一応、改めて検査を受けた。グレイス・ハウスで働いているのはただそこで働きたいからで、〝仲間たちと一緒にいたい〟からではないとエヌゾラに証明するためだ。

検査の結果は陰性で、ぼくはエヌゾラにそれを伝えたが、そんなものは信じないと言われるのはあらかじめわかっていた。脂っこいレッド・ヴェルヴェット・ケーキを前に笑っていたぼくらは、いまは口を尖らせていて、お互いの目を見てＨＩＶ検査の結果について話すことすらできなくなっていた。

検査結果が出たあとは、エヌゾラと会ってもほとんど話をしなくなった。彼女から出る質問はただひとつ。「これからどうするの？　どうして諦《あきら》めようとしてるの？」

家に帰る車で、ぼくはオーバリン大学が編入を受け入れてくれるかもしれないと話した。ミルサップスでの出来事があったにもかかわらず、ではなく、それがあったからこそ生まれた可能性だ。この一三カ月間で初めて、エヌゾラはぼくの前で泣いた。

「このゴタゴタのなかにわたしをひとり残して、離れていこうとしてるんでしょ」

ぼくはエヌゾラに、オーバリン大学はぼくの願書を受け取っただけだと念を押した。母さんの家の前でエヌゾラの車から降りて、ぼくらはハグをした。

「あなた、とても小さく感じる」エヌゾラは言った。「わたしたち、どうしちゃったんだろう。何か言いたいことある?」

エヌゾラは郵便受けのところまでついてきた。母さんが残したままの請求書の山の上に、オーバリン大学からの薄い封書がのっかっていた。不合格の通知だと思った。

「特にないな」ぼくは答えた。

「身体に気をつけてね、キエセ」エヌゾラはそう言って、車に向かって歩いていった。「ちゃんと食べるんだよ。あなたが消えちゃったって、いつかあなたのお母さんが電話してくるんじゃないか心配だから」

もう手遅れだった。ぼくらは闘って、負けて、また闘って、二人ともすでに消えてしまっていた。

「そんなことにはならないよ」エヌゾラが車をバックさせて母さんの家の敷地から出ようとしているとき、ぼくは言った。「いろいろごめんな」

その夜、ぼくは家の前に仰向けになって星を眺めた。ひさしぶりに、ビューラー・ビューフォードの家から逃げだした日に母さんを待っていたときのことを考えた。あの頃は、春夏秋冬、ずっとミシシッピで過ごせたらいいと思っていた。どれだけおかしな場所であっても、暑くても、恐ろしくても。いまの気持ちは違う。ミシシッピがぼくらの銀河だとしたら、ぼくはその銀河で橙赤色の星々の中や下、まわりを浮遊していたくはなかった。ミシシッピをほかのいろいろな星から眺めたかった。そして、うちには二度と戻ってきたくなかった。

三カ月後、ぼくは母さんと一緒に家を出て、母さんのオールズモビルの助手席に向かった。母さんの目には涙が浮かんでいる。運転席にはレイ・ガンが座っている。レイ・ガンがぼくをオーバリンまで送ってくれることになっていて、そのあいだ母さんは彼のインパラを使うことになっていた。三カ月間、母さんとぼくは互いに我慢して、この日に備えていた。マツの木の影のせいで、二人ともよそよそしく見えた。

「愛してる、キー」母さんは言った。「わたし、とても怖いの」

「何が怖いの?」

「これまでずっと一緒だったでしょう。ここで一人になったことがないから。自分の子どもが、いちばんの友だちが離れていくみたいな感じがして」

母さんがぼくの胸に腕をまわしてきて、ぼくは髪をブレイズにした母さんの頭のてっぺんにキスをした。

「どうしてそんなに小さくなっちゃったの? こんなふうになるはずじゃなかったのに。感謝祭にはオーバリンに行こうかな」

「オーバリンの秋休みは一〇月だよ」

「すぐに帰ってきて、キー。約束してくれる?」

「ああ帰ってくるよ。マジで。一〇月には帰ってくる。約束するよ。すぐに帰ってくるから」

ぼくはすぐに帰ってはこない。
ぼくはオーバリン大学に通う。大学の書店で、母さんの誕生日のためにフレームを盗んで捕まる。マーガレット・ウォーカーに言われた南部の黒人作家になる方法を、カルヴィン・ハーントンのもとで学ぶ。『ガン日記』（*The Cancer Journals*、アフリカ系アメリカ人の作家、フェミニスト、公民権運動活動家、オードリ・ロードによる乳がんの闘病記。一九八〇年刊、未邦訳）を読む。うまくできるようになりたくないことを、うまくできるようになる。クリストファー・ウォレス（一九七二〜一九九七年。MC、ラッパー。別名ノートリアス・B.I.G）とトゥパック・シャクール（一九七一〜一九九六年。ラッパー、俳優。別名2パック）の訃報を聞く。オクティヴィア・バトラー（一九四七〜二〇〇六年。アフリカ系アメリカ人のSF作家）とアウトキャスト（一九九二年結成のヒップホップ・デュオ）の作品の皺を見て、気配を聞いて、未来派のひねりを感じる。練習をする。ばあちゃんの家の、通りを挟んで向かいの林の地面にあいた穴について書く。

ぼくはすぐに帰ってはこない。

自分のことをいいやつだと思って、付き合っている彼女以外とは〝厳密には〟セックスしない。自分のことをいいやつだと思う。フェミニストを自称する。ぼくに恋に落ちた友人たちと恋に落ちる。セックスと暴力と混乱の経験を語る友人たちの話を聞く。優しく質問をする。ミシシッピのうちの寝室とビューラー・ビューフォードの家の寝室での自分の身体の記憶については、その友人たちには話さない。

ぼくはすぐに帰ってはこない。

こすれて皮が剝けていた腿の内側の感覚を忘れてしまう。バスケットボールのチームでプレイする。八六キロは太りすぎだと思って、練習と試合の前に毎回、五キロ弱走る。保温下着、スウェットパンツ、スウェットシャツを身につけて何時間もサウナに座っている。ぼくが太っていたと言っても信じない仲間がたくさんできる。ハンサムで立派で秘密をたくさん抱えた彼氏になる。ハンサムで立派で秘密をたくさん抱えた彼氏は、際限なく危害を加えることができるのだと知る。図書館の地下一階で、インターネットを愛し巧みに使うことを覚える。メロン財団の学部生向け奨励金をもらう。インディアナ大学の文芸創作修士課程と博士課程に出願する。詩人ユセフ・コムニャカー（一九四一年生まれ。一九九四年にピューリッツァー賞を受賞）がそこで教えていたからだ。オーバリン大学の卒業式でステージを歩いて、母さんと父さんとハグする。

ぼくはすぐに帰ってはこない。

すぐに帰ってくると母さんに言った日、母さんの胸を大きく引き裂いた日、ミシシッピを去った日、母さんがぼくを自分の子ども、いちばんの友だち、生きがいと呼んだ日のことを、ぼくは忘れない。ぼくは故郷について書く。ミシシッピでの最後の数年に感じたことを感じないようにするために、できることはすべてする。ぼくは歪む。壊れる。築く。回復する。

ぼくはすぐに帰ってはこない。

レイ・ガンは母さんをハグして、安全運転すると約束した。バックして家の前から車を出す。母さんは両手で顔を覆ってすすり泣きながら、通りまで歩いてきた。母さんが泣いていたのだから、ぼくも泣くべきだった。泣こうとした。嘘のつき方は母さんから教わっていたけれど、泣き方は教わっていなかった。ぼくはレイ・ガンにバックしてくれと頼んだ。レイ・ガンが車をバックさせて、ぼくは車から飛び降りて母さんの首に抱きついた。

「帰ってきて、キー」母さんは言った。「お願い」

「すぐに帰ってくるよ」ぼくは母さんの耳に囁いて、また車に飛び乗った。

「すぐに帰ってくるよ」互いの姿が小さくなっていくなか、ぼくは窓から叫んだ。

これまでとは違う気分になった。

「すぐに帰ってくるよ。心配しないで。愛してる。約束する。すぐにうちに帰ってくる」

IV. ADDICT AMERICANS.

依存するアメリカ人

GREENS　野菜

　母さんがばあちゃんの家のリビングで、蛍光色のミンク・コートを着た、ちかちか光る黒人エンジェルをクリスマス・ツリーのてっぺんにそっと載せているとき、ジミーおじさんとぼくはインディアナ州ブルーミントンのワンルーム・アパートメントの部屋で互いの身体を見比べていた。ぼくは大学院の最終学年にいた。ジミーおじさんとぼくは、どちらが腕にたくさん血管を浮かびあがらせることができるか競っていた。

「おいおい、なんだよ」ジミーおじさんはそう言ってぼくをハグする。「大学院でほうれん草でもモリモリ食ってんのか？　バスケのプロ選手になるためにトレーニングしてるみたいだぞ」

　ぼくは二六歳で八三キロ、体脂肪率は八パーセントだった。

　ジミーおじさんは一九二センチでガリガリ。目はたいてい卵の黄身みたいな色をしていて、いまにも顔から飛び出しそうだ。いまより二〇キロ太っていたときと同じシカゴ・ベアーズのスウェットシャツを着て、グレーの教会用スラックスを穿いて教会用の靴を履いている。

どこか悪いのかと尋ねたら、ジミーおじさんは答えた。「医者がくれる血圧の薬、あれのせいでニガはどうしても痩せちまうんだ。それだけさ。いまもお前の前で〝ニガ〟って言っても平気か？　母さんみたいに教授になったんだろ」

ぼくは、院生の補助教員でまだ大学院生だとジミーおじさんに説明した。

「教授からは程遠いよ。高校の教師になりたいと思ってる。どっちにしろ〝ニガ〟でもなんでも、好きなときに好きな言葉を使ってくれていいよ。おれは母さんとは違うから」

ミシシッピまでの道中、ぼくらはガソリン・スタンドに何度も立ち寄った。ジミーおじさんは毎回トイレに一〇分間こもる。そこでおじさんが用を済ませているあいだ、ぼくは《アクエミナイ》（アウトキャストの一九九八年のアルバム）の音量を上げてヴァンの外で腕立て伏せとジャンピング・ジャックをした。ようやく戻ってきたとき、おじさんはパイント・サイズのバター・ピーカン・アイスクリームとレイズのソルト&ヴィネガー・ポテトチップスの大袋を持っていた。

「食うか、甥っ子？」とジミーおじさんは尋ねる。

「いや」ぼくは毎回答える。「おれはいいや」

「いらないのか？」

「いらない」ぼくは言った。毎日一八キロ走って、二時間バスケットボールをして、八〇〇キロカロリーしか摂っていないことは話さなかった。その前の週にスーパーマーケット〈クローガー〉のレジに並んでいるときにふらっと意識を失ったことも話さなかった。気がついたときに、ローリーというレジ係に「糖尿病？　それともヤク中？」と尋ねられたことも話さなかった。痩せれば痩せるほど、身体は過去の経験を憶えているのと同じぐらいこれからのことがよくわかるようになる、そのことも話さなかった。

ジミーおじさんは口のまわりをポテトチップスの脂まみれにして、まるで不思議なものでも見るようにぼくを見た。

「白人女子とファックしてたのが、今度は白人女子みたいな食い方をするようになったってわけか」

「ただ痩せるのが好きなだけだよ」ぼくは答えた。「ほんとうにそれだけ。ただ痩せるのが好きなんだ」

「ただ痩せるのが好きなだけだって？」ジミーおじさんは死ぬほど笑った。「おれの甥っ子は大学院に行って白人女子になっちまった。ただ痩せるのが好きなだけだって？　この三〇年で聞いたクソのなかでもとびきりクレイジーだ、キー。そんなクソなこと言うやつがどこにいんだ。ただ痩せるのが好きなだけだって？」

アーカンソー州リトルロック辺りで、長距離トラック用のサービスエリアに車を停めた。ジミーおじさんは、キャタピラー社の工場でともに働く友だちのことを話しだした。その友だちとはヴェトナムで一緒に従軍して、それぞれアルコホーリクス・アノニマス（アルコール依存症者のための自助グループ）のミーティングに三度ずつ行ったことがあるという。

「そう、やつはいつも週末に飲んだマーテルとヤってる女たちの自慢をするんだ」ジミーおじさんは言った。「白人はニガの頭を押さえつけとくためになんだってするんだって、やつはいつも言う。それから、甘やかされたブッシュのことを話しだす。白人がなんだってするなんてことは大昔からわかってるだろ、って言ってやると、やつもそう思うって言うんだ。でもな、白人のボスがくると、このニガ、カメみたいに首を肩に引っこめちまう。思いきり笑顔になって、死ぬほど白人におべんちゃらを言うんだ」

ぼくはジミーおじさんに、どうしてその友だちはおじさんの前と白人上司の前では振る舞いを変えるのかと尋ねた。

「ったく」テーブルの下でそわそわと貧乏ゆすりしながら、ジミーおじさんは言った。「ニガのなかにはな、白人が欲しがるものをなんでも、やつらが欲しいときにくれてやるのに中毒になってるのがいるんだ、おれは違うぞ。わかってるだろ」

ジミーおじさんの言うとおりだ。ぼくがそれまでの四年間で読んだり創作したりしていた文学作品は、白人がいないときにぼくらが誰であり、何を知っていて、いかに記憶して、何を想像するのかをもっぱら扱う作品だった。ぼくにとってその想像力は、すべてがばあちゃんの家のポーチと結びついていた。ものを書くために椅子に腰かけるときはいつも、ポーチに腰かけているところを想像した。そのポーチにいると、前にも後ろにも幾層にも重なる黒人ミシシッピを感じられる。

ジミーおじさんがトイレに行っているあいだに、予定より到着が遅れるのを知らせようと公衆電話からばあちゃんに電話した。

母さんが電話に出た。

「ヘイ」ぼくは言った。「みんなどうしてる?」

「ヘイ、キー。みんないま病院に向かっているところなの。病院で会いましょうってジミーに伝えてちょうだい。ジミーは酔っぱらってる?」

「いや、酔っぱらってはないよ。いまはトイレに行ってる。ばあちゃんは大丈夫?」

母さんの話では、ばあちゃんは目まいがすると言ったあと、椅子に座ったまま眠りに落ちた。母さんがばあちゃんのかつらをはずすと、かつらの内側に血がついていたという。後頭部を見たら、化膿した傷口があったらしい。

「ジミーには言わないで」母さんは言った。「ちょっとでもストレスを感じたら、イルカみたいにお酒を飲み始めるんだから」

「イルカは酒なんて飲まないと思うけど」

「とにかく直接病院にくるのよ、キー」

ようやく車に戻ってきたとき、ジミーおじさんはヘネシーやマリファナどころではない何かでハイになっていた。買ってきた〈ブラック・アイス〉の芳香剤をぼくに渡して、世界をいい香りにしろと言う。どういう意味かと尋ねると、ジミーおじさんは答えた。

「このヴァンを運転しろ、甥っ子。このクソを運転するんだ。世界をこれみたいないい香りにしろ」

ジミーおじさんは目をほとんど開けられず、口は閉じられない。

「前に運転したときみたいにブレーキは使うな、甥っ子。このクソをうちまでずっと運転するんだ」

ばあちゃんが親友や自分の姉妹の死について涙声で語るのを聞いたことはあった。ばあちゃんの家で無礼な振る舞いをしたとジミーおじさんを怒鳴りつけるのも聞いたことがあった。しかし病院で過ごしたその夜まで、ばあちゃんがイエスに慈悲を乞いながら大声を上げるのは聞いたことがなかった。

ジミーおじさんはもうハイではなくなっていた。ジミーおじさんと、ばあちゃんの再婚相手ハレスター・マイヤーズは待合室に腰かけて、互いに目を合わさずにブッシュと最高裁判所についてのニュースを見ていた。母さんとリンダおばさんとスーおばさんは、廊下の先でジミーおじさんのことを話していた。母さんは、おじさんの問題はすべてヴェトナムで見たりやったりしたことのせいだと言う。リンダおばさんは、アルコールのせいだと言う。スーおばさんは、ぼくらがおじさんのためにもっと祈らないのがいけないと言う。

ぼくは母さんたちのところを離れてばあちゃんの部屋に行った。

片手をメッシュの短パンのポケットに入れて、もう片方の手でばあちゃんの手を握り、すぐに良くなるよと声をかけた。ばあちゃんは、白人の担当医を信じていると言う。ばあちゃんは担当医のことをずっと「白人のお医者さん」と呼んでいたが、実際にはその医者は背が低くて皮膚の色が薄い黒人男性で、髪はぱさついた赤いアフロだった。

「あの白人のお医者さんは、心底あたしのためを思ってくれてんだ。ばあちゃんはすぐ元気になるさ」

ぱさついた赤いアフロの黒人医師は、ちょっとした処置をする必要があるから部屋を出るようにとぼくに告げた。感染が思っていたよりも深く、頭の真ん中から始まって首の後ろまで広がっているらしい。

「この痛みを和らげる処置をします」医者は言った。「感染が血流にまで広がっているのでね」

ぼくは部屋を出たが、医者は扉を閉めなかった。

「主イエスさま」ばあちゃんはそう何度も口にして、その後、悲鳴を上げだした。「どうかお慈悲を。どうかお慈悲を」

わかっていたけれども認めたくなかった。ばあちゃんがなぜ悲鳴を上げているのか。ぱさついた赤いアフロの黒人医師が、なぜばあちゃんに十分麻酔をかけなかったのか、なぜ後頭部の頭皮を二・五センチも切るのがばあちゃんのためになると思ったのか。

みんな黒人の女はいずれ回復すると思っているが、実際に回復したかどうかは気にかけない。ばあちゃんが回復したかのように振る舞って、命を救ってくれたことをイエスに感謝するであろうことをぼくはわかっていた。心底ばあちゃんのためを思っているはずの者たちの手で傷つけられた心と身体について、ばあちゃんが人前で文句を言うことはない。ぼくら一家は、そもそも陥っているべきではない状況を切り抜けさせてくれたことをイエスに感謝するのが得意だった。

その夜、ぼくはベッド脇の椅子に座って、ばあちゃんの手を握って過ごした。ばあちゃんは一言も話さなかった。薄っぺらいマットレスに頬を押しあて、日が昇るまでただ病室の窓の外を見ていた。

翌朝ぼくが早朝のランニングから戻ってくると、ジミーおじさんがばあちゃんの病室に入ってきた。

「ミイラみたいな見た目にされちまったよ、ジミー・アール」ばあちゃんはそう言ってジミーおじさんの首に抱きつき、前に会ったときから二人ともとても痩せたと言った。

ぼくは、もっと身体に気をつけなければいけないとばあちゃんに言った。

「大きなお世話だ、キー。お前こそいまより痩せるんじゃないよ。じゃなきゃ、お前の頭が道に落っこっちまうよ」

「どうして頭が道に落っこちたりするのさ、ばあちゃん」

「あたしの言ってることとわかるだろ、キー」ばあちゃんは笑って、それからジミーおじさんのほうを向いた。「どうしてちゃんと食べないんだい、ジミー・アール。聞いてるのかい?」

ばあちゃんは、並んで立つジミーおじさんとぼくを見た。ずっとスローモーションでまばたきをしている。ばあちゃんがゆっくりまばたきをしているときは、目を引きつらせているときよりもさらにやばい。ゆっくりまばたきをしているとき、ばあちゃんは視線の先にあるものにとびきりむかついている。家族はみんなそれを知っていた。

「ちゃんと食ってるさ、母さん」ジミーおじさんが唐突に口をひらいた。

「何を食ってんだい、ジミー・アール？」

ジミーおじさんはぼくを見る。

「砂肝」ジミーおじさんは言った。「ほうれん草もたくさん。ほうれん草と砂肝を食えるだけ食ってる」

「ほうれん草なんて一本も食っちゃいないだろ。どうしてちゃんと食べてないんだい、ジミー・アール？　ここに入院するようなことになるんじゃないよ」

「ここまで来るあいだ、ずっとほうれん草を食ってたさ」ジミーおじさんは、ぼくを見ながらばあちゃんに言った。「ここまでずっとだ。ほうれん草を食ってたよな、キー？」

ばあちゃんが、嘘をつけるものならついてみろとでも言うかのように、ゆっくりまばたきしていたので、ぼくは口をつぐんだまま首を上下に振って言った。

「ばあちゃん、ブッシュたちが汚いやりかたで選挙に勝ったのをどう思う？」

「あの白人は恥知らずで、なんだってするんだ。やらないのは、あたしたちをまともに扱うことぐらいさ。それに、あの白人男があたしたちに悪いことをするときには、いつだってどこかのうぬぼれた勘違い黒人男が手を貸そうとするんだ」

「クラレンス・トーマスのこと？」

「ああ、あのうぬぼれ男はよくわかってる。あいつらは、釘で打ちつけられてないものはなんだってあたしたちから盗んでくんだ。あたしが生まれるずっと前からね。あの黒人女にセクハラしたのがバレたとき、ハイテク・リンチについてテレビで話してただろ、あれを見てこいつはおかしいってわかってたんだ。あの女の名前はなんていったかね、キー？」

「アニタ・ヒル」

「そうそう。アニタ・ヒル。お前はそれだけ教育を受けといて、やつらが汚いやりかたで選挙に勝ったからっていまさら驚いてんのかい？」ばあちゃんはぼくに言った。「それだけ学校に行ってるのに、やつらが選挙区を改変して何をたくらんでるのかわかってなかったのかい？キー、車でこっちに来るとき、ジミー・アールはほうれん草を食ってたのか？」

ぼくは立ち上がってふくらはぎのストレッチをして、ばあちゃんのベッド脇にある体重計に乗った。

「たぶんね。ここまで来るあいだはずっと寝てたけど」そう言ってぼくは、ジミーおじさんが恥ずかしい思いをせずに好きなだけ嘘をつけるように部屋を出た。

ばあちゃんの病室で、インディアナを発ってから初めて体重計に乗った。インディアナのジムのいちばん下の階にある体重計は、ぼくが乗ったことのある体重計のなかでいちばんかっこよく頑丈で正確だった。体重を量ってから水を半口飲んだり何度かつばを吐いたりしただけで体重が変わるのがわかるほどだ。ぼくはそのジムのいちばん下の階で、運動の前後と食事の前後に毎回体重を量った。それに、毎朝起きたら巻き尺でウェストを測った。インディアナに来たときには八四センチあったのを、二年半で七一センチまで絞った。七一センチは悪くないし、いちばん太っていたときの一二二センチとは大違いだが、もっと運動すればさらに絞れると思っていた。

三日後にばあちゃんは退院した。土曜の夜遅くにぼくがばあちゃんの家に行くと、ばあちゃん、スーおばさん、リンダおばさん、母さんがテレビを囲んで座っていて、無言で《カラーパープル》（アフリカ系アメリカ人作家アリス・ウォーカーによる同名小説の映画。スティーヴン・スピルバーグ監督、一九八五年）を見ていた。母さんたちが《カラーパープル》を見るときは、もう何度も見ているのにいつも初めて見るような雰囲気だった。誰も泣かない。誰も動かない。みんな深く息をして、身体のどこかを隣の人に触れさせていた。

映画のあとリビングで、ジョージ・ブッシュが汚いやりかたで選挙に勝ったのをクラレンス・トーマスが手助けしたのは酷いとみんなで話していると、母さんが、ミシシッピ州フィラデルフィアのカジノに行かないかとリンダおばさんとぼくを誘った。ラスヴェガスに住むリンダおばさんは、ミシシッピのカジノなんて田舎臭すぎて当たりやしないと言ったけれど、その田舎のカジノの人たちから尊敬の目で見られるのが大好きだった。

「ヴェガスよ、ハニー」よくできたウィッグと、ルビー色のマニキュアを塗ってダイヤモンドをちりばめた五センチのネイルのことを尋ねられると、リンダおばさんはきまっていつもそう答えた。「わたしヴェガスから来たの」

車に乗る前にバスルームで体重を量ろうとしたけれど、ばあちゃんの体重計はなくなっていた。

リンダおばさんは、フォレストからフィラデルフィアに向かうあいだはビデオポーカーのことを語り、いくら勝つまで続けるか話していた。いくら勝つまでやる気かとリンダおばさんに尋ねられても、母さんは何も答えなかった。

ミシシッピ州フィラデルフィアの〈ゴールデン・ムーン・カジノ〉は、煙、無料の酒、非常灯、ディン・ディン・ディンという音でいっぱいの窓がない空間だった。プレイしなくてもディン・ディン・ディンを聴いて非常灯を見ていられる。ひと晩金を使わずに人を見て、好きなものを好きなだけ飲んで、ディン・ディン・ディンを聴いていられるのに、おそらく失うであろう金をマシンに入れる人がいるのがぼくには理解できなかった。

ぼくは母さんから少し離れたマシンの前に座って、ダイエット炭酸飲料を飲みながら、母さんがポケットの金を使い果たすのを見ていた。ハンドバッグのなかをくまなく探して二五セント、一〇セント、五セント、一セント硬貨をかき集め、カジノの窓口に持っていって一ドル札を数枚もらう。母さんはその一ドル札を持って数分前まで座っていた席に戻り、それをマシンに入れた。

母さんが振り返ってぼくを見ると、ぼくは母さんのところに歩いていって、ばあちゃんからクリスマスにもらった四〇ドルと財布に入っていた六〇ドルを渡した。そしてぼくは母さんが二〇ドル札を五枚、同じマシンに滑りこませるのを見ていた。一分も経たないうちに母さんはリンダおばさんのところに歩いていって、プレイしているおばさんの隣に座った。二人とも何何も言わない。結局リンダおばさんは二〇ドル札らしきものを一枚渡して、母さんに背を向けた。

母さんは同じマシンのところに戻った。金がなくなると振り返って、母さんを見ているぼくをまた見る。ぼくのところに歩いてきて、クレジットカードを持ってきたかと尋ねた。数年前にミルサップスで盗まれてからクレジットカードは持っていないとぼくは答えた。

「クレジットカードは必要よ、キー」と母さんは言う。「そうしないと信用履歴ができないでしょう」

言いたいことがたくさんあったけれど、クリスマスは喧嘩なしでやり過ごしたし、カジノで有り金をすべて渡したあとに母さんに横っ面までひっぱたかれようものなら、自分が何をしでかすか、何を感じるかわからなかったので黙っていた。

うちに戻ると、母さんはばあちゃんの部屋でベッドの足側に横になって、寝室の扉を閉めろとぼくに言った。

「気分が良くないの、ママ」母さんはばあちゃんに言った。

「どうしたんだい？」ばあちゃんが尋ねる。

「キー」母さんが言う。「ドアを閉めなさい」

「わかったよ」ぼくは答えた。「でもどうして？」

「わたしがそう言ったからよ、キー。いいからドアを閉めなさい」


翌朝、インディアナに戻る前に、家の外のポーチに出るようにばあちゃんに言われた。ほかのみんなは、ゴルフでタイガー・ウッズが白人たちを打ち負かすのを見たり、キッチンで家に持って帰る食べ物を取り分けたり、ジャーマン・チョコレート・ケーキとスイート・ポテト・パイを切り分けたりしている。ぼくは一五年前と同じ塗料のはげた黄色い椅子に座った。ぼくはばあちゃんに、子どものときに、林が信じられないほど豊かで真緑だと感じていたことを話した。ばあちゃんは、ぼくがいなくなったからといって世界はどこも変わりやしないと言った。

「どうしてジミー・アールみたいに貧乏ゆすりしてるんだい、キー？」

ぼくは、自分がつま先でポーチを叩いているのに気づいてもいなかった。

「知らないよ」ぼくは答えた。「たぶん走りにいかなきゃいけないんだと思う。もっと身体に気をつけてくれよ、ばあちゃん。マジで。身体がどこかおかしかったら、ギリギリまで我慢したらだめだよ。それに、ちゃんと治してくれる人がいるんなら、自分で治そうとしないでほしい。運動はちゃんとしてる？」

「お前は運動バカになっちまったね」ばあちゃんは言った。「それだけ脂肪を落として、今度は人に指導しようってのかい？　最悪の教師は自分みたいになる方法を教えるヤツだ。人間には耳がついてる。上から目線で話されたら、ちゃんとわかるんだ。あたしだってずっと運動してきたさ。裏庭に空き缶が入ったでっかい袋がいくつもあっただろ？　日二回、通りを行ったり来たりして空き缶を拾って、空き缶屋に売るんだ。隣のトレイラーパークに親切なメキシコ人がいてね、あたしがこの通りを行ったり来たりしてたら空き缶を持ってきてくれる。だからあたしだって運動してるさ。余計なお世話だね」

ぼくはばあちゃんの答えを笑い飛ばした。

「いいかい、キー。何かがおかしい。ママとジミー・アールにもっと電話してやっておくれ」

「母さんとは数日おきに話してるよ、ばあちゃん」

「そうかい、じゃあ毎日話すんだね。一日に二度だ。ジミー・アールおじさんにも、もっと電話するんだよ」

ぼくはばあちゃんを見た。ばあちゃんは頭に巻いた包帯をいじっている。

「いいかい？　祝福を受けて幸せになるには一つ、ひょっとしたら二つの道しかない。でも幸せを手放す道はいくらでもあるんだ。幸せを手放すのがとてもうまいやつもいる。たくさん幸せを手放してたらいつか主《しゅ》がやってきて、必要な幸せを全部奪ってく。それでこれぽっちの幸せも残らないいんだ」

「これぽっちの幸せも残らないって、ばあちゃん？」そう言ってぼくは腹を抱えて笑った。

「ばあちゃんは自分のテレビ番組をもったほうがいいな」

「これぽっちの幸せも残らないんだ、キー。あたしが話してるのは自分でちゃんと知ってることさ。それに言ってるのは金のことだけじゃない。主がお前に与えるべきと思うもの全部のことだ」

「わかったよ、ばあちゃん」ぼくは言った。「訊いてもいい？」

「なんだい、キー？　いまここのポーチで、あたしはなにもおかしなことは話してないよ」

「祝福のことも母さんと話せってことも、全部わかった。ただ、体重計はどこに行ったのかなと思って」

「まったくなんてこったい」ばあちゃんはゆっくりとまばたきを始めた。「ときどきお前の頭は大丈夫かって思うよ」

「おれの頭は大丈夫だよ、ばあちゃん」ぼくは続けた。「ただ体重を落とすのが大好きなんだ」

その日、家の外のポーチで、ばあちゃんの目はゆっくりと、休みなくまばたきをしていた。

インディアナまで戻るあいだ、ぼくは飲み食いをしなかった。ずっと体重を量ることができず、ようやくテネシーの休憩所で一ドル払ってトイレにあったおんぼろ体重計に乗った。その体重計によると八四キロで、病院で量ったときより一キロ増えていた。

アーカンソーとの州境を越えたとき、ジミーおじさんはKFCに寄って持ち帰りの砂肝を注文した。数キロ先で温かい食べ物を売るスーパーに立ち寄った。ジミーおじさんはぼくにヴァンで待っていろと言う。そして何も持たずに店から出てきて、また別の温かい食べ物を売るスーパーに向かった。今度はベージュの発泡スチロール容器を二つ持って出てきて、その容器には野菜とコーンブレッドがたっぷり入っていた。行いを改めようということらしい。

「食うか、甥っ子？」

「いや、おれはいいや」

ジミーおじさんはスーパーの駐車場で五〇〇グラムはあるに違いない野菜とコーンブレッドを食べた。容器が両方とも空になるとジミーおじさんは、ぼくが長く学校に通い過ぎだと、ばあちゃんが家族のみんなに不満を漏らしていたと言う。そろそろちゃんとした仕事に就いて、金銭面で家族を助けるべきだと。ジミーおじさんはよく嘘をつくが、部屋にいない人について本心を話すのがばあちゃんのやり方だということはぼくも知っていた。

ぼくはジミーおじさんに、インディアナでは年に一万二〇〇〇ドル稼いでいると話した。家賃と水道光熱費を払ったあと、毎月手元に残るのは二二〇ドルほどだ。一〇〇ドルは、母さんが郵便受けに警告書を放置していたせいで債務不履行になったミルサップスの学生ローン返済にあてる。四〇ドルはばあちゃんに送る。二〇ドルは貯金にまわす。六〇ドルは食費にした。

「母さんがお前にはちゃんとした仕事に就いてほしいって言ってたぞ」ジミーおじさんはまた言った。「だから、すぐに動いてなんとかしろ。ちゃんとした金を稼ぐんだ」

ジミーおじさんのヴァンでぼくは決めた。博士号の取得を目指すのはやめて文芸創作の修士課程に入り、白人以外の大学院生にリベラル・アーツ・カレッジで二年間授業を担当させるフェローシップに出願する。もしそのフェローシップをもらえれば授業をしながら執筆中の本を推敲して、そのあとはその本を売りこみ、どこかほかのところでまともな給料をもらえる仕事に就けばいい。

ぼくを車から降ろすとき、ジミーおじさんは首に抱きついてこなかった。拳をぶつけ合うこともなかった。ぼくが告げ口しなかったことに礼を言って、来年また会おうと言った。

「ときどき電話で話せたらって思うんだけど」ヴァンの外からぼくは言った。

ジミーおじさんはそれに答えずに車を発進させた。ミシシッピに向かっていたときにジミーおじさんが身体に何を入れていたのか、はっきりとはわからない。インディアナに戻ってくるときには、人間が一度に食べるのを見たことがないほど大量の野菜を食べていた。ぼくを降ろしたあと、ジミーおじさんがハイになっては落ちるという生活に戻るのは目に見えていた。ひとりぼっちで自分を恥じ、死ぬほど恐ろしいとき、うちの家族はみんなハイになって、それから落ちるからだ。

アパートメントの階段を小走りで昇ったあと、ぼくはひざまずいて神に感謝した。ぼくがジミーおじさんみたいにハイになっては落ちていないことを。ばあちゃんみたいに泣きながら頭のかさぶたを引っ掻き落としていないことを。母さんみたいにふさぎこんでカジノで金を失ったことを悔いていないことを。腹筋を手のひらでさすって、新しい筋肉を探す。胸筋を指でなぞって左右の筋肉を収縮させ、どちらがもっとくっきりしているかたしかめる。両手を硬い腿のあいだに滑りこませて、腿の肉を思いきり握る。ふくらはぎからくるぶしにかけて、それからまた膝まで、血管をなぞる。鏡を見るたびに、いまだにジャクソン出身の一四五キロの太った黒人少年が見える。自分の身体に触れたり体重や体脂肪率を見たりすると、新しい身体をひとつつくり上げ、身体をひとつ消し去ったのがわかった。

立ち上がって、母さんたちが目を背けて逃げている記憶に立ち向かうのを手助けしてくれるよう神に頼んだ。母さんたちみんなが体重を減らすのを手助けしてくれるよう神に頼んだ。祝福と幸せを手放さないように最善を尽くして、母さんたちみんなの面倒を見るつもりだった。まずは、ジムが閉まる前にそこまで全力疾走しなければならない。寝る前に食べたり飲んだりしても平気か判断するために、正確な体重を知りたかった。

TERRORS 恐怖政治

母さん、あなたがミシシッピ州ブランドンの自動車修理工場に車を停めて、整備士がスバルをつけで修理してくれないかと思っているとき、ぼくはニューヨーク州ポキプシーの新しい研究室の床で寝ていた。ぼくは八二キロで、ヴァッサー大学の黒人の特任教員だった。体脂肪率は六パーセント、所持金は数百ドルだ。

ぼくが研究室の床で寝たと話すと、母さんに忠告された。黒人の優秀さを体現するには、とくに北部の白人がエリートだとみなす場所でそれを示すには、同僚たちと健全な距離を保ち、まわりから〝だらしない〟と思われないようにしなければいけない。最初の週、ぼくはたくさんの白人の同僚から、ヴァッサーで働けるのはとても運がいいと言われた。ぼくと同じ年齢のとき、母さんはジャクソン州立大学で教えて二年目で、ぼくは六歳だった。その数年前まで母さんの教師だった黒人の同僚たちは、ジャクソン州立大学に戻ってきて教えられるのは運がいいと母さんに言っただろうか。

ミシシッピに戻った最初の数年間、母さんは学生にすべてを捧げていた。母さんが最初に受けもった学生のほとんどは、家族で初めて大学に通うミシシッピ出身の黒人学生だった。母さんは週末も一日一六時間費やして学生に会い、心配する親と電話で話したり、学生が学資援助の申請書を書くのを手伝ったり、うちに食べ物を買う金もないのに学生のために食べ物を調達したりしていた。ぼくがヴァッサーで働くようになってから、母さんとは一二歳のときからそれまでに話した時間すべてよりもたくさん話した。ぼくはたくさん嘘をついたし、仕事の個人的な面については話さなかったが、若手の黒人大学教員としてうまくやっていく方法を尋ねると、母さんはとても喜んだ。

「わたしも教え子たちも、世界に窒息させられていた」ぼくがヴァッサーに着任した一週間後に母さんはそう言った。「教師としてのわたしの仕事は、あの子たちが教室で息をして優秀さと規律を身につけられるように手助けすることだった。あなたのことが大好きな子たちは、あなたが示すお手本のとおりになるのよ。それを忘れたらだめ。毎日、教室で責任ある愛のお手本を示して、学生たちが息をできるように手助けしてあげなさい。教師にいちばん大切なのは、学生たちが優しく優秀でいられるようにしてあげることよ」

最初の週に気づいたのは、ぼくには同僚よりも学生たちとずっと多くの共通点があるということだ。同僚のほとんどは白人で、ばあちゃんより年上だった。ぼくはその大学で最年少の教員だったが、初日には、母さんがぼくになってほしいと望んでいたような優秀できちんとした品のある黒人男性のような恰好をした。ぶかぶかの茶色いウールのスーツと、磨きこんだステイシーアダムスのローファーでめかしこんだ。スーツは、オーバリン大学の卒業に合わせて母さんにもらったときよりぶかぶかになっていた。一週目の終わりには、スーツはやめにした。ブレザーを着るときは、Tシャツとジーンズと合わせた。学生といるときは楽にしているほうがずっといいと気づいたからだ。

授業の一週目でわかったことがある。学生は誰も、とくにぼくのところに寄ってくる黒人と褐色肌の学生は誰も、自分たちのコミュニティの立派な例外として扱われたいとは思っていなかった。望んでいたのは、愛され、刺激を受け、守られ、声を聞いてもらうことだ。家から離れ、幽霊の出る教室と寮で勉強しながら見ず知らずの人たちと眠り、食べ、飲むという途方もないことをやっていこうとするなかで、そのために罰せられたり不当な処分を受けたりしたくないとみんな思っていた。ぼくが知るディープ・サウスのほとんどの黒人教員と同じように、ぼくも自分の学生を警備員、警察官、悪意ある当局から守るつもりだった。警察署、駅、救急治療室に学生たちを迎えにいくつもりだった。ぼくは思っていた以上に学生たちを失望させた。トランスジェンダーであるために勘当された学生たちに、ジェンダー移行の費用を大学に負担させるのを手助けしてくれないかと頼まれたとき、ぼくはその学生たちをまちがった性別の人称代名詞で呼んでしまった。クイア、女性、黒人、貧困者を攻撃する作品を当事者の学生たちに論じさせてしまい、バージニア工科大学銃乱射事件（二〇〇七年四月一六日に同大学で韓国人学生が銃を乱射し三三名が死亡した事件）のあとにジェームズ・ボールドウィンについて講義したときには、ヴェトナム系のアジア系アメリカ人男子学生に対し、暴力について話したければいつでもおいでと言ってしまった。家族が強制送還されたというメキシコ系アメリカ人の女子学生には、家族がいつ戻ってくるか知っているのかと尋ねて、それについてエッセイを発表しないかと勧めてしまった。

ぼくは想像していた以上にいろいろなかたちで学生を失望させ傷つけた。学生を失望させるたびに、母さんならしないことを自分はしているのだと思った。

警備員が研究室に来て、机の上の母さんとぼくの写真の前で、身分証明書を見せろと言ってきた。そのことを母さんに話すと、「それが恐怖政治よ」と母さんは言って、ぼくはそれを笑い飛ばした。そして、コピー機、印刷用紙、世界でも指折りの美しい図書館が使えること、無限にスムージーが飲めて、シェイクスピア・ガーデンというもの思いに耽《ふけ》ることができる場所やサンセット・レイクという恋人といちゃつくことができる場所に足を運べることにどれだけ満足しているか話した。むずかしい仕事になるとはわかっていたが、実質的に年に七カ月間、教え、務めを果たし、ものを書くだけで給料をもらえる。母さんにこう納得させようとした。ヴァッサーの学生たちとの関係はいわばぼくの家《ホーム》で、そのわが家の二つの部屋が教室と研究室なのだと。母さんからは、わたしの失敗から学んで、この国で仕事をわが家にした働き者が陥る苦しみをわかっておきなさいと忠告された。

母さんの言うことを聞いておくべきだった。

授業が始まって一週間半の二〇〇一年九月一一日、ぼくはアメリカにいながらわが家《ホーム》からははるか遠くにいることを知った。九月一二日、近所のパキスタン人たちがカローラに〝I LOVE THE USA〟というバンパー・ステッカーを貼って、生まれたばかりの赤ん坊にディスカウント・ショップ〈マーシャルズ〉で見たことのある赤と白と青の服を着せていた。

それでもぼくはまだ理解していなかった。

三日後の九月一五日、ぼくはメトロノース鉄道でニューヨーク・シティに行き、グラウンド・ゼロでボランティアをすることにした。ポキプシー駅は、M－16小銃を持った無表情な兵士と無邪気な顔のジャーマン・シェパードでいっぱいだった。電車に乗ると、前の席に肌の色が濃い南アジア系の家族が座っていた。一家はみんな赤や白や青の服を着ている。父親が網棚に置いたスーツケースには、〝アメリカ人であることを誇りに思う〟と謳《うた》うステッカーが貼ってあった。父親の鍵を束ねるアメリカ国旗のキーホルダーには、まだ値札がついたままだ。

ようやくぼくは理解した。まさにこれが恐怖政治だ。

「やつらがあの鞄に手を伸ばしたら、おれはわかってるぞ」緑のリストバンドをつけた黒人の若者が友だちに言った。

「何をわかってるんだ」ぼくは尋ねた。

「この電車を爆破しようなんて思うなってことだ」車両のみんなに聞こえるようにその男は大声で言った。「おれがわかってんのは、そのことだ」

カール活性剤に浸したような胸毛の白人男が通路の向こう側でそうだと頷き、黒人の若者に向かって親指を立てた。

「USA、だろ？」と白人の男が問いかける。

「きまってんだろ」黒人の若者がすかさず答える。「USA」

ぼくはあきれて目をぐるりとまわした。

「あの白人たちのせいで気を悪くされたでしょう」ぼくは目の前の家族に聞こえるぐらいの小声で言って、それからみんなに聞こえるように声を上げた。「この人たちは電車を爆破したりしませんよ」

終点のグランド・セントラル駅までの一時間、ぼくの前の家族は身をこわばらせたままじっと座っていて、首を動かして互いに話すことすらほとんどなかった。六、七歳の男の子が動こうとするたびに、父親と母親がその子を席に着かせる。アメリカの落ちついた場所で、自分の身体がもっとも恐怖を呼び起こす身体でなくなる経験をしたのは生まれて初めてだった。もちろんその電車の乗客たちは、ぼくのような黒人をやはり恐れてはいたが、みんなイスラム教徒〝のように見える〟褐色肌の人たちのことをさらに恐れていた。母さんからの忠告を繰り返し思い浮かべる。アメリカの白人至上主義のなかで、優秀で規律正しく、上品で感情を抑えて、清潔で完璧でいなさいという忠告だ。

「おしっこ」男の子が小さな声で母親に言うが、母親はその子の腕を離さない。

グランド・セントラル駅に着くと、父親が網棚からスーツケースを降ろして、男の子は父親と母親の横に立った。母親がその子の前に自分の身体とスーツケースを移動させ、濡れて色が濃くなった赤の半ズボンを隠す。

「ありがとう」ぼくの横を通るときに母親が言った。

「どういたしまして」ぼくは答えた。「よい一日を」

〝いい白人〟が、ただ酷い振る舞いをしなかったためにぼくらに礼を言われたときには、こんな気持ちになるのだろうかと思った。

その日、ニューヨーク・シティの街中に入ると、ロウアー・イースト・サイドの酒場は小さなアメリカ国旗でいっぱいで、黒人、褐色肌、白人の男たちが「おれらの街を爆破した〝ムーズラム〟(イスラム教徒)」を痛めつけてやると息巻きながら、次に攻撃されるのはどこかと空想を巡らせていた。

三〇分後、ぼくはグラウンド・ゼロ近くの大聖堂に目まいを覚えながら立ち、生存者の捜索を続ける疲れきった消防隊員にペットボトルの水やサンドイッチ、ブランケットを渡していた。六年前に母さんのところを離れて以来初めて、北部にいるぼくよりジャクソンに残っている母さんとばあちゃんのほうが安全だと思った。母さんたちは、ただ働いているだけの人でいっぱいの超高層ビルに飛行機が突っこむなどという危険とは無縁だ。母さんたちはみんな安全だ。世界のどこに自分がいるか、ちゃんとわかっている。

六年前に家の前で母さんと別れてから、ぼくはミシシッピの自分が暮らしていた地域のほかは、この国のどの場所もほとんど知らなかったことを思い知った。ぼくは、アメリカの黒人はみんなディープ・サウス出身だと思っていた。多くの黒人がアフリカやカリブ海地域の国から来ているのをまったく知らなかったのだ。

その日、マンハッタン南部の大聖堂では、まったき恐怖と破壊を前に多くの思いやりと忍耐が見られた。そこを去る前に、ぼくらは小さなアメリカ国旗を持ち、アメリカ人のざらついた手を握って、アメリカ人が力を最大限に発揮して手助けしたことを互いに感謝した。ただ、その愛に満ちた場にいる誰もが、次に起こることをわかっていたはずだ。ぼくはニューヨークのことはよく知らなくても、白人のアメリカ人が何をアメリカに求めているかは知っていた。おもにジョージ・W・ブッシュが率いる白人アメリカ人は、国旗に身を包んで「USA!」を繰り返し唱えるのだろう、犠牲者の哀れないとこや友人や息子や娘たちが、世界の弱くて茶色くてキリスト教的でない場所に、われわれが犠牲にどう対処するのかを見せつけるのだろう。

その夜、ポキプシーに帰る電車に乗ったとき、〝イスラム教徒っぽい見た目の人〟が車両にいないのが残念だった。守ってあげて、いい気分になることができなかったからだ。ボランティアをしたと学生に話して尊敬の目で見られることを想像し、窓の外のハドソン川を眺めながら、黒人大統領の在職中に九・一一のテロが起こらなかったことを神に感謝した。生まれて初めて考えた。ミシシッピ出身の黒人アメリカ人であるだけでなく、アメリカ人でもあることで、ぼくの内面には何が求められるのか。その求めに応じなかったとき、何が起こるのか。

アパートメントの建物から出てきた白人女性を怖がらせないように、彼女が車に乗るまで駐車場で待つ。自分の部屋に戻るとき、飛行機が飛んでいくのが見えてその音が聞こえた。ニューヨーク・シティの酒場でジャマイカ人の男たちが、うちから五〇キロほどのインディアン・ポイントという核施設のことを話していたのを思い出す。男たちの話では、向こう数日のうちにイスラム教徒が四機の飛行機をインディアン・ポイントに突入させ、数十万のアメリカ人に急性放射線症候群と、がんを発症させて殺すらしい。

ぼくはアパートメントの部屋に駆けこみ、母さんとばあちゃんに電話した。腕立て伏せをして体重を量る。一〇キロ弱走ってから帰ってきて、寝室の扉に鍵をかけてさらに腕立て伏せをした。それからベッドに入って、〝ドカン〟という轟音が響いてこないか耳をすました。自由であるがゆえにアメリカ人を嫌っているという、イスラム教徒のような見た目の、恐ろしい何者かがもたらす轟音が響いてこないか。

数カ月後、年配の白人の同僚から、コールという学生の卒業論文を指導するよう勧められた。コールはその同僚の指導する学生で、九月一一日に親しい人を何人か亡くしていた。ぼくはその同僚にはできないかたちで「コールと繋がることができるに違いない」と言う。ぼくは、コールの汚い指の爪と、仲間内でバスケットボールをするときにしゃにむにこぼれ球を追いかけるところはいいと思っていたけれど、教師として彼に接したことはなかった。ダンテ『神曲』の「地獄篇」について卒論を書こうとしていたコールは、コネチカット州出身の細身で裕福なユダヤ系白人男子で、高校二年生のときから依存症と闘っていた。

その学期、コールとぼくは研究室で何時間も過ごし、水曜にダンテの「地獄篇」で血に浸されることについての諸説を検討して、金曜に彼の自暴自棄と依存症について話しあった。ぼくと話すほかにコールは、大学のカウンセリング・サービスと学外の個人カウンセラーも利用していた。

ある日、コールが研究室を出ていくときに〝ダグラス〟ことヒーディ・バイヤーズがドアの外で待っていた。友人のブラウンから紹介された男だ。ポキプシーのみんながヒーディのことを〝ダグラス〟と呼んでいたのは、もじゃもじゃのアフロヘアで、その髪にフレデリック・ダグラス（一八一八～一八九五年。奴隷解放運動の活動家）のような大きな分け目を入れていたからだ。ダグラスはぼくのことを「キーズ」と呼んでいて、それをセンテンスの最初と最後に口にした。コールとダグラスがすれ違うとき、二人はジャクソン、フォレスト、オーバリン、ブルーミントンで何百回も目にしたことのあるあのやり取りをした。

コールが廊下の角を曲がったあと、ぼくはダグラスを研究室に引っぱりこんで扉を閉めた。外では六人の黒人、南アジア系、フィリピン系の学生が待っている。

「おれの研究室のまん前を、そんなふうにうろついてたのか？」

「キーズ」ダグラスは言った。「何か必要になったらおれをあてにしてくれ。お前にはおれがいる。必要なものはなんでも言ってくれよ、キーズ。仕事のあとはブラウンとバスケをするのか？」

ぼくは一学期あたり二つの授業を担当して、一年に手取りで一万八〇〇〇ドルもらっていた。母さんとリンダおばさんのほうが稼ぎは多かったけれど、どういうわけかぼくには家族の誰より自由になる金がたくさんあった。この仕事に就いたとき、新しくもらえる給料でいろいろなことをするのを想像した。週に一度レストラン〈アイホップ〉に行ったり、毎月新しいアルバムを三枚と新しい本を三冊買ったり、毎学期の終わりに新しいアディダスを一足買ったり。すぐに年に一万八〇〇〇ドルでは金持ちから程遠いとわかった。母さんがエアコンに一一〇〇ドル、配管の修理に四〇〇ドル、車の新しいタイヤに三〇〇ドル必要だと言ってくるのだから、なおのことだ。コールとダグラスがすれちがった日、母さんが電話してきて、ばあちゃんの歯のブリッジのために八〇〇ドル送ってくれないかと頼んできた。ばあちゃんは激しい痛みに苦しんでいるけれど、プライドが高すぎてぼくにお金を頼めないのだと母さんは言う。週末までに送れるだけの金を送るとぼくは言った。

「愛してる、キー」と母さんは言った。「必要なときにいつも家族を助けてくれてありがとうね」

電話を切ると、色褪せた机の天板を叩くぼくの指をダグラスが見た。ダグラスは壁一面を覆う本の山、扉に貼ったはがれかけのボールドウィンのポスター、ジェイ・Z（一九六九年生まれのラッパー）の《ブループリント》のレコード盤、窓際に置いて反り返った頬杖をつくばあちゃんの写真を眺める。

「キーズ、お前は何がしたいんだ、キーズ。この仕事を頑張ってこうっていうのか？」

一二歳のときからずっと、ぼくのまわりには副業として麻薬を売るミシシッピの黒人少年がいた。そういう友人が自分のことを「売人《ハスラー》」とか「密売人《ドープボーイ》」と呼ぶことはなかった。みんな、生きるのがちょっと気持ちよくなる商品を人に売って、本業で稼いだ金を増やしたいだけの黒人少年だった。ぼくらの多くは、密造酒を売っていた働き者のじいちゃんやばあちゃんの孫で、複数の副業とさまざまな収入源をもつことが大切だとわかっていた。だから麻薬を売っていても、それと同時に電話帳を配達したり、レストラン〈アップルビーズ〉でテーブルを片づけたり、人の家の芝生を刈ったり、教師をしたりしていた。

複雑なことではない。

母さん、ジミーおじさん、ザ・クープのブーツ（ブーツ・ライリー、一九七一年生まれ。ヒップホップ・バンド〈ザ・クープ〉のメンバーで活動家、映画監督）のおかげで、ぼくはドラッグが労働倫理を歪め、想像、抵抗、組織化、記憶するぼくらの力を弱めるのを知っていた。身体と想像力が弱いとぼくらは白人の餌食《えじき》になると母さんは言う。母さんの意見に異論はなかったが、ぼくは友だちの副業を悪く言ったことは一度もない。ぼくが言ったのは、「長くクスリを売れば売るほど、白人に牢屋にぶちこまれる可能性が高くなるぞ」ということだけだ。

ぼくらのじいちゃんやばあちゃんは、ぼくらの父さんや母さんに金や土地を残すことはなかった。父さんや母さんが立派な黒人中流階級の一員だとしても、その立派な黒人中流階級の親も、給料日の一週間前に、あるはずがない金をじいちゃんばあちゃんやぼくらにねだる一歩手前だったり、貧困の二歩手前だったりする。うちの家族には財産がないと母さんは何度もぼやいていた。あるのは給料日だけだ。

一九歳になって、ジミーおじさんの依存症をようやく受け入れたとき、ぼくはもしクスリを売ることになったら、白人だけを相手にしようと心に決めた。けれども二〇歳のときには、身の自由を委ねられるほど信用できる白人などこの世に一人もいないことに気づいた。白人にクスリを売るのが問題なのは、金持ちでも貧しくても、白人はぼくらが刑務所行きになったり死んだりすることにあまりにも大きな影響力をもちすぎているからだ。絶対的な力をもつ白人にさらに力を与えることになると思うと、そんな副業には気が進まなくなった。

それでも、ばあちゃんの口のなかで炎症を起こしている神経のことを思って、それにほとんど毎週何かの理由で母さんが金を必要とすることを考えて、ダグラスに〝協力〟すればいまこのときを乗り越えられるかもしれないと思った。出会って数週間のときに、ダグラスはダッチェス郡の別の大学の教員たちと「どっちにとっても金銭的においしい」仕事で〝協力〟したと言っていた。

大学教員の協力者に黒人はいるか尋ねた。

「まだいないな、キーズ」とダグラスは言った。「まだいない。お前が最初になってもいいぞ」

ダグラスが研究室を出ていったとき、廊下ではアダム、ニキ、バマ、ギレーヌ、マット、メイジーが待っていた。ぼくの黒人と褐色肌の学生は、一人ずつ研究室に入ってくるのではなく、みんなで一緒に入ってきて半円のかたちで座ることが多かった。ぼくのオフィスアワーを第二の我が家にしていた学生にはほぼ全員、人種、ジェンダー、セクシュアリティのために標的にされたり、罰を受けたり、はみ出し者にされたり、フェティシズムの対象にされたりした経験があった。ネオナチ集団に標的にされたり、壁に描かれた反黒人の落書きを目にしたりしていて、なかには白人学生だったら滅多に責められることのない違反行為のために、停学や退学の処分を受けた学生もいる。みんな大学の警備員や地元の警察官にしょっちゅう自分の身元やゲストの身元を尋ねられていた。

三時間後に学生たちは研究室から出ていったが、メイジーだけが残った。アーカンソー州出身の背が高いクイアの黒人女子学生で、作家と学者として恐るべき才能のある子だった。前学期にメイジーは、自分の母親に失礼な態度をとったルームメイトを脅したとして処分を受けた。ぼくは、事情聴取のときに教員としてメイジーのサポート役を務め、懲戒委員会がメイジーを停学処分にしたときに異議を申し立てた。メイジーはキャンパスに戻ることを許されたが、日没後に図書館や寮に立ち入ることを禁じられた。メイジーが停学処分を受けたあと、ぼくは自分が懲罰委員会に加わる必要があると思った。メイジーに起こったことが、立場の弱いほかの学生に起こることがあってはならないと考えたからだ。

日が沈みだした一時間半後、ぼくは学生の事情聴取に出なければならないとメイジーに告げた。

明かりを消して、メイジーのあとについて研究室を出る。

「あの白人のコールと友だちなの？」駐車場でメイジーはぼくに尋ねた。

「友だち？　いや。卒論の指導をしている学生だよ」

「良かった。あの白人とその友だち、キャンパスでいろんなアレを売ってるの」

「どうして知ってるんだい？」

「ただ知ってるだけ」メイジーはぼくと拳をぶつけ合わせ、メイン・ビルディングのほうへ歩いていった。

ぼくは、コールを指導するように勧めてきた年配の同僚のことを考えた。顔を合わせるたびにきみは運がいいとしきりに言う同僚だ。その同僚は、ぼくがなんの研究をしているのか知らず、ぼくが言葉を使って何をしたいのか知らず、ヴァッサーで職を得る前にぼくが何者で何をしていたのかも知らない。しかし彼もぼくも知っていた。マリファナからコカインまでなんでも売るコールは、たとえ怯えていて、自暴自棄で、罪を犯していても、大学卒業者にも、大学教員にも、大学理事にも、アメリカのありとあらゆるものの長にもなることができる。

ヴァッサーでの三学期目には、コールの境遇を〝権力〟ではなく〝特権〟と呼ぶのが流行《はやり》だと知る。ぼくには、アメリカでいちばん黒人が多くいちばん創造的な州で、責任をもってぼくを愛してくれる母さんとばあちゃんに育てられた〝特権〟がある。コールには、決して貧乏人や重犯罪人にならない権力があって、どれだけ凡庸でも失敗をつねに成功として扱ってもらえる力がある。コールの権力のために、コールは失敗しないようになっている。失敗するには白すぎ、男らしすぎ、金持ちすぎるからだ。ジョージ・ブッシュが大統領になったのはコールの権力のおかげだ。次はもっと金持ちでもっと凡庸な白人男がコールの力のおかげで大統領になるかもしれない。進歩的な大統領たちですらコールの権力には屈する。ばあちゃんはぼくが知るなかでいちばん賢くて分別のある人間だが、コールの権力のせいでニワトリの腹を切りひらき、白人の汚れた下着を洗っている。ばあちゃんは大統領にはなれない。なりたいとも思わない。その仕事をするには道徳的に凡庸でなければいけないとわかっているからだ。ヴァッサーでの一年目に学んだのは、この権力をできるだけ害のないかたちで使うように、コールにせっせと教えるのがぼくの仕事だということだ。ぼくはコールの権力がビルを倒して国を破壊し、監獄をつくって血と苦しみをもたらしたことをコールに理解させなければならない。ただし、いい目的に使われたら、コールの権力は解放の土台と、いまよりうわべは公平な社会の基礎を築くのに役立つかもしれない。この国でも、場合によっては世界でも。

ただ、ぼくはそんなふうには考えられなかった。

ぼくはこの仕事が大好きだったが、着任一週目で、自分が嫌っている学生を教えることはできないとわかった。教師の仕事は目の前の学生を責任をもって愛することだ。仕事を続けるのなら、黒人学生を愛するのと同じ誠実さで裕福な白人学生も愛せるようにならなければならない――愛の中身は異なるにせよ。それは簡単なことではなかった。良心的になり、深い好奇心をもち、政治に積極的に参加するようにどれだけコールをあと押ししたところで、彼のような裕福な白人男子を教えるのは、結局のところ金をもらってコールの権力を強化することにほかならないからだ。

こうやって白人の面倒を見るのと引き換えに、ぼくは毎月の給料をもらい、多少の安全を確保して、白人がより良い人間になる手助けをしているという道徳的な確信を得る。ぼく自身がこれを経験するのは初めてだったが、これは黒人が昔からやってきた仕事であり、母さんが言っていたとおり裏切り以上の行為だ。黒人が昔からやってきたこの仕事は、道徳的に望ましくない副業だった。

その夜、懲戒委員会で扱うことになっていた案件は、たいていの案件と同じく嘆かわしくも単純なものだった。警備員が寮でコールの親友の部屋に入ったところ、重罪に相当する量のコカインと小型のはかり、ファスナーつきポリ袋がテーブルにあるのを見つけて写真に収めた。コールの親友はとても太い眉をした細くて小さな白人男子で、販売を目的とした薬物所持のために懲戒委員会にまわされてきた。大学の懲戒委員会がなぜ、どのようにして重罪の可能性がある案件を扱うのか理解に苦しんだが、それでもこうした状況を公正に裁くには実際の留置所、裁判官、陪審員、警察官、刑務所よりも大学の懲戒委員会のほうが信頼できるとぼくは思っていた。

細くて小さな白人男子は冒頭陳述で、ポキプシーの街のクラブにいたときに「肌の色の濃い大きな男」が近づいてきてコカインを無理やり買わされたと話した。ぼくは椅子に深く腰かけて部屋を見まわした。部屋にいるのはみんな白人だ。そして部屋の白人はみんな、細くて小さな白人男子がポキプシーのクラブで黒人《ニガー》からコカインを買わされた話を熱心に聞いていた。ぼくはその学生の冒頭陳述、警備員の証言、学生の最終陳述が続くあいだ、ずっと深く呼吸していた。ポキプシーで出会った最初の人間、ブラウンのことを繰り返し考えた。ブラウンは仮釈放条件に違反して刑務所に入っている。その前にもコカインを売って何度か刑務所に入っていたが、その量は細くて小さな白人男子の部屋で見つかった量より少なかった。ドラッグの売買に関わっていなくても、ぼくらのような肌の色の濃い大きな男は、白人を守って責任を逃れさせるのに利用されることがある。

ブラウンは一七〇センチ、一〇〇キロだった。大きくて肌の色が濃い。

ぼくは一八五センチ、八一キロだった。大きくて肌の色が濃い。

メイジーは一七五センチ、七二キロだった。大きくて肌の色が濃い。

ぼくは一一歳の黒人少年のときから、肌の色が濃い大きな男のような見た目をしていた。生まれてからずっと、肌の色が濃い大きな男たちに囲まれていた。しかし、白人男子にコカインを買わせる肌の色が濃い大きな男には一人も会ったことがない。だが、ニューヨーク州ポキプシーには、そういう肌の色が濃い大きな男が一人いるらしい。

懲戒委員会のほかの委員は、細くて小さな白人男子に薬物所持の責任があるとは考えられないと主張した。コカインを入手した経緯があまりにも恐ろしいからだという。こんなに小柄な子が、ダウンタウンのクラブで恐ろしい人物にコカインを売りつけられる。それがどんな体験かわれわれにはわからないと隣に座っていた教員が発言した。

「わからないですって?」とぼくは彼に尋ねた。

その学生が経験したことを経験するのがどんな感じか、われわれにはわからないと別の職員も言う。

ぼくは二人に尋ねた。人にコカインを無理やり買わせることができるやつなら、金だけ取ってコカインは渡さなければいいのに、そうしなかったのはなぜなのか。その教員はぼくに変革的正義（国の司法の枠組みの外で、差別などの社会的な不正義を考慮に入れつつ社会的弱者の矯正をはかるアプローチ）について語りだした。ぼくは変革的正義が何かはよく知っていると言って、大きな黒人男が小さな白人男子にコカインを買わせたとみんなが信じているのだとしたら、この部屋で変革などどうやって起こせるのかと尋ねた。

部屋にいたみんなが、まるでぼくの鼻から豚のヘッドチーズ（豚の頭部を煮こごりにした料理）が漏れ出てでもいるかのようにぼくを見た。学生はその男が〝黒人〟だとは言っていないと別の委員が言う。細くて小さな白人男子が厳密にはそのコカインを所持していると言えないのなら、そのコカインを売るつもりだったという点についても責任は問えない。コカインを売るつもりだったという点について責任を問えないのなら、無罪放免にしなければならない。

除籍処分なし。

停学処分なし。

謹慎処分なし。

ぼくは重罪に相当する量のコカインと小型のはかり、ファスナーつきポリ袋の白黒写真に何度も目をやった。ぼくが見ているものは存在しないらしい。ポキプシーの街の大きな黒人男が、それがあるかのように見せかけているだけだからだ。

家にはパソコンもインターネット回線もなかったので、ぼくは事情聴取のあと研究室に戻ってコールにメールを書いた。ぼくは刑務所は廃止されるべきだと思っている。しかし、生まれたときから変革的正義を与えられているシスジェンダー（トランスジェンダーではなく、出生時の性と自己のジェンダー認識が一致している人）で異性愛者で白人の裕福な男に変革的正義を行うのが公正と言えるのかは疑問だ。コールにはもう研究室に来てもらいたくなかった。小さな痩せこけた白人のコールが、ポキプシーで使ったり売ったりしても罪に問われないドラッグについて語るのを聞きたくなかった。メールには、これからは図書館で会えないかと書いた。

椅子の背にもたれて研究室を眺める。

噛んで歯形のついたペンと緑のスパイラルノートを取って、ドラッグ関係の犯罪で留置所や拘置所、刑務所にいる知り合い全員の名前を書いた。白い紙を黒人の友人、黒人のいとこ、黒人のおじ、黒人のおばで埋める。なかには、細くて小さな白人男子がクラブで買わされたコカインよりもずっと少ないコカインのために最長三〇年の刑期を務めている黒人もいた。それから、ドラッグ関係の犯罪で獄中にいるポキプシーで会った若者たちの名前を書いた。

数分後にコールから返信のメールがあった。引き続き研究室で会えたらとてもありがたい、キャンパスで唯一安心できる場所だからと言う。

「わかった」とぼくは書いた。「きみがそうしたいのなら」

ノートをオフィスの向こうに放り投げて「ちくしょう」と叫び、ダグラスにテキストメッセージを送った。

キーズより。あれはやらない。来られるのなら明日八時にバスケをやろう。迎えに行く。

携帯電話の通話時間を使いたくなかったから、部屋を出る前に研究室の回線を使って母さんにまた電話をかけた。起こしてごめんと言って、半額を今月、残りを来月送金してもいいかと尋ねた。

「ありがとう」母さんは言った。「明日、送れるだけ送ってちょうだい、キー。できるだけ早く必要なの」

電話を切って鍵を手に取り、文学部の教員ラウンジの鍵をあけて、冷蔵庫にあった同僚の誰かのフレスカ（ダイエット飲料）、ブルーベリー・バニラ・ヨーグルト、グラノーラを盗んだ。車を職場に置いたままアパートメントまで走り、腕立て伏せをして、体重を量り、ポキプシーのまわりを一〇キロ弱走って家に戻ってきて、寝室の扉に鍵をかけ、また腕立て伏せをして、祈りを捧げ、ベッドに入った。そして、ぼくがどれだけ痩せようとも、細くて小さな白人男子にはいつも大きな黒人男子に大量のコカインを自分に売りつけさせる力があることを受け入れた。そしてぼくら黒人のなかには、自分たちが捕まったあとに、白人が無罪放免になるのを見るぼくらを見るやつらがいる。そしてぼくら黒人のなかには、とてつもなく運が良ければ、今日、細くて小さな依存症白人男子と女子を教えて、その金で明日、病気のばあちゃんの歯の治療費を払うやつもいる。

SEAT BELTS シートベルト

母さんがキューバからヴァッサーに向かっているとき、ぼくは毎日二時間バスケットボールをして、二〇キロ弱走り、パワーバーを三本食べて、七・五リットルの水を飲み、体重七五キロまであと〇・三キロに迫っていた。ヴァッサーで教えて七学期目の四日目、ぼくはジムで中古のステップマシンを買った。さらにバスケットボールを三時間とジョギングを一時間して、小さなアパートメントの暖房を最大まで上げてステップマシンをやり、体重を七五・三キロまで落とした。一二歳のときより二七キロ少なく、いちばん太っていたときより七〇キロ弱も痩せていた。いちばん重たかった身体は過去形になった。いまの身体が現在形だ。軽くなるのに限界はなく、ぼくは未来に生きる必要がある。

母さんをポキプシーの駅で車に乗せたとき、ぼくの体脂肪率は二・五パーセントだった。

それまでの六年間、母さんは一五を超える国で仕事をしていた。そうした出張のときにはほとんど、あるいはまったく報酬をもらっていなかった。フルタイムで教授と副学部長の仕事をしてはいたけれど、いろいろな国に旅することでミシシッピとアメリカでの暮らしに耐えられるのだと母さんは言う。母さんは、ポキプシーのダウンタウンの人気《ひとけ》がない建物を見てまわった。オアハカ人（オアハカはメキシコ南部の都市。ポキプシーにはオアハカからの移民が多い）と黒人が目抜き通りを歩くのを見て、初めてぼくに言った。

「あなたはうちを出てほんとうに良かった。たぶんキューバを気に入ると思う」

「母さんはミシシッピとアメリカが嫌いなんだな」

「ミシシッピが嫌いなわけじゃないの、キー。アメリカが嫌いなわけでもない。黒人が州を良くしようとするたびに反発が起きるのが嫌いなの。ミシシッピには最高の人たちと最悪の人たちが両方暮らしているんじゃないかって、ときどき思う」

「ああ。アメリカ全体について、おれも同じことを考えるよ」

「いつかあなたも外国に行く気はある？　わたしがキューバやジンバブエ、パレスチナ、ルーマニアでしている仕事の大切さがわかってもらえると思う」

ぼくは歯の隙間から息を吸って笑った。飛行機が怖いことを思い出させて、ぼくの車やアパートメントで「外国」という言葉を二度と口にしないでほしいと言った。母さんは笑いだして、しっかりしなさいとぼくに言った。

ぼくのアパートメントで過ごした初日、母さんは、数週間前にぼくを訪ねてきた父さんが母さんについて何か言っていなかったかとしきりに尋ねた。しかたなくぼくは、母さんの仕事のことを尋ねられたと嘘をついた。誇らしそうにしていたかと尋ねられて、ぼくはまた「うん」

と嘘をついた。

実のところ、一七七センチ一一三キロの身体でぼくの研究室に入ってきた父さんは、目を閉じて「お前はほんとうに自慢の息子だ」と言った。研究室を出る前に何人か学生に会わなければいけないから、部屋の外のベンチで待っていてほしいと言うと、父さんは何も持たずにそこに座っていた。本も、雑誌も、携帯電話も持たずに、ずっと笑顔で、ただ待合スペースにある空の本棚を見あげていた。

オフィスアワーのあと父さんはジムについてきて、ぼくがランニングトラックを数キロ走ってウォーミングアップするのを見ていた。そのあとは、ぼくがバスケットボール・チームで練習しているあいだ、床に座って栗色のマットにもたれかかっていた。ジムに来て二〇分後には、居眠りをしていた。

車に乗ったとき、父さんはシートベルトを締めなかった。助手席の窓からしきりに星を見る。「お前はほんとうに自慢の息子だ」サラダを買いに連れていくと、父さんはまた言った。

三七平米のアパートメントの部屋に着いたあとは、ぼくのベッドを使うように勧めたけれど、父さんは断った。そしてまた、退学処分を受けたあとにぼくが諦めなかったことをどれだけ誇りに思うか語った。何について話していても、数分おきにぼくの胸、腕、首、脚を見てこう口にした。

「元気そうだな、キー。身体に気を配ってて、本当に自慢の息子だ」

ずっと前に話しておくべきだったことを話そうと思うと父さんが言ったとき、ぼくは当然、母さんについて話すのだろうと思った。しかし父さんは、ミシシッピ州エンタープライズで父さんが子どものとき、父さんの母親でぼくのもう一人のばあちゃんにあたるプディングが白人の保安官にレイプされた話をした。その保安官はレイプで生まれた子をほうっておいて、ぼくのじいちゃんにあたるトムを酒の密造の罪で二年間、刑務所に放り込んだのだという。その前に、白人のティーンエイジャーがその酒を買って酔い潰れていた。父さんは弟、つまりレイプでできた子と、レイプした保安官は、自分の知り合いに殺されたのではないかと疑っていて、それをぼくに知らせようとした。誰が弟や保安官を殺したのかという謎解きよりも、父さんがぼくに理解させようとしたのは、ぼくらの家族を支配して歪めた人種とジェンダーの恐怖と比べたら、全アメリカ人を結びつけているいわゆるテロの恐怖など取るに足りないということだ。「想像上の話じゃないんだ、キー」その夜、父さんはぼくに伝えようとした。「全部現実の話だぞ。だからこそ、おれはお前を自慢に思うんだ。おれの家族とお前の母さんの家族がやつらに狙われたのと同じように、お前もやつらに狙われた。お前の母さんとおれは、それぞれのやり方でその恐怖と戦った。おれは企業国家アメリカの内側で戦って、お前とお前の母さんは教育を通して戦ったんだ」

CEOでも、清掃員でも、一時雇いの非正規労働者でも、企業で働く黒人はどうしてみんな雇い主のことを〝企業国家アメリカ〟と呼ぶのか、ぼくにはわからなかった。

いずれにせよ、父さんが母さんのことを口にしたのはそのときだけだ。そのあと父さんはラスヴェガスに行った話をして、一緒に行く気はないかとぼくを誘った。母さんがいなくて寂しいと思ったことはないかと尋ねると、父さんの大きな目が閉じていった。ぼくはバスルームへ行って腕立て伏せをし、鏡に向かってパンチをしてシャワーを浴びた。バスルームから出ると、父さんは両足を床につけて前屈みになり、うとうとしていた。眼鏡はかけたままで、片手を丸めて膝の上に置き、もう片方の手は左の腿の下に挟んでいる。

「おれが学生のとき、お前みたいな教師がいたら良かったのにな」母さんからクリスマスにもらった橙赤色のキルトを父さんにかけようとしたとき、父さんが言った。父さんがポキプシーに来たのは、アメリカで人種の恐怖が家族に与える影響について、ぼくがすでに知っていることを話すためではなかった。父さんの母親と弟に対する冒瀆について、ぼくが薄々勘づいていたことを話すためでもなかった。父さんはそれまで逃げて避けてはぐらかしてきたが、もうそれ以上、逃げたり避けたりはぐらかしたりしたくなかったのだ。ぼくは父さんが語ったことのすべてを受けとめた。ただ、父さんにはもっと言いたいことがあるのもわかっていた。

その夜、ぼくは前屈みになって眠るその黒人男の姿に、父親が母親やきょうだいを殴るのにうんざりして家から逃げだした一〇歳の黒人少年を見た。酒の密造で父親が稼いだ金を隠したといって責められる一四歳の黒人少年の姿を見た。GPA（四点満点で示される成績の平均値）の低い白人生徒と二人で卒業生総代になることを強いられた一六歳の黒人の子の姿を見た。大学でやっていくためにマリファナを売る一九歳の黒人の子の姿を見た。新アフリカ共和国（黒人主体の新政府建設を主張する団体。一九六八年結成）の代表を誇らしげに務める二〇歳の黒人の子の姿を見た。セックスをするのを愛していながら愛について妻と語るのは嫌がる二一歳の黒人の子の姿を見た。別れた妻と息子に毎週ポストカードを送る二七歳の黒人の子の姿を見た。

黒人の父親が家にいて黒人の男の子を守ることが重要だとは、ぼくはあまり思ったことがない。ぼくが共に育った黒人少年のほとんどは、家に黒人の父親がいた。たしかにそうした父親のなかには、タフになるにはどうすればいいかを息子に教える者もいた。でも、喜びや恐れや愛を感情や身体で表現するように息子に促す父親は一人もいなかった。ぼくは父さんのことを尊敬していたが、父さんであれ、ほかの男であれ、思いやりのある男になる方法を教えてくれる男が家に必要だと感じたことは一度もない。正直なところ、家にいるアメリカ人の男は、家にいるアメリカ人の男になる方法を教えてくれるだけだとわかっていた。その教えによって、ぼくが健康になったり寛大になったりするとは思えない。その日、父さんのなかに見たものによって、子ども時代にほとんど家にいなかった父さんを恋しく思うようにはならなかった。ただ、母さんが恋に落ちた素敵な黒人男子の面影を見た。ぼくが父親を必要とするよりもずっと、母さんは愛情あるパートナーを必要としているとぼくは思っていたが、そのことを再確認した。そして父さんと別れてから、母さんはその別れの重大さを誰にも話していなかったことにぼくは気づいた。

そのことを考えて、母さんが恋しくなった。

でもぼくは、こういうことは話さずに、他人になった人のことをどうしてそんなにたくさん訊くのかと母さんに尋ねた。

「わたしたちにはあなたという子どもがいるのよ、キー。わたしたちはお互いのことを知っていたし、これからもずっと知っているんだから」

わかったとぼくが答えると、母さんはさらに、父さんの二度の結婚と、三番目の妻とのあいだにできた小さな子どものことをぼくに尋ねた。

「順調だよ」ぼくは答えた。「父さんのことは全部順調だ。おれは何も尋ねなかったから、何も聞いてないよ」

母さんがポキプシーにいるあいだ、ぼくは昼間に最低でも一〇キロほど走って夜も一〇キロほど走るというスケジュールを守ることができなかった。警察官に撃たれることを母さんが心配して、深夜零時以降は家の外に出してもらえなかったからだ。ぼくは、夜に走ることで昼間の仕事を消化しているのだと母さんに説明した。

「撃たれる可能性がない方法で仕事のストレスに対処する方法を見つけなきゃ」

「どうして夜に走ったら撃たれる可能性が高くなるのさ?」

「わかっているでしょう。あなたは大きな黒人の男だからよ。夜に走るのはやめなさい」

体脂肪がほとんどなくなっても、やっぱりぼくを大きいと思うかと母さんに尋ねた。

「白人や警官にとっては、どれだけ痩せていてもあなたはいつも巨大なの。しっかりしなさい」

母さんが帰る予定になっていた朝、ぼくらはヴァッサーのキャンパスの芝地で写真を撮った。写真は撮りたくなかった。自分はとても太っていると感じていたからだ。ぼくは染みのついた赤いシャツを着てジーンズを穿いていた。ジーンズがもっと緩かったらいいのにと思った。母さんはサングラスをかけて、ぼくは顔を後ろに引いた。その赤と白と緑と青と茶色の写真が、ぼくらが一緒に写った最後の写真になる。

駅に送っていく途中で、母さんは家具店に立ち寄り、買わないでくれと頼んだのに二〇〇〇ドルのリビングルーム・セットをぼくに買った。母さんはまた父さんのことを尋ねて、ぼくの身体を褒めた。

「それだけ強くてきれいな身体を手に入れるのはたいへんなことよね。あなたの身体、わたしが出会ったときのあなたのお父さんの身体みたい。お父さんが穿いていたあの小さな短パン、憶えている?」

父さんの小さな短パンについて母さんと話したくはなかった。

「ありがとう」ぼくは言った。「たぶん」

「あなたは学生を愛しているのね、キー。わたしから受け継いだのだと思う。あなたにとっても学生にとっても、お互いがいて良かった。あなたがここで働いていること、あまり心配しなくてすむ」

「健全に学生を愛せているとは思えないけどな」ぼくは答えた。「どうやって愛すればいいのかわからない」

四日後に母さんは電話してきて、州保険の適用外の薬のために二五〇〇ドル送ってほしいと言う。ぼくはなんのためにその薬が必要なのかを尋ねもせずにただ金を送って、いまや二五〇〇ドルになった、ほしくもない革のリビングルーム・セットが届くのを待った。

その後の数カ月、ぼくは教室や研究室で、ものを書いたり、運動したり、学生の面倒を見たり、母さんに金を送ったりして過ごした。ヴァッサーで教えるコースは三つから六つに増えて、テニュアトラック（終身雇用の常勤教員になるための審査「テニュア審査」を経ていずれ常勤教員になることを前提とした、任期つきの大学教員のポジション）の仕事をオファーされた。テニュアトラックの仕事を始めた一カ月後、母さんはまた仕事のためにキューバに発った。家族でそれを知っていたのはぼくだけだ。母さんはばあちゃんを心配させたくなかったらしい。帰国したらすぐに電話してきた。旅のことを話すわけでもなく、家の暖炉が劣化していて、家の土台もできるだけ早く新しくしないといけないと言う。リスが家にはびこっていて、夜になるとキッチンを走りまわっている音が聞こえるらしい。

「キッチンにリスが食べられるものなんてないだろう」ぼくは言った。「腐ったバターミルクと賞味期限切れのビスクイック（パンケーキ・ミックス）でも食ってるの？」

「いま人を呼んで暖炉を修理してもらっているんだけど、払うお金が足りないの。一〇〇〇ドル送ってくれないかしら、キー。暖炉の枠組みに五〇〇ドルと新しい炉に五〇〇ドル必要なの」

「その人と話してもいいかな」

「なんて？　ちょっと回線が悪いみたい」

「暖炉を修理してる人と話してもいいかな。値段を下げてもらえるかもしれないから」

電話が切れた。

かけ直しても母さんは出ない。

ばあちゃんに電話して、家中をリスが走りまわっているらしいから暖炉の修理が終わるまで母さんを家に泊めてやってくれないかと頼んだ。

「リスだとかなんだとか、いったいなんのことを言ってるんだい、キー？」

「煙突に裂け目ができて、リスが家中にいるって聞いたんだけど」

「いいや、昨日ジャクソンに行ったけど、リスなんて見やしなかったね。エアコンは動かなかったし配管は壊れてたけど、リスなんて走りまわっちゃいなかったさ。いったいなんの話だい？」

「こっちが訊きたいよ」ぼくは言った。「数週間前に修理のために金を送ったばかりなのに、どうして配管とエアコンが壊れてるんだろう」

「キー」ばあちゃんは少し間を置いてから続けた。「キー、いいかい。あの家はボロボロになってて、何かがおかしい。わかるかい？　誰かさんがあたしの小切手帳やらクレジットカードやら戸棚に入れといたちょっとした金やらも盗んでった。それについて何も言う気はないけどね、おかしなことになってんのさ」

「何を言ってるの？　誰かさんって誰のこと？」

「あたしが言ってるのは、誰かさんに騙されるんじゃないよってことさ。神さまがお前に五感を与えてくださってるのには、ちゃんと理由《わけ》があるんだ」

ぼくは折りたたみ式の携帯電話を閉じて、べたべたした革のソファに座った。ヴァッサーで働くようになってから、ぼくは何万ドルもの金を住宅ローン、エンジン、食料品、医者のために母さんに渡した。支払いをすべき相手に連絡を取って直接ぼくが払うこともあった。ぼくの二倍も稼いでいる人が毎月二週目には一文無しになっているのはなぜかと考えたりはしなかった。そんなことはどうでもよかった。ぼくは母さんに人生の半分のあいだ面倒を見てもらったのだから、できる限り母さんの面倒を見たかった。でもぼくは金持ちではない。だから、母さんが言っていたことにぼくの金が使われていないのなら、何に使われているのか知りたかった。

母さんはスーパーマーケットから電話をかけ直してきて、すぐに金を送ってほしいと言う。ぼくは何かがおかしい気がするから、金を払う相手と話してからでないと送金する気になれないと答えた。それがあればもっと安心できると言って母さんが買おうとしていたSUVの頭金に一万四〇〇〇ドルの貯金を渡したばかりだったので、さらに一〇〇〇ドル送るのなら、できるだけ安くやってもらえるようにしたかったのだ。

母さんは、またいきなり電話を切った。

かけ直しても母さんは出ない。送金はできるけれどなんのために送るのか知っておきたいと留守番電話にメッセージを残した。ばあちゃんが誰かに金を盗まれたと言っていたことは、留守番電話には残さなかった。ぼく自身、腹を空かせていることや、学生たちを育て助け愛する教員としての混乱の日々の真っ只中にいることは、留守番電話には残さなかった。「電話してほしい」とだけ残した。

靴を履いてシャツを脱ぎ、今夜は三二キロ走るぞと自分の身体に言い聞かせる。その夜、身体は三二キロも走りたがっていなかった。三時間もバスケをして、すでに一〇キロ弱走っていたからだ。身体は水を欲していた。五日ぶりにぐっすり眠りたがっていた。一〇〇〇キロカロリーよりもたくさんエネルギーを摂りたがっていた。ぼくは身体が欲しがるものを無視した。身体の言うことを聞いていたら、七三キロを切ることはできない。

三七キロ走ったあと、エンドルフィンでハイになりながら汗まみれでふらふらと家に戻ってきた。体重計にどすんと乗り、数字がどんどん小さくなっていくのを見る。

一三〇。

一二五。

一一五。

一〇〇。

九〇。

八五。

八三。

八〇。

七五。

七二・二。

九歳以来、いちばんの軽さだ。母さんから電話がきていないかと思って携帯電話を確認した。かかってきていない。シャワーを浴びてベッドに腰をかける。立ち上がって母さんに電話しようとしたけれど、立つことができなかった。左脚の尻のいちばん上から足の親指の先まで、血が沸騰しているように感じる。水を飲んで床で寝れば良くなるだろうと自分に言い聞かせた。

三時間後に目が覚めた。良くなってはいない。身体のあちこちがひどく張っている。

次の日、二五六四日目にして初めて、ぼくは一〇キロ弱走らなかった。体重計に乗る。七四キロ。カロリーを燃焼させるために、右足だけでひょいひょい跳んで一・六キロ歩いたが、左脚を地面から離しておくだけでも耐えられない。歩くことさえできないのだから、また七三キロを切るまで汗をかくにはどうすればいいのかわからなかった。何度電話しても母さんは出ない。

小さなアパートメントで床に横たわり、身体の張りに耳を傾ける。左足の爪先は感覚がない。左の股関節はまるでヒアリに食われているようにひりひりする。その木曜、八年間で初めてくたくたになるまで身体を追いこまなかった日、ぼくの身体はこれから何が起こるかわかっていた。身体は、身体だけは、ぼくが身体にさせたことと、ぼくが身体に忘れさせようとしたことを知っていたからだ。床に座りながら、ぼくはわかっていた。重たすぎる秘密を抱えたりつくったりしたために、身体が壊れてしまったことを。

身体は知っていた。三週間後もまだ歩けないこと。歩けない身体を罰するためにぼくがチーズスティックとハニーバンズを食べまくって、体重が八三キロになること。八三キロになると、クソみたいなデブだと何度も口にして、結局、また疲れ果てるまで走れるように治してもらおうと医者のところへ行くこと。

身体は知っていた。ありとあらゆる検査を受けたあと、椎間板ヘルニア、坐骨神経痛、骨折と捻挫と酷使による左足首と左膝の広範囲にわたる瘢痕《はんこん》組織に加えて、異常細胞の増殖が見られ、それが股関節の状態悪化につながっていると医者に言われること。医者に処方箋をもらって次の予約を入れるように言われ、セラピーを受けることを勧められて、最低でも三、四ヵ月は歩けなくなる手術を受ける必要があると告げられること。

身体は知っていた。治療とセラピーの予約を入れるけれど、どちらもすっぽかすこと。数週間食べまくって体重が九三キロになり、一四五キロあったときよりも重たく感じること。九三キロになって、大学では授業以外の予定をすべてキャンセルすること。ぼくが姿を見せると、同僚や学生に大丈夫かと尋ねられること。ぼくの身体は憶えていた。体脂肪率が三パーセントで一日二〇キロ走り、ヴィーガンの食事をして、血管がたくさん浮き出ていて、しょっちゅう目まいがしていたときのこと。ウェイトルームでシャツと靴を脱ぎ、陰でみんなが拒食症や過食症と呼んでいた細い女性たちに囲まれて体重を量ったこと。朝六時にジムにいちばん乗りして夜一〇時に最後まで残っていたけれど、拒食症や過食症と呼ばれる心配などしなかったこと。ほとんどの人と同じで、ぼくも健康のためにジムにいたわけではない。自分がどれだけ太って見えて太っていると感じるか、それをコントロールできていると思うためにジムにいた。

身体は知っていた。ずっと昔に体重の正確な数字が感情面、心理面、精神面の目的地になっていたこと。ぼくは一一歳のときから毎日、体重が何キロで金を正確にいくらもっているか把握して気にかけていた。ぼくは体重によって、前日にどれだけ食べたか、どれだけ腹を空かせていたか、どれだけ運動したか、どれだけじっと座っていたかを知った。身体は知っていた。七二キロで体脂肪率二パーセントのときも、一四五キロで関節が痛かったときより自由でもなければ解放されてもいなかったこと。ぼくは身体が望まないところまで身体を追いこむのが好きだったが、体重計の数字をコントロールすることに依存していた。体重計の数字をコントロールすること、それは物語やエッセイを書くことや愛されていると感じること、金を稼ぐこと、セックスすることより、自分が太っているという感覚をずっと和らげてくれて、とても豊《アバンダント》かな気持ちにさせてくれる。減量は忘れるのを手助けしてくれる。

体重がまた九〇キロを超えると、ぼくは自分の身体に触れなくなって、ほかの人にも身体に触れさせなくなる。七二キロだったぼくを知る人が、九〇キロを超えるぼくを愛してぼくの身体に触れたがるとは思えなかった。体重がどんどん増えていくなか、ぼくは教えて書いて推敲し、母さんとばあちゃんを避ける。ぼくが健康でいるためになんでもしてくれたこの世で唯一の人に嘘をつき続ける。一五年前に知っておくべきだったことに、ようやく気づく。同意を求めて同意して、性暴力の被害を受けた経験があって、いい人と言われて、自分から性的関係を迫らなくても、感情面で人を虐待しないことにはならない。隠しごとをしていたら、同意など無意味に等しい。関係が続くあいだ、相手に円は円ではなくて実は大きくゆるんだ正方形なのだと言い聞かせていたのだとしたら、そのパートナーは何に、誰に同意していたことになるのか。ぼくは体重を減らすのがうまくなって、女性たちを説得するのがとてもうまくなっていた。彼女たちが確実に見て知っていることを、見ても知ってもいないと言いくるめた。床に寝ころびながら、これまでどのパートナーとの関係においても正直でなかったことを認めた。二〇年分の嘘を抱えていたがためにほかの人たちの心と頭に自分がしてしまったことについて、正直でなかったことを受け入れた。

ぼくは母さんと話すのをやめる。どうすればノーと言えるのかわからず、それまでイエスと言ったことは全部嘘だったからだ。でも母さんは連絡してくるのをやめない。とくに黒人の身体と黒人の家が危険に晒されていると思ったときには。堤防が決壊してハリケーン・カトリーナがミシシッピの海岸を消し去り、黒人で貧しくて南部人だからという理由でブッシュ大統領がぼくらの仲間を放置するとき、母さんは九五キロの息子に、ニューオリンズから避難してきた親類がぼくの寝室で寝ていると話す。その数年後、母さんがぼくに望むような歩き方、話し方、書き方をする、細くて怯えて傷ついた立派な黒人男にぼくらは会う。その男がアメリカ大統領になると、母さんは一〇七キロの息子に言う。大統領が黒人を愛する代償はあまりにも大きなものになるかもしれない。オバマの勝利に対する白人の人種差別者による巻き返しは、これまでにない激しいものになる可能性がある。ぼくらは彼の選挙の代償をいまもこれからも払うことになる、母さんが繰り返しそう言うのをぼくは聞く。

体重が一四二キロのとき、このことは母さんに話すべきだったのだが、ぼくは年配の教授一人と事務局幹部二人とメイン・ビルディングの部屋にいた。シャツの下には、心拍の異常を測定する装置をつけていた。ぼくのテニュア審査を担当する委員会は最初に、ぼくの最初の本の、未修正の契約書原本を求めてきた。学長にそれは求めるなと言われていたにもかかわらずだ。

委員会はその後、委員の一人と同じイニシャルだった同僚のフローラ・ウェドレイに間違ってメールを送っていた。ぼくが大学院の修了について嘘をついているとほのめかすメールだ。面談の終わり近くに、委員の年配教授は、彼ら白人リベラル派の「アフリカ系アメリカ人」への連帯を主張したうえで、委員たちはぼくが「不正をしている」と考えていると言った。

ぼくは両手を尻の下に挟み、目の窪みに涙を溜める。その面談に臨むとき、ぼくはわかっていた。この国の人種差別テロの最もおかしなところは、自分自身は自分の属する人種ゆえに脅かされることがない、給料をもらいすぎのお粗末な白人がそれを正当化し、自分の人種ゆえに脅かされる、給料があまりにも少ない一部の黒人と褐色肌の者たちがそれをやめさせない点にある。知性も想像力も凡庸で、自分の半分も仕事ができないしできなくても問題ない白人アメリカ人に——またそういう白人が見守るなか——ニガーとして扱われる、それほど恥ずべきことはない。面談を終えて部屋を出るとき、ぼくはそれをわかっていた。

その面接の日も、母さんに電話に出てほしいと思いながら床に横たわっていた日も、そんなことになるとは想像してもいなかったが、ある夜にポキプシーの刑事がうちに来て、一四五キロのぼくに警察署への同行を求める。ポキプシーの警察署には、学生の手助けをするために四度、交通違反の罰金を払うために七度、訪れたことがあった。テニュア審査委員会の委員二人と別の年配教授一人が、人種差別的、性差別的、反ユダヤ的な匿名の手紙を受け取り、ぼくと同じ目に遭わせてやると脅される。教授たちはその手紙をポキプシーの警察に渡し、刑事が月曜の夜一〇時に訪ねてきてぼくは警察署に呼び出される。

取調室に入ると、脅迫状を送った人物に心当たりはないか尋ねられる。本当にぼくのためを思う人なら、恥辱に塗《まみ》れたテニュア審査委員会の委員を反ユダヤ的、人種差別的、性差別的な言葉で脅したりなどしない、精いっぱいそれを説明しようとする。

「なるほど」と刑事は言う。「被疑者が一人います」

「誰です？」

「いまわたしの目の前にいる人です」。刑事はそう言って、嘘発見器《ポリグラフ》による検査を受ける気はあるかと尋ねる。

「いますぐ受けますよ」

「ほんとうに？」

「ああ」ぼくは歯の隙間から息を吸いこむ。「本当に」

ぼくはミシシッピ出身の重たい黒人男子であり、すなわち弱い立場にいるのだと理解する。とはいえ、ミシシッピ出身の重たい黒人男子のほとんどとは違い、まともな額の給料が死ぬまで毎月入ってくる。ぼくは〝大学教員〟の肩書をもっている。母さんと父さんがいて、そのまわりには必要なときにぼくを守る手助けしてくれる、強力と言ってもいいほどの友だちがいる。弱い立場にいても、力がないわけではないのだと知る。金はなくてもブラック・パワーのような何かと独特のかたちでつながっているからだ。

「自分の仕事をしているだけですよ」刑事に言われて、このブラック・パワーに似た何かと独特のかたちでつながるために、何を諦めなければいけなかったのか考える。ダッチェス郡にはドラッグと暴力がはびこっているのに、文句をたれるヴァッサー大学のばかな教員たちのことでぼくの時間を無駄にしたいとは思っていないと刑事は言う。

ぼくは、ヴァッサー大学にもドラッグと暴力がはびこっていると刑事に答える。

刑事は取調室を出ていき、ぼくは座ったまま目の前のテーブルに置かれた手錠を見る。ヴァッサー大学でテニュアの審査を受けただけで、どうして取調室に辿り着く羽目になったのかと思う。ただ走りたい。

アパートメントにではなく。

教室にではなく。

研究室にではなく。

偽りのセックスにではなく。

母さんのところにではなく。

刑事が部屋に戻ってきて、翌日、嘘発見器による検査について連絡すると言われる。翌日になっても刑事は電話してこない。こちらから電話すると、検査の必要はなくなったと言う。脅迫状を送ったやつが見つかったのか、この脅迫事件にそれ以上時間と手間をかけたくなかったのか、刑事がわざとぼくを動揺させようとしていたのか、結局はわからない。

いずれにせよ自由の身になり、手錠をかけられずにすんで、ブラック・パワーに似た何かと独特のかたちでつながっているのだから、ぼくは幸せなはずだ。しかし、まさにヴァッサー大学でテニュア審査を抜群の成績で通過した月に、手錠をかけられなかったことを喜んでいる、だからこそぼくは自由ではないのだと知る。

テニュア審査を受けて取調室に行く羽目になった日から遡ること六年前の木曜、八年間で初めてくたくたになるまで身体を追いこまなかった日、ぼくの身体はこれから何が起こるかわかっていた。身体は、身体だけは、ぼくが身体にさせたことと、ぼくが身体に忘れさせようとしたことを知っていたからだ。


アパートメントの床に手脚を広げて横たわり、光沢のある茶色い革のソファーを見る。また母さんに電話して、出てくれることを願う。生まれて初めて、母さんの助けが必要だとすがりたい。ぼくが一二歳のときに、ばあちゃんの家まで車で連れていってくれた日のことを憶えているか尋ねたい。母さんが迎えに来るまで、ぼくは母さんの研究室に電話して、二三分間ずっと呼び出し音を鳴らしつづけた。ようやく母さんがやってきて、車でぼくをばあちゃんのところへ連れていってくれた。ばあちゃんならぼくをなんとかできると思ったからだ。ぼくらは父さんから養育費が届くのを待っていたけれど、母さんは、まだ届いていないから郵便配達員が盗んだのかもしれないと言っていた。

州間高速道路二〇号線の右車線に車を寄せてフォレストの出口を出て、一時停止の標識で停まった。そこから左折して州道三五号線に入る。母さんもぼくも右側を見ていなかったので、トレーラーがノヴァの助手席側に唸りを上げて近づいてくるのに気づかなかった。トレーラーの運転手がクラクションを鳴らす。母さんはノヴァのブレーキを思いきり踏み、右腕をさっと出してぼくの身体を支えた。ジャクソンを発つときにぼくにシートベルトを締めさせていたにもかかわらずだ。母さんはシートベルトを締めていなかったから、胸がハンドルにぶつかった。当時のぼくは母さんより一〇センチは背が高く、最低でも一三キロは重たかったのに、母さんを守ろうとしなかった。ぼくは、大丈夫かと尋ねて母さんの身体の向こうに手を伸ばし、シートベルトを締めさせた。ばあちゃんの家に向かってオールド・モートン通りを走りながら、母さんはぼくに愛していると言った。ぼくも母さんに愛していると言う。それぞれ意味は違ったけれど、ぼくらはどちらも相手のことを愛していた。

「おれだけど」アパートメントの床に横たわったまま、母さんの留守番電話にメッセージを残す。ぼくは裸で、左手で腰を押さえて右手に折りたたみ式携帯電話を持っている。「元気か知りたいから電話してほしい。かけられるときにかけてくれるのを待ってる。金のことは訊かないから。身体がどこかとてもおかしい気がするんだ。助けてくれないかな？」

PROMISES 約束

母さんはコネチカットでスロットマシンの前に座っていて、不安げに振り返って左右を見ていた。ぼくは母さんの四、五メートル後ろに隠れていて、尻のポケットにはフローラ・ウェドレイのアパートメントから盗んだ一〇ドルが入っている。体重はわからない。一四五キロより重たい気もしたし、七五キロより軽い気もした。

母さんもぼくも故郷から遠く離れた場所にいた。母さんはジャクソン州立大学を辞めてポキプシーから三時間半、カジノから一時間半のところに移った。毎週末、母さんは訪ねてきなさいとぼくを誘う。毎週末、ぼくは行かないと答える。その四年前に、ぼくの金でやると言っていたことを母さんがしていなかったことを知った。母さんを懲らしめようとしていたわけではない。自分に害になることをできるだけしないようにしていただけだ。母さんを訪ねることは一度もなかったけれど、カジノで何度も母さんを見かけた。いつも同じマシンの前に座っていて、不安げに振り返って左右を見ていた。ラスヴェガスで母さんが勝つのを初めて見たときや、ミシシッピ州フィラデルフィアで母さんが負けるのを初めて見たときと同じように。ぼくは何も言わなかった。ただ首を左右に振って、母さんの依存症のほうがぼくより酷いと思って気が楽になった。母さん、あなたはぼくが足を引きずりながらカジノをうろついているのを見なかったかな。うちに帰ってきなさいって言いたくなることはなかった？

一〇年間、ヴァッサーでの闘いに勝ったり負けたりしているうちに、その虚しさに耐えられなくなった。ぼくの身体は、ぼくに努力や無理をさせなくなったあと、憐れみ、背中を押して、怒る、くたびれたカジノ・ディーラーたちに恋に落ちた。

憐れみ、背中を押して、怒る——いつもこの順番だ。

ブラックジャックのテーブルで有り金をほとんど使い果たしたあと、たいていぼくはスロットマシンの前に座って左右を振り返り、金をくすねるように仕組まれた魅惑的な機械にぼくが祈るのを見るやつらを見た。スロットマシンは、ボーナス、ビッグ・ウィン、ジャックポット、ヒットという言葉で華々しい約束をする。約束を守ってくれるとき、ぼくはスロットマシンが大好きだった。守ってくれないときは大嫌いだ。

ぼくが勝つと、見ず知らずの人たちは歪んだ笑顔をつくった。ぼくが負けても、見ず知らずの人たちは歪んだ笑顔をつくった。母さんと同じで、ぼくも勝ち方を知らなかった。そもそも勝つためにカジノに行っていたのかすらわからない。〝カジノ友だち〟と交わす会話は、「調子はどう？」ぐらい。向こうはぼくの名前を知らないし、ぼくも向こうの名前を知らない。ぼくが自分の身体にさせたことにうんざりしているときに、どうやってその身体を支えているのか、それを向こうは知っていて、ぼくも相手について同じことを知っていた。「ここにいるのは、悲しくて、孤独で、負けることに依存しているからだ」カジノ友だちのあいだで口に出されることのない一文がこれだ。

ぼくは何度もこのカジノに戻ってきた。勝ったときよりも負けたときに、前よりも空っぽで身体が重たく感じたからだ。ぼくは勝てなかった。最初に満足な金がなければ、満足に勝ってやめることもできない。勝ったら、もっと勝つために戻ってくる。もっと勝つために戻ってきたら、結局負ける。それでもやはり必ず戻ってくる。表向きの目的は勝つことで、裏の目的は自分自身を傷つけること。ただ、金属探知機がなく、酒が無料で、大金を持ち歩く人がいて、たいていの人が負けている場所で、どうしてあからさまな暴力がもっと起こらないのか不思議だった。

フローラ・ウェドレイは、ぼくに出会うまでカジノに足を踏み入れたことがなかった。フローラはぼくが非常勤教員になった四年後に助教としてヴァッサーに来た。とても優秀で、いまだに《モエシャ》（一九九六年から二〇〇一年にかけて放送されたアフリカ系アメリカ人女子高生を主人公とするコメディドラマ）、《ザ・パーカーズ》（一九九九年から二〇〇四年にかけて放送されたコメディドラマ。《モエシャ》のスピンオフ作品）、《ガールフレンズ》（二〇〇〇年から二〇〇八年にかけて放送された四人組の女性を主人公とするコメディドラマ）、ジェイン・オースティン、ゾラ・ニール・ハーストン（一八九一〜一九六〇年、アフリカ系アメリカ人の作家、民俗学者）、《ジェム＆ホログラムス》（一九八五年から一九八八年にかけて放送された、ロックバンド〈ホログラムス〉の女性ボーカリスト、ジェムを主人公とするテレビアニメ）が好きだという率直さもあった。ただ、フローラは黒人のホログラムスのメンバーになりたかったのではなく、黒人のジェムになりたかった。ぼくと同じで、ひとり身の若い黒人の母親のもとで育った。ぼくと同じで、学校が大好きだった。ぼくとは違って、一〇歳のときに母親を失った。ある朝、フローラは、カジノから六五キロほどのところにあるコネチカット州ハートフォードの小学校に登校した。昼前に誰かが教室に来て、母親が死んだと知らされる。それからずっとフローラは、いつも見捨てられる準備をしていれば、自分にとっていちばん大切な人から見捨てられることはないと考えて生きてきた。フローラは勝ちたいとは思っていなかった。ただぼくが知るかぎり、負ける痛みをできるだけ小さくしようといつも努めていた。

初めてフローラとカジノに行ったのは、仕事から逃れるためというよりは、手をつなげる華やかな場所に行きたかったからだ。ぼくらは互いに相手に地獄を経験させたあと、二人の関係にさらに時間とエネルギーを注ぐべきか確かめようとしていた。無料のホテルに泊まって、無料のスロットで遊んだ。自分たちの金はまったく使わずに、気分良くうちに帰った。

しかし、テニュア、健康、本の契約、仕事、家族のストレスに晒されるうちに、ぼくらはさらに頻繁に嘘をつくようになる。嘘から離れるにはヴァッサーを離れるしかないと思った。ところが、ぼくらはキャンパスの寮に引っ越し、教員の支援が必要な学生たちに手を貸すことになった。フローラが寮の片方の端に住んで、ぼくがもう片方の端に住む。家賃、水道光熱費、食費は払う必要がなかった。生まれて初めて給料がすべて自分のものになって、ぼくらは学生ローンを全額返して借金もすべて返済する。職場で寝起きすることで払うことになる代償があるとは、これっぽっちも考えなかった。

フローラの誕生日にぼくは「ほんとうにギャンブルをする」ことにして、三〇〇ドル持ってカジノへ行った。その三〇〇ドルがたちまち六〇〇ドルになる。その後、その六〇〇ドルは少しずつ減っていく。フローラが最後の七五ドルのバウチャーをマシンに入れて、ボタンを三つ押した。フローラは三ドルでプレイしているつもりだったが、それは二五ドルのマシンで、七五ドルの賭け金は一気に六七〇〇ドルになった。

金持ちになったとぼくらは思った。

その夜、ぼくらはさらに四〇〇〇ドル勝って、来たときより一万二〇〇〇ドルも多くの金を手にカジノをあとにした。ぼくの取り分は、大部分を母さんとばあちゃんに送った。フローラは自分の分をクレジットカードの支払いと学生ローンの返済に充てた。ぼくは毎週末カジノに戻り、また一万二〇〇〇ドル勝とうとした。一度、一万四〇〇〇ドル勝った。六〇〇〇ドル勝ったこともある。

ある日曜、ぼくは持ってきた金を全部失った。さらに現金を引き出して、それも失う。そのあとぼくらは〝無料〟のホテルの部屋で日付が変わるまで待ってから、さらに現金を引き出した。

そして、それも失った。

貯金をすべて失って、帰ろうと言わなかったフローラとカジノを憎みながら家に帰った。もう行かないぞと思うたびに、カジノの無料のスロットやコンサート・チケットや無料の部屋におびき出される。何かを差し出されるたびに、ぼくはカジノへ行った。そして負けて、何かを持って帰りたいから、金を失って貯めた〝ポイント〟や無料招待券を使って、無料の八〇〇〇ドルのカジノ・プーマ、無料の三〇〇〇ドルのカジノ・ドレス、無料の一四〇〇ドルのカジノTシャツ、ビヨンセ、カニエ、ジガ（既出のラッパー、ジェイ・Zの別名）、シャーデー、プリンス、ジャネール・モネイ（一九八五年生まれ。アフリカ系アメリカ人女性の歌手）を観る無料の二〇〇〇ドルの座席を買った。

カジノに着くと、無料のカジノ・ベジ・バーガー、カジノ・グリルド・チーズ、カジノ・フライドポテト、カジノ・オニオン・リング、カジノ・シェイクを飲み食いして、のちにメキシカンかイタリアンの立派な無料の夕食をとる。その日の持ち金をすべて失ったあとは、ルームサービスを頼んで無料のカジノ・オムレツとカジノ・パンケーキを食べてから、眠りに落ちるまでテレビでスーズ・オーマン（一九五一年生まれ。テレビ番組《スーズ・オーマン・ショー》に出演するファイナンシャル・アドバイザー）を見る。貯金をすべて失ったあと、ぼくはフローラをこの生活に引きずりこもうとした。フローラはたいていノーと言ったけれど、三度だけイエスと言った。持ってきた金をすべて失っても、思ってもみなかった額を勝っても、ぼくはいつもカジノの食べ物で自分を罰した。絶食して運動することで自分を罰したのと同じぐらい激しく罰した。

ある日、母さんが最後の一ドルをスロットマシンに入れるのをぼくが見ていると、母さんはハンドバッグに手を伸ばして携帯電話を取り出し、テキストメッセージを打ちはじめた。一分後、ぼくのところにメッセージが届く。

あなたとあなたがやり遂げたこと、とても誇りに思う。あの酷いやつらのなかには、なりふり構わずあなたを攻撃してくるのがいるけれど、あなたがいつもテニアより大きなものと闘ってることをわかっていないのよ。あいつらを許してやりなさい。自分たちがしてることをわかっていないんだから。あんなクズは放っておけばいいの。あなたがそこにひとりぼっちで、家族はみんなかわいそうだと思ってる。みんなあなたが助けてくれることに感謝してる。たくさんの愛、喜び、健康が訪れますように。神さまは恵み深い御方よ。

　このテキストメッセージを読みながらぼくは思った。親子が二人の故郷から二二五〇キロも離れたカジノで出会ったのに、どちらも〝やあ〟とか〝会いたかった〟とか〝やめろ〟とか〝うちに帰ろう〟とか言えない、それほど悲しいことはない。

　カジノを出ずに、ぼくは韓国系アメリカ人医師の隣に座った。その女性は家を失い、車を失い、子どもたちの学費も失ったという。ギャンブラーズ・アノニマス（ギャンブル依存症者の自助グループ）の会合に二度参加して、ただギャンブルのそばにいるだけにしようとカジノでディーラーをしてみたりした結果、たくさん貯金ができたけれど、その後またすべて失ったらしい。ぼくはポケットに残っていた最後の一〇〇ドルをその女性に渡した。彼女はそれを持って家に帰ると約束したが、嘘をついているのはわかっていた。その女性が去ったあと、白人の男がそのマシンの前に座って、大当たりを出した。支払いを待ちながら、その男は言う。

「アメリカ人がマシンを最初に使えるようにすべきだろ。アジア人がここを乗っ取っちまおうとしてる。やつらばっかり大当たりしてるんじゃないのか」

「あのマシンをぜんぶ占領しろよ」その白人男に言って、ぼくはカジノをあとにした。

　最後に母さんを見かけたのは、ぼくがフローラ・ウェドレイとコネチカットのカジノに行った最後から二度目の日だった。帰りにフローラ・ウェドレイは、ぼくらの関係の問題はカジノにあると言った。

ぼくは、ぼくらの問題はぼくら自身にあると反論した。

フローラは、仮に問題が自分たちにあるとしても、カジノに行くのをやめて毎週末どこか楽しいところに行けばお金を節約できると言い返してきた。

ぼくは、ぼくらのなかにあって、そもそもぼくらをカジノに行きたい気分にさせている問題と向き合えば、そういうところへ行って楽しめるようになると答えた。フローラは、自分は母親と祖母を亡くしたのだから、トラウマについて話すと傷つくのだという。

そうだな、とぼくは言った。

フローラは、家でお互いを傷つけたり、二時間車に乗って傷ついて一文なしになったりするほかにも選択肢があるはずだと言う。

そうだな、とぼくはまた言った。

フローラは、二人でカウンセリングを受けないかと切り出した。

そうだな、とぼくはもう一度言った。

カウンセリングでは、母さんのことは話さなかった。自分の嘘、記憶、うまくいかなかった関係、身体のことも話さなかった。ぼくはフローラのことを話した。フローラもフローラのことを話した。カウンセラーもフローラのことを話した。そして、フローラの問題とされるものと向き合うのに役立つ宿題を出された。翌日、ぼくはその宿題を投げ出す。その数日後、フローラもその宿題を投げ出した。

給料日は毎月二五日だった。ぼくは給料の五分の一をばあちゃんに送り、残りは三〇日までにカジノで使い果たした。金がなくなると、ペイデイローン（給料を担保にした高利貸し）に手を出す。フローラはぼくがしていることを何も知らなかった。毎月一五日に一三〇〇ドル借りる。給料日にはその返済のために口座から二一〇〇ドル引き落とされる。ぼくは一万六〇〇〇ドルで車を売り、土日でそれを一セントも残らずギャンブルで使い果たした。給料をもらうと、車を借りて二時間半運転し、カジノへ行って全額すった。車を売った金を使い果たした数カ月後、買ったときより二〇〇〇ドル安く革のリビングルーム・セットを売り払って、その五〇〇ドルを三分弱で失った。ぼくは新しい病人だった。それと同時に昔ながらの病人でもあった。走ることはできないけれど、ギャンブルはできた。

それに約束もできた。

警察官に嘘発見器での検査を求められたあとの土曜、ぼくはフローラに頼んで車でカジノに連れていってもらった。金を全部使ってしまわないようにフローラに約束させられた。

ぼくは約束した。

しかし三〇分で給料をすべて使い果たした。車で家に帰る前に、フローラのキアの後部座席でスクラッチくじの五ドルの当たり券を見つけた。ぼくらはそれを換金してカジノに戻った。その五ドルが一〇ドルになる。それから一〇〇ドルに。そして一二〇〇ドルになって、さらに三六〇〇ドルになる。粘った甲斐があったと喜びながらその夜はカジノに泊まったが、互いに触れ合ったり、カジノを去ったりする程の喜びではなかった。

日曜の朝は起きてまたギャンブルをした。あっという間に手元の金は一万ドルを超える。そのときにはすでに、いいギャンブラーなどいないとぼくらは知っていた。勝っているときにカジノをあとにして二度と戻らない人と、カジノをあとにしない人がいる。その日ぼくらは、勝っているときにカジノをあとにして二度と戻らないと決めた。迷彩のカーゴショーツのポケットに一万ドルを入れて、フローラのキアに乗って家に向かった。カジノから一キロ弱のところで、ヴァッサーから通りを一本挟んだ小さな部屋で気を滅入らせている自分たちを想像して、ぼくはフローラにまた当てられると思うかと尋ねた。

「あなた、とてもツイてると思う」フローラは答えた。

「ツイてると思う?」

「とてもツイてると思う」

ぼくらはUターンしてカジノに戻る。母さんがいた。ぼくらと一緒にうちに帰ろうと言うべきだったのだろう。

一時間でその一万ドルは一セントも残らず消えてなくなった。

ぼくはツイてなどいなかった。

家に着いたあと、酷い生活に巻きこんですまないとフローラに謝った。フローラは、二度とカジノに足を踏み入れないと約束してほしいと言う。

ぼくは約束した。

謝った。

ぼくらは抱き合った。

泣いた。

互いの頬を拭った。

ぼくはフローラの部屋に行って、彼女が本のあいだに隠していた一〇ドル札を取り、頭をすっきりさせたいからキアを借りてポキプシーをドライブしてきてもいいかと尋ねた。許可をもらうと、タコニック州立公園道路に乗って州間高速道路八四号東線に合流し、またカジノに向かった。

ぼくは母さんにテキストメッセージを送って、カジノで会えないか尋ねた。助けが必要だとは言わず、怖いとも言わなかった。三〇年間、母さんとは同じ部屋で寝ていなかったし、六年近くも母さんを訪ねていなかった。体重はもうわからない。

ポケットに一〇ドル入れてカジノに入る。ぼくは皺だらけの迷彩ショーツと3Xサイズの薄っぺらい黒のパーカーを身につけて、靴下なしで黒のアディダスを履いていた。母さんはぼくが見ているのに気づいていない。ぼくはカジノの上にある無料のホテルの部屋に向かった。厳密にいえばぼくはこのカジノの〝VIP〟なので、部屋を予約できた。このカジノの〝VIP〟のなかに、一〇ドルしか持っていない人はどれだけいるのだろう。

部屋に入ると、ぼくは二台のクイーンサイズ・ベッドのあいだの空間、二本の小さな水のペットボトルのあいだの空間、ばかでかいテレビと大きな窓のあいだの空間、窓の向こうの巨大な人工の湖と自分のあいだの空間を見つめた。

三〇分前に来ておくべきだった、ぼくはひとりつぶやいた。ぼくらの人生について初めて正直に話し合うことを考えて、胃が痛む。来ないように母さんに電話しようと部屋を出た。廊下の途中で、母さんが向こうから歩いてくるのが見えた。黄色の薄い花柄スカーフを身につけて、白いビニール袋を腋の下に挟んでいる。

「帽子を買ってきたよ」母さんはそう言って、ぼくの首に抱きついた。

煙とアフリカの黒石鹸、べったりしたヘアグリースの匂いがする。ここに上がってくるまで下の階でギャンブルをしていたのかとぼくは尋ねた。

「クリスマスにあげた帽子を気に入ったって言ってたでしょう。喧嘩する気はないからね、キー」質問を無視して母さんは言った。「運動は完全にやめてしまったのね？ もともと重たい身体をもっと重たくするのは、災難のもとよ」

身体についてのコメントは無視して、ミシシッピに戻ると言ったらどう思うかと母さんに尋ねた。

「仕事もないのに戻るの？ ヴァッサーに辞めろって言われたの？ ミシシッピであれだけいろんな目に遭ったあとで、どうして戻ろうなんて思うのよ。そんなことはしないって約束してちょうだい。どうしてそんなに太ったのか、教えてくれる？」

ぼくは約束すると答えて、身体についての質問は無視した。すぐに母さんは話を続けた。

「訊いていい？」

「もちろん訊いていいよ」

「わたし、人を見くだすような話し方をしてる？　新しい職場の女の人が言うんだけど、彼女やオフィスのほかの女性たちが肩身の狭い思いをしてるんですって。みんなリベラル派の白人女性なんだけど、わたしはそんな話し方をしてるなんて思ってもみなかったから」

ずっと前からそう言っていたじゃないかとぼくは答えた。

「ほかの人たちにどう見られているか、わからなくて。そんなふうに人に接するのは酷いことよね。何か言いたいことがあるの、キー？」

「どうしてなのか知りたいだけだと思う」

「どうしてって、何が？」

「どうして？」

ぼくはベッドの足側の端に座った。母さんは机の前に座る。しばらく何も言わずにお互いを見ていた。母さんは、ぼくが何かのことで母さんを責めているのだと思っていた。ぼくは母さんを責めてなどいなかった。母さんを責めるには、ぼくがどれだけ悲しくて、どれだけ失敗したかを母さんに対して認めなければならないからだ。

「これは言い訳じゃないんだけど」母さんはそう言って立ち上がり、ぼくの手を握った。「わたしがあなたの年のとき、あなたは一五歳だったのよ。ミシシッピ州ジャクソンで一五歳の黒人の子を抱えながら、いまあなたがやっていることをやり抜く、そんなこと想像できる？」

「いや」ぼくは言った。「想像できない」

「あなたは頑固な子で、早死にか刑務所へ一直線に向かっていた。いまだってそうじゃないかと心配してる。あなたがまたこれだけ太ったのも、ひとつにはそのせいだと思うの。正直なところ、どうやってあなたのことを守ってあげればいいのかわからない」

「でもどうして？」

「どうしてって、何が？」

「ただどうして？」

「わたしたち、本当のことを話したことがなかったわね、キー。うちの家族は誰も本当のことを話してこなかった」

「ぼくは母さんに本当のことを話したよ」

「マラカイとのことがあって、わたしのことを恨むようになるまでは？」

「そんなことはない」

「いいえ、実際そうだった。わたしに本当のことを話さなかったでしょう、キー。そう言いなさい」

「本当のことって、なんについて？」

「何もかもについてよ。またこれだけ体重が増えた理由についても、本当のことを話していない。恋愛についても。仕事についても。わたしに罰を与えるためにそうしてるんでしょう。電話で話すときだって声を荒らげるし。落ちついて話すことなんてないじゃない。正直それって、虐待だと思う」

ぼくは母さんを見たまま、母さんの口からさらに言葉が出てくるのを待った。何も出てこなかったので、ぼくは嘘をついて悪かったと言った。嘘をついたのは、本当のことをどう伝えればいいのかわからなかったり、自分で理解していなかったり、母さんが受けとめられるとは思えなかったりしたからだ。嘘をつくときはいつも、母さんを操作したかった。ぼくらについての母さんの記憶を、ぼくについての母さんの見方を操作したかった。感情の面で人を虐待することや、大食いをすることや、絶食することや、金をすべてギャンブルで使ってしまうことや、消えてしまいたいと思うことを話すのは恐ろしかった。ビューラー・ビューフォードの家で過ごした日々のことや、ジャクソンの家の寝室でぼくの身体が感じたことは話さなかった。ぼくがどんな人間で、何をしてきて、どこにいたのか、本当のところを母さんに明かしたら、愛してもらえるとは思えなかった。

だから、いつもと同じことをした。

ぼくは、白人にどんな扱いを受けたか、本当のことを母さんに話したが、その経験をしているあいだに、ぼくが自分自身や身近な人たちをどう扱ったかは正直に話さなかった。

母さんに首に抱きつかれ、とてもかわいそうと言われて、取調室で警察官たちにされたことについて尋ねられたあと、ぼくは隣の部屋まで聞こえるぐらいの大声で言った。

「待った。おれが母さんを虐待したって？」

「そう思う」

「嘘をつくことで母さんを虐待したっていうこと？　母さんのほうこそおれのこと虐待したんじゃないのか？」

母さんは立ち上がって扉に向かった。

「ひとりで寂しいって感じることある？　わたし、この世界を裸で歩きまわっているみたいに感じるの、キー。もう心をひらいているのにひらけって言われても無理だし、みんな裸のわたしに汚らわしい手を飽きもせずに突っこんでくるの」

「ああ。でも、おれが訊いてるのは、母さんがおれを虐待したんじゃないのかってことだよ。どうやっておれが裸の母さんに手を突っこめるんだ？　どうやっておれが母さんを虐待できるんだよ」

「あなたはその裸のわたしから生まれたの、キー。あなたも裸だと思う。わたしを愛しているのはわかっているけど、あなたは、わたしのこともあなたのことも愛していない人たちと多くのことを分かち合いすぎていると思う。あまりにもたくさんの手を裸のあなたに突っこませてるの。あなたに言いたいことがある。白人には聞く権利がないことよ。わたしには心があるの、キー。心と仕事がある。あなたにだってある。そんなふうには振る舞っていないけれどね。もっと気をつけなきゃだめよ。白人には裸のわたしたちに汚らわしい手を突っこむ資格はないの。やつらから隠れて優秀でいなさい。わたしたちがここで生き残っていくにはそれしかないんだから」

自分自身のことをわかっていないやつらから逃げ隠れするのは、致命的な結果に繋がるとぼくは母さんに言った。母さんは、自分自身のことをわかっていないやつらに無駄に自分をひらいたら、もっと致命的な結果に繋がると反論する。ぼくは、この部屋にいないやつらの話をいつまでもしていてもしょうがないじゃないかと言った。

「やつらは聞いているの、キー。あなたが書いたものは全部読んでいるし、あなたの服装も見ている。やつらはずっと見てるの。あなたは白人があなたを貶《おとし》めやすくするような真似をしているじゃない。自分は自由だと思っているんでしょう。そこがあなたのいちばん愛すべきところ。でも、やつらに自分の正体を思い知らされるたびにぼろぼろになって、ぼろぼろになったことについて嘘をついてる。ただ自分の身を守ってほしいだけなの」

「身を守るって、誰のこと？」

「〝誰から？〟でしょう。わたしはいまでもやつらから、世界からあなたを守ろうとしている。でもうまくいかなかった」

ぼくは、ぼろぼろになったりなんてしないと言って、母さんから身を守るために何かすべきだったと思うと言い返した。

「わたしからはちゃんと身を守ったじゃない」母さんはそう言って扉に目をやった。話を始めてから二度目だ。

「たったひとりの息子がどうして訪ねてこないのか、電話に出ないのか、メールに返信してこないのか、人に尋ねられたときの気持ち、わかる？」

「いや、おれはそんなことしてない」

「キー」ようやく母さんは言った。「あなたをこれほど怒らせるようなことをしたこと、許してほしいの」

ぼくは扉の向こうが気になりだしていた。カジノは、恥にまみれた親や子にどうして虐待したのかと尋ねるのにふさわしい場所ではない。

「嘘をつかないことにしない？」ぼくは言った。「本気でお願いしてるんだ。そこから始められないかな。嘘をつかないって、お互いに約束しない？」

　母さんはうつむいた。鞄を手に取って扉に向かう。それから振り返って、こちらに戻ってきた。ベッドの端に座ったままのぼくを見おろす。ぼくも母さんの顔を見あげる。身体は憶えていたけれど、ひるみはしない。震えもしない。身構えもしない。ひざまずいた母さんに両手で顔を包んでもらいたかった。これまでのことに正直になろうと言ってもらいたかった。優しくしてもらいたかった。母さんの子であることを思い出したかった。

「嘘をつかないことにしない？」

「ええ、そうしましょう」母さんは答えた。「約束する。ただ、わたしが精いっぱいやったのはわかっていてちょうだい、キー。言いたいのはそれだけ。あれよりうまくはできなかった。わたしは精いっぱいやったの」

「でも、どうしてそんなことをおれがわかってなきゃいけないの？　精いっぱいやってなかったら？　ほんとうはもっとうまくできたのなら？」

「どういうこと？」

「おれたちは精いっぱいやってないときもあるんじゃないかって思うんだ。自分たちが経験したこと、実際にやったことを思い出すのを怖がってたら、精いっぱいやってるのかなんて知りようがない。母さんもおれも、精いっぱいやったとは思わない。自分が精いっぱいやってないのはわかってる。母さんは本当に精いっぱいやったって思ってるの?」

母さんはその質問を無視して、どうしてぼくは絵を描いたり歌ったり踊ったり料理したり彫刻をしたりしないで文章を書くのかと尋ねた。ぼくは自分がものを書くのは母さんがそうさせたからだと答えて、いまのようなものを書いているのは、母さんや父さんみたいになりたくないからだと言った。大学で一〇年教えて、ようやくわかったことがある。学生たちはぼくを愛していて、ぼくとの時間を大切にしてはいるが、ぼくになりたいわけではない。ぼくは母さんに言った。母さんは黒人のことをとても気にかけているけれど、人生最悪の日の最悪の時間の最悪の瞬間に自分を愛してくれる人間がこの国にいるとは信じられずにいる。ぼくはそういう人間の一人だ。それにばあちゃんも。

ぼくは母さんに話した。一一歳の母さんが『二都物語』(チャールズ・ディケンズ著、中野好夫訳、新潮文庫ほか)を手に、ばあちゃんの家のピーカンの木に登っているところを想像する。母さんは本を読みながら、ばあちゃんのピンクのショットガンハウスを見おろして、兄さんが妹二人にピーカンを投げつけるのを見ている。ばあちゃんがポーチでひとり、椅子を前後に揺らしている。ばあちゃんと目が合って、落ちて腕を折る前に木から下りなさいと言われ、母さんはにっこり笑う。ばあちゃんは自分の子どもたちに気をつけてもらいたいだけだとわかっているからだ。母さんは好奇心いっぱいだ。変わった子だ。愛されている。おてんばだ。人生でいちばん安全だ。次の日には安全が少し減るのを母さんもばあちゃんもわかっている。けれどもその日、日曜学校の二〇分前に本を片手にピーカンの木にしっかり支えられた母さんは自由だ。

「母さんのこと、何度も見かけてた」ぼくは言った。「母さんがうまく隠れてると思ってるときにはとくに。母さんもおれを見かけてたんじゃね？」

母さんはぼくの言葉を正さなかった。正すことなどできなかった。ぼくの手を握って、ぼくらは三〇年間分のハグをすべて合わせたよりも長く抱き合っていた。ぼくは大人になっていてもやはり母さんの子で、その日、また母さんを愛するようになった。

ぼくらは手を取り合ってホテルの部屋を出た。エレベーターに乗り、カジノのロビーを通って外に出る。母さんはぼくの首を抱き寄せて、離したくないと言った。ぼくはとても自由で、とてもファンタスティックで、とても救われた気分だった。

「いつもわたしがうちにいるって感じていてもらいたいの。ちゃんと体重の管理をしてね。ダイエットしてくれる？」

「そうするよ」

「約束してくれる？」

「約束する」

「傷つけてごめんね、キー。ほかに言いたいことはある？」

「おれたちはみんな壊れてる。壊れたやつのなかには、ほかの人を壊さないように最善を尽くすのもいる。おれたちが壊れてるとしたら、これからはそういう壊れたやつでいられないかな。壊れてても、ほかの人を壊さずに助けを求めることはできると思う」

「あなたを壊してしまってごめんなさい」母さんは謝った。

「母さんはおれを壊してなんかない」ぼくは答えた。「母さんはおれがおれになるのに手を貸した。おれも母さんが母さんになるのに手を貸した。そのことについてもっと正直に話すべきだと思う。おれが言おうとしてるのはそのことなんだ。人間にはそれができる」

「今日わたしたちの関係は新しいページに入ったんだと思う、キー」

「そう思う？」

「まちがいない。たまには訪ねていらっしゃい。砂糖と炭水化物を摂りすぎないようにね。身体はひとつしかないんだから。大切にしてちょうだい」

ぼくは母さんがタクシーに乗るのを見守った。ドアが閉まって、母さんはゆっくりとカーブの向こうに消えていく。ぼくはフローラのキアを建物の反対側に停めていたから、カジノのなかを抜けて車のところまで行く必要があった。ブラックジャックのディーラーたちとは目を合わせない。ちかちか光るスロットマシンに〝ファック・ユー〟とも言わない。レストラン〈ジョニー・ロケッツ〉〈ベン&ジェリーズ〉〈クリスピー・クリーム・ドーナツ〉を見ても舌なめずりしない。それらに別れを告げて、フローラのキアに辿り着いた。

カジノに来るのはこれで最後だ。

わたしのことを見捨てずにいてくれてありがとう。

四分後に母さんからテキストメッセージが届いた。

一生懸命稼いだお金を一セントたりともあのマシンに入れないようにね。わたしよりもちゃんと生きなさい。わたしは専門家の助けを求める。お願いだからしっかりしてちょうだい。体重を減らすって約束して。

約束するよ。

ぼくはテキストメッセージを送った。

結婚して子どもをつくることも考えなさい。あなたならいいお父さんになる。あなたの子はとても幸運よ。不出来な母親と父親よりあなたはよっぽどまし。今年中に結婚して子どもをつくることを考えるって約束して。

子どもができることがあるなら、ディープサウスで育てたい、そう母さんに言いたかった。自由の地にその子の足を包んでもらいたい。すごい人間である必要もなければ、いわゆる〝苦労〟を神話化する必要もないのだと子どもには知ってもらいたい。その子に何が必要なのか、ぼくにはまったくわからないけれど、黒人の子どもたちを愛する人間としてどんなふうになりたいか、それを見つけてもらいたい。そして、ぼくらはみんな黒人の子どもなのだと受け入れてもらいたい。自分がそのように黒人の子どもを愛することのできる人間であるか否かを言葉にしてもらいたい。自分やほかの黒人をうまく愛せなかったときに、自分のなかに閉じこもってしまわないようにしてもらいたい。

欲張りなのはわかっている。

ぼくは母さんに言いたかった。子どもをこの世に送り出すのが怖い。自分の子どもを人生から、母さんから、この国から、ぼく自身から守る術《すべ》を知らないからだ。ぼくらの黒人の子どもが、ぼくに触れられるのを暴力だと感じるかもしれないと不安だ。ぼくが怯えているとき、子どもは何を目にするのだろう。ぼくが怒ったとき、子どもは何を耳にするのか。ぼくは間接的に母さんから学んでいた。自分自身から逃げて隠れている限り、責任をもって誰かを愛することなどできない。とりわけアメリカで黒人の子どもを愛することなんてできはしない。ぼくのなかのどこかが、逃げ隠れして自分を傷つける可能性を否定しきれずにいるのかもしれない。でも、子どもがいたらそんなことはできない。

こういうことをテキストメッセージで母さんに送る勇気はなかった。だからこう書いた。

約束する。ここまで来たら引き返せないからね。

ほんとうにそうね。

返事が届く。

お願いしたとおりにするって約束してちょうだい。過去のことは水に流して、後悔せずに前に進むって約束して。後ろを振り返らないって約束して。

約束する。

ぼくは書いた。

母さんの言うとおりだよ。明日からおれたちの残りの人生が始まるんだ。この世界に子どもを連れてこられるように頑張るよ。その子には後ろを振り向くなって教える。過去に溺れていたら、いまを健康に生きられないからね。

いま言っていること、ぜんぶ本気だって約束して、キー。

それは約束できない。

お願いだから約束して、キエセ。お願い。

数秒間、ぼくはこの国のいちばん虐待をしがちなやつらが、取りつかれたように過去を無視して未来の可能性を売りこんでいることを思いだした。ぼくらは二人とも正直に思い出すのを拒むことでここまで来た。約束するのは、よく考えたり変わったりするよりずっと簡単だ。でも、そのまま救われた気分でいたかった。ファンタスティックな気分でいたかった。自由な気分でいたかった。そして、母さんからも自分自身からもまた愛されていると感じたかった。

約束する。

ゆっくり文字を打った。

ここまで来たら引き返せないからね。約束するよ。もう引き返せないほど遠くまで来たんだから。

BEND 歪み

約束から三・二キロ、手垢のついた最後のせりふから三分のところで、カジノで有意義な約束をしてそれを守ることなどできないのだと思い知る。ぼくはカジノへ引き返して、フローラの部屋から盗んだ最後の一〇ドルを使い果たす。カジノを出たあとはヴァッサー大学に立ち寄る。どこが自分の居場所《ホーム》かわからない。落ちつかない。過去のことは水に流さない。学生に教えて、文章を書いて推敲する。くたびれた教師になって、怯えた黒人作家になる。

列車でワシントンDCを訪れて、バラク・オバマの〈マイ・ブラザーズ・キーパー〉（有色人種の青少年を支援するプロジェクト）の政策立案者と話す。インターセクショナル・フェミニスト（従属的立場の重層性や交差性の構造と闘うフェミニスト）の熱心な一団とともに、この国の黒人の子どもたちに対する構造的障害への有効な構造的改善策が必要だと主張する。黒人少女と黒人女性は、黒人男性と黒人少年のように待ってはいられないのだと論じる。黒人少女と黒人女性のために闘ったことに気を良くして、フローラと列車でポキプシーに戻る。家に帰る途中、黒人少女だったときに母親を亡くした黒人女性フローラに嘘をつく。フローラはぼくを許さない。

引き続きぼくは演壇、講義台、大きな迷彩ショーツ、黒いスウェットシャツのうしろに隠れる。母さんが依存症について話すのを聞く。明日四〇〇〇ドル送ってほしいと母さんに頼まれて断る。その翌々日、断った自分を罰するためにカジノに行って最後の四〇〇〇ドルを使い果たす。


どこが自分の居場所《ホーム》かわからない。

寝るのが嫌でたまらない。起きるのも嫌でたまらない。使ってしまうとわかっているから銃は買わない。屋外で想像力を働かせていただけのタミア・ライス（二〇一四年一一月におもちゃの銃を手に公園で遊んでいるところを警察官に射殺された一二歳の黒人少年）をやつらが殺すのを見る。ボルティモアで暴動に加わろうとしていた息子の頭を叩いた黒人の母親、トーヤ・グレアム（二〇一五年四月に警察に抗議するデモに参加する息子を引き止めた母親）をやつらが〝今年の母親《マム・オブ・ザ・イヤー》〟と呼ぶのを見る。アメリカで生まれた自分の五歳の黒人の子どもを声と銃で守ろうとしたコリン・ゲインズ（二〇一六年八月にボルティモアの自宅アパートで警察官に射殺された二三歳の黒人女性。部屋には五歳の息子がいた）が殺されるのを見る。フィランド・カスティーヨ（二〇一六年七月に自動車の後部ライトが壊れていることを理由に警察官に呼びとめられて射殺された三二歳の黒人男性）を、パートナーのダイヤモンド・レイノルズとその子どもの目の前でやつらが殺すのを見る。その子が、本人も黒人の子である母親に「撃たれないようにして。わたしが守ってあげる」と言うのを見て、その声を聞く。

わたしが守ってあげる。

やつらがぼくら黒人を嘲り、まだ撃っていない黒人親子を威嚇して、自分たちを無罪放免にするのを見る。やつらが自分たちのことを無実、アメリカ人、クリスチャンと呼んで、ぼくらのことを恩知らず、無責任、向こう見ず、凶暴と呼ぶのを見る。

使ってしまうとわかっているから銃は買わない。

ダギー、ラソーン、ドニー・ジー、アビー、エヌゾラ、レイ・ガン、そしてたくさんの教え子たちが子どもを育てるのを見る。体重が増えて子どもがいないのが恥ずかしくて、ぼくはみんなを避ける。母さんのように、ひとりで暮らしてひとりで寝る。母さんみたいに毎日嘘をつきたくなる。絶食したくなる。無茶食いしたくなる。自分の黒い身体を罰したくなる。アメリカではぼくらは黒い身体に執着し、それを罰するようによく躾けられているからだ。

ぼくは書いて推敲する。

ついにヴァッサー大学を去ることに決めたとき、ぼくは《ザ・カレッジ・ドロップアウト》（カニエ・ウェストの二〇〇四年のソロデビューアルバム）、『マーシイ』（トニ・モリスン著、大社淑子訳、早川書房。原書は二〇〇八年刊）、《K・R・I・T・ワズ・ヒア》（一九八六年生まれのラッパー、ビッグ・クリットことジャスティン・ルイス・スコットの二〇一〇年のアルバム）、《ジ・エレクトリック・レディ》（ジャネール・モネイの二〇一三年のアルバム）、『プロフェッツ・オブ・ザ・フット』（*Prophets of the Hood: Politics and Poetics in Hip Hop*、プリンストン大学教授イマニ・ペリーによるヒップホップ論。二〇〇四年刊）、《グッド・キッド、マッド・シティ》（一九八七年生まれのラッパー、ケンドリック・ラマーの二〇一二年のアルバム）、『サルヴェージ・ザ・ボーンズ』（*Salvage the Bones*、一九七七年生まれの作家ジェスミン・ウォードの小説。二〇一一年刊、全米図書賞受賞作）に出会ったことを思い出す。想像しうる限り最も素晴らしく最も貪欲な好奇心をもつ学生たちに教え、その学生たちから学んだことを思い出す。失望させたことを学生たちに謝る。ヴァッサー大学の同僚たちはみんな、目の前の学生たちを愛し、教え、学生たちの役に立とうとしていた。そして、ぼくと同じように目の前の学生たちを愛し、教えるのに失敗して、学生たちの役に立てないことも多かった。それをぼくは理解する。

ぼくはミシシッピに戻って、三〇年前にばあちゃんの家のポーチで書き始めた本の推敲を終える。車でビューラー・ビューフォードの家、ミルサップス大学、聖リチャード・カトリック・スクール、聖ジョゼフ高校、ラソーンの家、ジャバリの家、レイ・ガンのアパートメント、ジャクソン州立大学、ドニー・ジーの家、なじみの駐車場、スーパーマーケット、州間高速道路、バスケットボール・コートに立ち寄る。自分に忘れさせていた部屋、香り、匂い、音のなかをゆっくり歩く。ミシシッピ州オックスフォードのポーチに腰かけながら、ぼくが祝福と幸せを手放したいと思っているとき、「ここにはお前のためになるものは何もないよ」と言うばあちゃんの声を聞く。

その日、ぼくはひざまずいて笑いに笑って泣くまで笑う。車でフォレストに行って、この本の草稿を最初から最後までばあちゃんに読んで聞かせる。読んでいるあいだ、ばあちゃんはときどき眠りに落ちながら、「とってもいいじゃない、キー」と口にする。

「お話をありがとね」目を覚ますたびにばあちゃんは言う。「それに、あたしにいろいろしてくれてありがとう」

読み終わると、ばあちゃんはぼくに車椅子を押して家に入るように言って、ばあちゃんが〝アドレス帳〟と呼ぶぼろぼろになった金と銀の代物《しろもの》を取ってきてほしいと頼んだ。

「お前の電話番号をもう一度教えてくれないか、ジミー・アール」ぼくの顔を真っすぐ見ながらばあちゃんは言う。「昨日の晩に電話しようとしたんだけど、ここに書いてある番号が違うみたいでね」

ぼくはアドレス帳をめくって、〝J〟ではなく〝K〟の項目のところにあるぼくの番号をばあちゃんに見せる。

「ああ、そうかい。番号はもう書いてあるんだね、キー？」

ばあちゃんは受話器を取って、ジミーおじさんの番号をダイヤルする。

「ジミー・アールは出ないね。もうちょっとしたらかけ直そうかね」

ぼくはばあちゃんに思い出させはしない。数年前にばあちゃんの一人目の子、ジミー・アール・アレクサンダーが薬物の過剰摂取で自宅キッチンに倒れて死んでいるのを、ばあちゃんが見つけたことを。

「あたしのジミー・アールはね、電話で話すのが大好きなんだ」

この本を書き始めてから書き終えるまでに、ばあちゃんが勘違いしたり、忘れたり、おそらくただ失ったりした記憶のことをぼくは考える。年をとってからも残っている記憶はほかの記憶より大切だから、忘れてしまう記憶より重たいのだろうか。ぼくらの国と同じようにぼくらの身体も、事実だと思いたくない記憶はやがて消し去ってしまうのか。九〇年間、たくさんのことを記憶して抱えてきたばあちゃんの身体には、新しい記憶を入れる余地が残っているのだろうか。

話をしているあいだ、ばあちゃんはぼくをジミーおじさんと混同する。ただ、ぼくが四三歳で、重たくて、ぼくに子どもがいないのは憶えている。

「誰かの父親や夫になろうと思うんなら、まだ時間はあるさ、キー。何を怖がってるんだい？」

ぼくはにっこり笑って、誰も傷つけたくないと答える。

ばあちゃんは、お前が嘘をついているとわかっているときでも、お前のことを信じるよと言う。ぼくはひざまずいてばあちゃんの首を抱き寄せて、責任をもって子どもたちみんなを愛してくれたことと、ぼくをけっして傷つけなかったことに感謝する。

「あたしはただ、自分がやってきたことをお前らに経験させようとしてきただけさ」とばあちゃんは言う。

「あたしはただ、自分が歪んできたことをお前らに経験させようとしてきただけさ」とぼくには聞こえる。

ぼくはばあちゃんに、初めての肉割れの線を見せて、それが三〇年でどんなふうに変わったのか話す。何年ものあいだダンクシュートをしているうちに右手首にできた六つのすり傷を見せる。右目の下のしみを見せる。下唇を引っぱって、転んだときにできた傷を見せる。左目の上に三本生えた逆さまつげを見せる。左の股関節が動かせなくなってから、左足の親指よりずっと硬くなった右足の親指を見せる。健康に気をつけていたら歯があったはずの口のなかの穴を見せる。消えてしまうまで痩せようとするのをやめてから柔らかくなった太腿を見せる。大きな手のひらと短い指を見せる。へそとそのまわりを囲む二本の新しい肉割れの線を見せる。

お前は平気かいとばあちゃんに尋ねられる。

「いや」ぼくは答える。「ぼくらは誰も平気じゃないと思う」

ばあちゃんは、これまでになく長いあいだぼくを抱き締めて、声をあげて泣く。ばあちゃんは、もう何年も鏡をちゃんと見ていないと言う。そこに見える黒い身体は、記憶にある黒い身体ではないからだと。

「でも鏡に映ってるのは、ばあちゃんの黒い身体じゃないか」ぼくは言う。「それにばあちゃんの黒い身体とそれが潜り抜けてきたことは全部、いろんなかたちで記憶に残していられる」

「あたしは、ひとつのかたちでしか憶えていられないよ」

「それは嘘だね、ばあちゃん。自分でも嘘だってわかってるだろう。ひとつのかたちでしか憶えていられなかったら、ここまでやってこられなかったはずだよ。おれがばあちゃんのことを愛してるのはわかってるだろう、でもばあちゃんはいま嘘をついてる」

ばあちゃんは笑いに笑って、悪かったと言う。何について謝っているのか、ぼくには尋ねる勇気がない。

でもわかる。

ぼくは自分が母さんの子であることを思い出す。母さんは実際ぼくのものだ。そして、ぼくらはばあちゃんのものだ。それに、ばあちゃんはぼくらのものだ。母さんは、ぼくを叩いたり、騙したり、ぼくの自尊心を傷つけたりしたことを後悔していると言う。寂しいとき、恥ずかしいとき、恐ろしいときに自分自身を罰したことを後悔していると言う。

ぼくは母さんに伝える。この本を母さんに向けて書いたのは、母さんが黒人の女性だからでも、根っからの南部人だからでも、ぼくに読み書きを教えてくれたからでもない。ぼくらは、互いに傷つけ合った。アメリカの親子がそうしがちなように。でも、いちばん弱い子どもたちが国と州に傷つけられないように、母さんは全力を尽くした。だからこそ、ぼくはこの本を母さんに向けて書いた。ぼくは母さんに言う。白人と白人の力のせいで、ぼくはよく図体がでかいと感じたり、犯罪者のような気分になったり、怒ったり、子どもみたいに怯えたりしたが、母さんの子だったおかげで、知的に無能だと感じさせられることは一度もなかった。

母さんは学生やぼくに、書き、推敲し、読み、再読する力以上のものを授けてくれた。母さんがこの本を閉じるときには、それをわかっていてもらいたい。母さんはミシシッピの無骨な愛を身をもって示してくれた。母さんは、ぼくら黒人の解放は、思いやり、組織化、想像力、直接行動のうえに築かれると主張した。家庭教育が大切だと説いてまわった。ラディカルな道徳的想像力を育むことをぼくらに求めた。ぼくはようやく理解する。推敲、再読、思いやり、家庭教育、想像力、黒人の子どもたちの愛、それはアメリカの誰もがこの国のどの子どもとも分かち合える最大の贈り物だ。母さんは命を捧げて仕事に取り組み、この国の黒人の子どもたちを解放することをぼくらに教えてくれた。ぼくはいまそれに取り組んでいる。そしてようやく理解する。いちばん親密な関係が、欺瞞、虐待、ごまかし、反黒人、家父長制、白々しい嘘のうえに成り立っているのなら――それに屈折させられているのなら――、解放は実現しない。これを教えてくれていなかったら、それこそ、このうえなく深刻な虐待だ。

ぼくは母さんに心を差し出す。頭を差し出す。身体を、想像力を、記憶を差し出す。もっと有意義な回復の方法を試してみようと母さんにお願いする。倒れるのなら正直に、思いやりをもって、一緒に倒れようとお願いする。いまの国は、人が互いに対して根っこから正直で寛大で優しかった過去や、そうなる未来に向き合うことがない。

でも、いつかは向き合うことになる。国が改革されるわけではない。国は歪められ、破壊され、解体され、再建される。歪め、破壊して、ぼくらにふさわしい国を再建する仕事は、母さんやぼくで始まるわけでも終わるわけでもない。でもその仕事には、愛情ある黒人の家族が必要だ。どれだけおかしなかたちでも、どれだけたくさんクィアの、トランスジェンダーの、シスジェンダーの、ジェンダーの枠にはまらない母親、父親、おば、仲間、姪、甥、祖母、祖父がいても。話し、聞き、組織化し、想像し、戦略を練って、黒人の子どもたちのために黒人の子どもたちとともに闘って闘って闘い抜く家族が必要だ。母さんに傷つけられてできた傷は、ぼくの身体のなかにも外にも消えずに残る。母さんとぼくには恥ずべきことがたくさんあるが、ぼくは母さんの手を借りて出来たこの重くて黒い身体をもう恥じることはない。ぼくらの傷だらけの黒くて美しい身体は、ぼくらの経験と歪みの現れだとわかっている。

完成したと思った時点で、ぼくはこの本の草稿を母さんに送る。削除してほしいと言われるところを一部削除する。体重のことを尋ねられても無視しない。自分を罰しはしない。相手の年齢に関係なく、人を欺いたり操作したりはしない。特に、欺かれ操作される危険を冒すほど、ぼくを愛してくれている人のことは。自分を欺いたり操作したりはしない。服をちゃんと着ているのに裸だと言い張ったりはしない。恨んでいるのにごめんと言ったりはしない。祝福と幸せを自ら手放したりはしない。うまく愛せなかったときにそれに正直になれるぐらい自分を愛する。黒人の子どもたちは経済的不平等、住宅差別、性暴力、ヘテロ家父長制、大量投獄、集団立ち退き、親による虐待から回復することはないのだと認める。黒人の子どもたちは、この世界がつくり出した最も豊かで《アバンダント》、我慢強くて、責任ある愛と解放を受ける価値があるのだと認める。ぼくらには、最も豊かで、我慢強くて、責任ある愛と解放をこの地球上のすべての傷つきやすい子どもたちと分かちあう力がある。

ぼくらは黒人の子どもたちの愛、解放、記憶、想像力に力を尽くす教会、シナゴーグ、モスク、ポーチを見つける。分かちあう。黒人の子どもたちの愛、解放、記憶、想像力に力を尽くす心理学者を見つける。分かちあう。黒人の子どもたちの愛、解放、記憶、想像力に力を尽くす教師を見つける。分かちあう。黒人の子どもたちの愛、解放、記憶、想像力に力を尽くす治療者を見つける。分かちあう。黒人の子どもたちの愛、解放、記憶、想像力に力を尽くすアート・コミュニティ、協同組合、カリキュラム、司法、労働者組織を見つける。分かちあう。ぼくらは思いだし、想像して、見つけられないものをつくり出すのを手助けする。

ひょっとしたら、ぼくらは思いださないかもしれない。

想像しないかもしれない。

分かちあわないかもしれない。

回復しないかもしれない。

組織化しないかもしれない。

正直にならないかもしれない。

優しくならないかもしれない。

寛大にならないかもしれない。

アメリカ人がすることをするかもしれない。

アメリカ人が虐待するように虐待するかもしれない。

アメリカ人が忘れるように忘れるかもしれない。

アメリカ人が迫害するように迫害するかもしれない。

アメリカ人が隠れるように隠れるかもしれない。

アメリカ人が愛するように愛するかもしれない。

アメリカ人が嘘をつくように嘘をつくかもしれない。

アメリカ人が死ぬように死ぬかもしれない。

ぼくらはこんなふうである必要はなかった。

これからもこんなふうである必要はない。

ぼくは嘘を書きたかった。母さんは嘘を読みたかった。でもぼくはこれを書いた。ぼくは母さんの子で、母さんはぼくのものだからだ。母さんはぼくの母親でもあり、ぼくは母さんの息子だ。どうか怒らないでほしい、母さん。ぼくはただ、ぼくが何を経験してきてどこで歪んだのか、母さんに伝えようとしているだけだ。ぼくらが何を経験してどこで歪んだのか、ぼくらに知らせようとしているだけなんだ。

訳者あとがき

回想録はきわめて個人的な文章の形態である。誠実かつ正直に書かれているとき、その文章は読者を強く惹きつける力をもつ。しかし、みずからのことを誠実かつ正直に書くのは容易ではない。著者のキエセ・レイモンにとっても、それは同じだった。「ぼくは嘘を書きたかった」とレイモンは繰り返し言う。「正直に書きたくはなかった」

それでも、最終的にこの本を書いた。母親の暴力、ベビーシッターからの性的虐待、飲み食いと減量とギャンブルへの依存、窃盗、ドラッグ、金銭問題、恋人への精神的虐待――「ぼくらが忘れたいと思っていたことを書いた」

記憶はときにあいまいで、都合よく歪められている。みずからを欺いているのに気づいてすらいないことも多い。著者がみずからの記憶と向き合い、みずからの欺瞞に気づくことができるようになったのは、書いて推敲するというまさにその行為を通じてのことだった。

著者は幼少期から母親に、書いて推敲する習慣を身につけさせられる。そして、「自分が書いた言葉を何度も読んで組み替え」るうちに「真実を語ることは真実を見つけることとまったく違う」のだと気づく。「真実を見つけることは、言葉を見直し組み替えることと一体」なのだと知る。「見直し後の言葉のパターンはすなわち見直し後の思考パターンであり、見直し後の思考パターンが記憶をつくる」のだと。

書き推敲するなかで、記憶が構築され、再構築される。目を背けていたもの、気づかずにいたものが明確になっていく。そして著者は、その目を背けていたものこそが自分自身と親しい者を傷つけてきたのだと自覚し、その事実を受け止める。「自分自身から逃げて隠れている限り、責任をもって誰かを愛することなどできない」のだと気づく。

だからこそ、心地よい嘘に甘んじることなくこれを書いた。

言葉によって徹底的に掘り下げられた記憶は、個人の枠をこえて普遍性を獲得する。読み手も、みずからのなかにありながら見ずにいたもの、見えずにいたものの存在を目の前に突きつけられる。安全に揺さぶりをかけられる。人間にとって言語がもつ根源的な意味を強力に感じさせる作品だ。

また、本書はキエセ・レイモンというひとりの作家の回想録であるのと同時に、一九七四年にミシシッピ州で生まれ、そこで育ったアフリカ系アメリカ人の回想録でもある。個人の経験がその背景にある時代、文化、社会、政治と結びついたとき、回想録はさらに大きな力を獲得する。

そして、本書ほど個人的なものと政治的なものが言葉によって分かちがたく結びつき、ひとつの世界をつくりあげている作品はまれだろう。母親との関係、コミュニティや学校、職場での体験、そのすべてがアメリカ社会における人種とジェンダーをめぐる構造的暴力と重ねられる。

その語りは直接的に白人を糾弾したり白人を告発したりするかたちはとらない。本書は白人に向けて書かれてはいない。「母さん（you）」に向けて語られ、きわめて自覚的に「同胞のために、同胞に向けて」書かれている。「嘘を書きたかった」著者が、「忘れたいと思っていたことを書いた」のは、自分自身と親しい者の問題に向き合うためだけではなく、「同胞のため」でもあったのだ。

「いちばん親密な関係が、欺瞞、虐待、ごまかし、反黒人、家父長制、白々しい嘘のうえに成り立っているのなら〔……〕解放は実現しない」ことに著者は気づく。アフリカ系アメリカ人の解放を目指すには、まず自分自身と身近な者とに正直にならなければならないのだと受け入れる。また、ブラック・フェミニストを自称する自分が、心理的に女性を虐待してきた事実を発見して、それを受けとめる。

人種主義と家父長制の歴史と現状をみずからの経験と結びつけながら厳しく見据えつつも、自分自身の足もとを絶えず批判的に見つめ直す、そこに著者の政治と文学の誠実さがある。これは新自由主義の自己責任論とは無縁だ。アフリカ系アメリカ人は、ただ存在すること（been）がすなわち歪むこと（bend）であることを歴史的に宿命づけられている。その歪みは黒人の言葉、身体、生き方に否応なく反映されている。みずからの生の歪みに向き合うこと、それは歪められたアフリカ系アメリカ人の生と向き合うことにほかならない。また、歪んだ言葉や身体に体現された黒人の豊かさ《ブラック・アバンダンス》を再発掘することにほかならない。推敲を通じた著者の内省に、ラディカルながらも真摯で地に足のついた新しい政治闘争の可能性を垣間見ることもできるのではないだろうか。

ロクサーヌ・ゲイは、本書に寄せた賛辞で次のように言う。「信じられない。『ヘヴィ』にはびっくり。深い。強烈。多層的。すごい。ただただすごい」

訳者も最初の数十ページ読んだ時点で同じ印象を抱いた。アフリカ系アメリカ人の豊かな語彙、文法、音、リズム、表現が巧みに動員され、まったく無駄のないきわめて密度の濃い文章がつづられていく。そして、その言葉と分かつことのできないかたちで、アフリカ系アメリカ人の経験、歴史、文化、政治が語られる。その語りは詩的で音楽的でもある。表現と内容が非常に高い次元で一体となり、すべてが必然性を帯びて、読者を作品世界へ深く誘いこむ。

きわめてすぐれた作品であることに疑いの余地はなかった。アフリカ系アメリカ人をめぐる現実を示しながら、それと同時に親子関係、依存症、性といった個人的かつ普遍的な話題を通じて読者の共感と内省を呼ぶ本書は、日本でも広く読まれる価値があると確信した。
ただ、本書の魅力は、ほかの言語に置き換えるむずかしさと表裏一体であることもまた明らかである。翻訳の過程では多数の困難な選択を迫られ、意味や読みやすさを表現よりも優先させざるを得ないことも多かった。すべての不足は訳者の責任であるが、著者の誠実な語りのなかに読者の内にあるものと共鳴するものがあれば、訳者としてもうれしい。

このような困難な作業をやり遂げることができたのは、里山社の清田麻衣子氏からきわめて的確なご指摘とご助言をいただき、翻訳の方針を決めることができたおかげである。本書を翻訳刊行する決断をしてくださったこと、よい本になるよう力を尽くしてくださったことに心より感謝申しあげる。

本書と清田氏のあいだをつないでくださった日本ユニ・エージェンシーの吉岡泉美氏にも厚くお礼を申しあげたい。本書の価値を認めて熱心に翻訳刊行に向けて動いてくださった吉岡氏のご尽力がなければ、本書が日本の読者に届くことはなかった。また、新田啓子氏に解説を寄せていただいたのも望外の喜びである。本書の要となるポイントをきわめて深く繊細にくみ取り、それをアフリカ系アメリカ人のより大きな文脈のなかに位置づけて、そこに命を吹きこんでくださった。さらには、訳稿に目を通していただいたうえで、重要なご指摘もいただいた。深くお礼を申しあげる。校閲をご担当くださった小島泰子氏にも、有用なご指摘を多数いただき完成度を高めていただいた。お礼を申しあげたい。

山田文

解説　――「母たちの庭」を推敲すること　新田啓子

ここに達意の翻訳で日本に届けられた本書『ヘヴィ――あるアメリカ人の回想録』(*Heavy: An American Memoir*) は、二〇一九年、アメリカ図書館協会よりノンフィクション部門のアンドルー・カーネギー・メダルを授与された秀作である。著者のキエセ・レイモンは、ミシシッピ大学英文学部のヒューバート・H・マカレグザンダー記念教授。作家業と並行し、創作と英米文学を教える教育者としての顔をもつ。同大は、米国を代表する小説家ウィリアム・フォークナーが、終の棲家を構えたことで有名なミシシッピ州オクスフォードに位置しているが、レイモン自身、黒人南部作家と名乗ることにこだわりをもち、その自意識を形作った経緯は本書にも綴られている。

アメリカ黒人による散文は、一九世紀の奴隷体験記、つまり自伝に端を発するといわれているが、この伝統のジャンルで、著者のそれと類似した経験を描いた書物を私は知らない。レイモンの半生記は、アフリカ系アメリカ人のセルフ・ライティングが典型的に表してきた物語《ナラティヴ》を掘り崩し、いわば人種的マイノリティの政治的マニフェストに唱和する誘惑に抗うことで、卓越した作品となり得ている。つまり著者は、人種社会での困難や白人支配への抵抗といったレディメイドのシナリオに、おのれの人生を当てはめることを明示的に拒否しているのだ。

「ぼくは嘘を書きたかった。／黒人のおきまりの仕事をしたかった。〔……〕でもぼくはこれを書いた」という反語的な文脈が示唆しているのは、この姿勢にほかならない。アフリカ系の人々を人間以下の奴隷として使役した合衆国のはじまりは、その社会制度の深層に人種的差異を組み込んだ。人種的自我や差別感情が国民意識の基点となって暴力を招いてきた以上、人種は国家的トラウマとなり、同国で生きる経験を語る範型《ナラティヴ》に直接作用してきた。黒人の側は、白人社会の不当さを告発し、「悲劇」や「抗議」、搾取を耐え抜く「生存戦略」を物語化してきたが、仮にそれらに乗ってしまえば自分語りは楽になる。

だがレイモンは、それを「嘘」と一蹴する。レイシズムの残虐性を一元的に繰り返す物語に自己を融解させないために。みずからの内面を引き裂いてきたものの正体を解明するために。そして家族《ホーム》やコミュニティの幻想の外に出るために。無論、彼の人生も、人種主義から無傷でいられたはずはない。が、だからこそレイモンは、黒人の側さえ逃れ難く連座している暴力の深層を解き明かすことを志す。「最初から書き直して、ぼくらが忘れたいと思っていたこと」を掘り下げなければ、「黒人が虐げられてアメリカが繁栄する時代」は続く。だから「心地のいい嘘」を却下する。いうなれば彼は、物語を信用しない。それこそが彼の作家としての矜持《きょうじ》でもある。

果たして、みずからを忘れがたく傷つけてきた要因として彼が克明に描いたのは、極めて複雑で濃密な、母親との関係であった。そしてその複雑さとの闘争の痕跡は、生きている限り逃れられない、彼自身の大きく重たい身体のうえに刻まれた。

二〇一九年四月八日に放送されたPBS（アメリカの教育テレビ）のインタヴュー番組で著者が語ったところによれば、この母は一九の時に彼を産み、早くも二四歳で大学の専任職を得た政治学者だ。有名大学の研究ポストを渡り歩く彼女の姿は本書にもしばしば登場するので、そのキャリアは定評を得ていたのだろう。とはいえ、一人で息子を育てる親としての私生活は、葛藤に満ちていたようだ。息子に夫のふりをさせ、必死でスロットマシンに挑む彼女の姿は、冒頭から我々読者を面食らわせるが、それ以外にも、小切手不渡りの常習者としてスーパーに警戒されていたり、息子に金の無心を繰り返したりと、釈然としない行動も多い。そして、ことあるごとに少年時代の彼を見舞ったベルトによる鞭打ちは、彼女を捕らえる皮肉な闇を暗示している。

アメリカ社会で、黒人が意味ある人生をまっとうするのがどれほど難しいか知る彼女が、息子を厳しく教育しようという方針でいたこと自体は、共感に値するだろう。近年では、ブラック・ライヴズ・マター（BLM＝黒人の生を尊重せよ）運動が訴えてきたように、黒人、なかでも男性を犯罪者とみなす偏見から、彼らは長く頻繁に、ヘイトクライムのみならず、警察官による暴力の被害者となってきた。黒人男性の収監率は、今日、白人同集団の七倍近くに達している。「大男 HULK」のセクションで、一六歳のレイモンが「ロドニー・キング暴行事件」のテレビ報道を目にしたその日に、母に手ひどく折檻されるエピソードは象徴的だ。白人少女と交際していた彼を罰する鞭打ちを、母の側は、人種的な社会秩序を息子に教え、彼を白人から守るための唯一の手段と信じている。

だがレイモンが、実のところいかにその虐待に傷ついていたかを、本書は悲痛に証言している。鞭打ちは、いうまでもなく奴隷制を連想させるが、白人ではなく、ほかならぬ母のつけたその傷跡は、いまひとつの傷、つまり肉割れとともに彼の皮膚を損傷した。肉割れは、著者が苦闘した摂食障害、特に肥満によるものだ。幼少期の彼を不適切に引き込んだ、セックスからの逃げ場であった暴飲暴食——「ウエット WET」のセクションは、権威主義的な交際相手と母の性的関係が、その要因の一部であったことを伝える。わずか一二歳のレイモンは、安いワインをあおることで、母の寝室が漏らす気配を打ち消そうとしているが、ほかにも日々繰り広げられる友人間の性暴力やベビーシッターの虐待は、彼をいわば強制的に大人にした。以後、彼は自分の身体と折り合って生きることに困難をきたすようになる。

ストレスから、彼は時に盗んでまで大量のジャンクフードに逃避するが、その実、増えた体重は彼を一層痛めつける。本書には、米国では五〇円以下で手に入るスナックがオンパレードで登場するが、それは貧困の指標であるにとどまらない。食べ物や体重は、黒人同士、わけても母子の良識を麻痺させる「歪んだ」関係、つまり暴力が浸潤したコミュニティの病態なのだ。著者の母、そしてより弱い者を圧迫する黒人たちは、元を正せば人種主義的国家によって作られたということができる。が、その物語からの脱却を呼びかけるのがレイモンであり、彼はそこから、構造的暴力から真に自由になるための条件を構想する。「ぼくらにふさわしい国を再建する仕事は、母さんやぼくで始まるわけでも終わるわけでもない。でもその仕事には、愛情ある黒人の家族が必要だ。〔……〕ぼくらの傷だらけの黒くて美しい身体は、ぼくらの経験と歪みの現れだとわかっている。」

　実に家族とは、黒人たちの歴史的命題であり続けてきたといってよい。一切のロマンスを排したそれとの対決が、本書を稀有《けう》な「黒人の自伝」としているのである。特にその中心には母がおり、彼女の生き方こそ人種主義社会の非情さと、一元的な善悪では裁けない、サヴァイヴァルの複雑な機微の集積であるという著者の理解は貴重である。アメリカ史を顧みれば、実際、黒人社会は母によって維持されてきた側面があり、それは奴隷制に端を発する現象であるといわれている。つまり、奴隷制が黒人に強いた「動産」としての境遇が、婚姻制度を不能にし、家庭を営む道を阻んだという事実が、子はもっぱら母のもとで育つという構造を形成したというわけだ。

　しかし、父・母・子からなる単婚的核家族を家族制度の規範とする近現代、黒人家族は変則的な異形としてさげすまれた。女性の困窮や性搾取のみならず、女性世帯を福祉依存の「社会の荷物」とする偏見もここから生じた。だが、苦境にあって支援を省かれた脆《もろ》い「母」は、その実、労働と子育てをうまく両立するために、近親者や近隣者との連帯に基づく独自の相互ケア体制を構築していた。著者の場合も、祖母がいわば二人目の母となることで、困難な時期を無事に乗り越え育った様子を細やかに記している。ちなみにこのような母親業の担い手は、アザーマザー（othermother＝別の母）と呼ばれている。

　とはいえこのような母の閲歴を、男性作家が主題的に扱ったことはほとんどなかった。唯一の例外は、ブルースやヒップホップをはじめとした大衆音楽の歌詞である。レイモンの作品とも縁が深いヒップホップに関しては、２パック・シャクールやＬＬクールＪが「ママ」を主人公としたよく知られる楽曲をもつほか、最近ではケンドリック・ラマーが、「ファースト・アルバムのほとんどの曲を母のいるキッチンで書いた」と語ったことが知られている。けれども「母」という文化的命題は、基本、一九七〇年代、文壇の表舞台に陸続と現れて以後、現代黒人文学を担ってきた女性作家の探究でようやく体系化が進んだものだ。

　レイモンはまさに、こうした女性作家から受けてきた影響を、経験の端々に記している。大学進学を控えた彼が、母親の導きでマーガレット・ウォーカーを訪ね、その薫陶を受ける場面、またニッキ・ジョヴァンニやトニ・ケイド・バンバーラの作品に夢中になり、ハラスメントに等しい教師の仕打ちをしばし忘れる場面は印象的だ。ブラック・

フェミニズムの牽引者としても名高い彼女たちこそは、「母」をはじめとした表象の諸問題、つまり、ジェンダーという批評的なレンズを通してはじめて見える、黒人文化の記述の偏差を明るみにした。レイモンは、彼女たちの文学的な息子であるともいえようか。しかしこれは稀なケースで、事実、黒人男性文筆家には総体として、母よりも父を重んじる傾向が顕著に表れてきた。

近年黒人言論界の最前線にいるタナハシ・コーツも、最初の自伝『美しき闘争』（原著二〇〇八年、翻訳二〇一七年）では傑出した父の姿を前景化し、全米図書賞を受賞した『世界と僕のあいだに』（原著二〇一五年、翻訳二〇一七年）のほうは、アメリカ文明論『次は火だ』（原著一九六三年、翻訳一九六五年）を甥への手紙で始めた作家ジェームズ・ボールドウィンにならい、父から息子へのメッセージとして構成した。また大統領時代、人種問題に真正面から向き合うことなく、本書では「細くて怯えて傷ついた立派な黒人男」と称されているバラク・オバマも、その自伝『マイ・ドリーム』（原著一九九五年、翻訳二〇〇七年）では、自分を（白人の）母に託して消えたケニア人の父への思慕を連呼しながら、自身の人格形成により寄与したと想像できる母親には、不可解なほど触れていない。

凶悪犯罪が減少傾向にある米国で、黒人男性のみがなぜ、いまだに突出して犯罪に巻き込まれ続けているのか、この三〇年間多様な議論がなされてきた。その過程でさかんに指摘されたのが、先にも触れた「母子家庭の遍在」と「父の不在」なる問題であったが、「立派な父」がエンパワメントのシンボルとして偏愛される風潮は、ここに起因するのだろう。しかし、それほどまでに生きづらい「黒人男性」としての息子を育ててきたのは父親だけでは当然ない。父が不在ならなお一層、母の奮闘とその限界や障壁に、分析の照準を合わせなくてはならないはずだ。

レイモンが、本書を「母さんに向けて」書き、「ばあちゃんがつくったポーチに」捧げた意義はここに見出せる。母の虐待体質を過ちとして描きながらも、彼が彼女に示す敬愛は惜しみない。いわく、「黒人の父親が家にいて黒人の男の子を守ることが重要だとは、ぼくはあまり思ったことがない。〔……〕父さんであれ、ほかの男であれ、思いやりのある男になる方法を教えてくれる男が家に必要だと感じたことは一度もない」。仮に、息子を一人前にできるのは父だけとする見解《ナラティヴ》があれば、彼はそれを「嘘」と断言するだろう。

しかし、黒人の物語《ナラティヴ》に、母を再登場させるだけでは意味がない。慈愛に満ちて寛容で、子供のためには滅私を貫く美しい母の理想像に実際の母が当てはまれば、著者も苦労はなかったろう。書評者からは、しばしば「タブーに触れた」と呼ばれたレイモンの母親像は、繰り返せば、他者に息子を殺されるのを防ぐためであるとはいえ、暴力による矯正以外のすべを想像できなかった。本書を読んで改めて驚愕するのは、この母子は、ともに大学の教職という安定した地位を得ても、常にその足をすくう要素に脅かされ続けているということである。その焦燥が、家族やパートナーの金銭搾取や摂食障害、ギャンブル依存等々の、他者および自己へのさらなる暴力を起動している。このように、母とみずからがもろともに住まう、暴力なしでは済まされない黒人の過酷な生態系《エコロジー》を、レイモンはいわば恥をしのんで暴き出すのだ。

いや、暴き出すという表現は十分ではない。それこそ彼は、母によって仕込まれた書く能力、そして書いたものを批判的に読み、さらに書き直す能力を駆使しつつ、これまで等閑視されてきた母の領域を再建したというべきだろう。正しく書くこと、そしてそれを推敲することがセットになった知的行為の鍛錬は、言語を通して法や秩序を身に着けたうえで、それを自己裁量で作り替える能力を授けることと同義である。この技能を修得すること、それはサヴァイヴァルの秘訣を手にすることに等しい。

既存の筋書き《ナラティヴ》に逆らって、母と自分の経験を書き上げたレイモンは、果たして、先に触れた黒人女性作家たちが、みずからの人生と創造性の土台として見出した「母たち」の伝統さえをも書き直している。作家アリス・ウォーカーは、その時空を超えた連帯意識を象徴的に「母たちの庭」と名づけたが、著者にすれば、それはそれで美しすぎるフィクションに見えるに違いない。彼の母の足跡を、ロマンティックに賞賛するのは不可能だ。彼はつまり、母たちの庭をも推敲している。誰もが見て見ぬふりをしてきた生の場面を認めることを要請し、それを、黒人が生きるに値する「国を再建する」仕事と連動させようとしているのである。これはもちろん飛躍ではない。母の実人生を一顧だにせず、父と息子だけで信頼に足る国家のヴィジョンが描けるものか？——むしろ彼は、そう問いかけているのであろう。

キエセ・レイモン

(Kiese Laymon)

1974年生まれ。作家、ミシシッピ大学英文学部ヒューバート・H・マカレグザンダー記念教授。いわゆる「ディープ・サウス」のミシシッピ州ジャクソンで生まれ育つ。ミルサップス大学、ジャクソン州立大学を経て、オーバリン大学を卒業。インディアナ大学大学院文芸創作修士課程（MFA）修了。著書に長篇小説Long Division（2013年。2021年に再版され、ウィリアム・サローヤン国際賞を受賞）、エッセイ集How to Slowly Kill Yourself and Others in America（2013年）がある。数多くの主要メディアにもエッセイ、短篇小説、書評などを寄稿。本書は2019年アンドリュー・カーネギー賞ノンフィクション部門、2018年クリストファー・イシャーウッド自伝的散文賞などの賞を受けた。ニューヨーク・タイムズ紙などで2018年のベスト本の一冊にも選ばれている。2020年、ミシシッピで子や孫のために懸命に働いた祖母の名に因み、ミシシッピの子どもとその親がよりよく読み、書き、推敲し、経験を共有できるようにすることを目的としたプログラム〈キャサリン・コールマン文芸・正義イニシアティヴ〉（The Catherine Coleman Literary Arts and Justice Initiative）を創設した。
HP：https://www.kieselaymon.com

山田 文

翻訳者。訳書にヴィエト・タン・ウェン（編）『ザ・ディスプレイスト――難民作家18人の自分と家族の物語』（ポプラ社）、ダレン・マクガーヴェイ『ポバティー・サファリ――イギリス最下層の怒り』（集英社）、J.D.ヴァンス『ヒルビリー・エレジー――アメリカの繁栄から取り残された白人たち』（光文社、共訳）などがある。

新田啓子

立教大学文学部英米文学専修教授。専攻はアメリカ文学、文化理論。著書に『アメリカ文学のカルトグラフィ――批評による認知地図の試み』（研究社）、編著書に『ジェンダー研究の現在――性という多面性』（立教大学出版会）、河野貴代美との共編著に竹村和子『彼女は何を視ているのか――映像表象と欲望の深層』（作品社）

ヘヴィ

あるアメリカ人の回想録

2021年 6 月16日　初版発行

著者　キエセ・レイモン

訳者　山田 文

装丁　川名 潤

発行者　清田麻衣子

発行所　里山社

〒214-0032　神奈川県川崎市多摩区枡形1-21-3-202
電話　044-712-4100　FAX 044-712-4104
http://www.satoyamasha.com

印刷・製本　モリモト印刷株式会社

ISBN 978-4-907497-14-9 C0098